D1267275

# El cerebro y el cuerpo

## El libro de las respuestas

# Nota de la editorial

Los editores de FC&A han puesto el máximo cuidado para garantizar la exactitud y la utilidad de la información contenida en este libro. Tenga en cuenta que algunos sitios web, direcciones, números telefónicos y otra información pueden haber cambiado después de la impresión de este libro.

La información que se ofrece en este libro debe utilizarse únicamente como referencia y no constituye práctica ni consejo médico.
No podemos garantizar la seguridad o eficacia de los consejos o tratamientos mencionados. Exhortamos a nuestros lectores a consultar con profesionales de la salud y obtener su aprobación antes de iniciar las terapias sugeridas. Aunque se ha hecho todo lo posible para asegurar que la información sea precisa, podría haber errores en el texto y nuevos hallazgos podrían sustituir la información aquí disponible.

*Yo soy tu Creador. Te cuidé aun antes de que nacieras.*
*Isaías 44:2*

# Índice

# Degeneración macular asociada a la edad

punto ciego en el centro del campo visual • visión nublada • dificultad para ver en luz baja • colores apagados

Tener una buena visión es importante para desenvolverse mejor en la vida cotidiana y evitar los golpes, las caídas y los accidentes. Si usted ve bien, le será más fácil llevar una vida activa. Tendrá menos dificultades para hacer ejercicio, preparar comidas saludables, tomar sus medicamentos, ocupar la mente y mantenerse independiente. También evitará las enormes consecuencias emocionales derivadas de la pérdida de visión, como la depresión, la ansiedad y el estrés. Por todas estas razones, el cuidado de los ojos debería ser la primera prioridad y, sin embargo, sólo el 10 por ciento de los adultos mayores creen estar en riesgo de desarrollar una enfermedad ocular.

Se estima que la degeneración macular asociada a la edad (DMAE) afectará a 18 millones de personas en el año 2050. La DMAE, la principal causa de ceguera en las personas mayores de 60 años en Estados Unidos, es una enfermedad sigilosa que se desarrolla lentamente y sin dolor a lo largo de muchos años. Algunos de los síntomas que puede presentar son:

- Un punto ciego o borroso en el centro del campo visual

- La necesidad de más luz para leer o para trabajar de cerca

- Dificultad para adaptarse a la luz baja

- Visión borrosa general y dificultad para reconocer caras

- Disminución de la intensidad o del brillo de los colores

El propio término, degeneración macular, explica el proceso de esta afección. La mácula es un área pequeña en la parte posterior del ojo en el centro de la retina y es responsable de la capacidad de la visión central para distinguir colores y detalles. Cuando uno lee, por ejemplo, la luz se concentra en la mácula donde millones de fotorreceptores, o células sensibles a la luz, la transforman en señales nerviosas. Éstas se mueven a lo largo del nervio óptico hacia el cerebro, donde son interpretadas como palabras. Cuando los fotorreceptores en la mácula se dañan o se degeneran, se pierde esta importante visión central.

Hay dos tipos de degeneración macular: húmeda y seca. El 90 por ciento de las personas con DMAE tienen degeneración macular seca. La diferencia reside en cómo se daña la mácula.

La relación que existe entre las enfermedades oculares y los problemas de memoria intriga a los investigadores. En un estudio que siguió a más de 2,000 adultos mayores se observó que la probabilidad de tener DMAE en fase inicial era el doble en aquéllos cuyo puntaje en una prueba cognitiva estandarizada estaba por debajo del 25 por ciento. La relación exacta sigue en debate, pero la advertencia es clara: si usted tiene una de las dos enfermedades, demencia o DMAE, debe hacerse un chequeo médico para la otra.

- DMAE seca. En la degeneración macular seca se acumulan pequeños depósitos de residuos de color amarillo y blanco en el tejido debajo de la mácula. Estos depósitos, llamados drusas, interfieren con los fotorreceptores provocando su deterioro. La pérdida de visión ocurre de manera muy gradual, puede no darse en ambos ojos y puede no resultar en ceguera total. La forma seca puede convertirse en húmeda en cualquier momento.

- DMAE húmeda. La degeneración macular húmeda ocurre cuando debajo de la mácula se produce un crecimiento anómalo de vasos sanguíneos que empiezan a perder líquido. Esto provoca cicatrices en la retina y hace que la mácula cambie de posición, distorsionando y destruyendo la visión central. La forma húmeda de la DMAE es una de las principales causas de la ceguera irreversible.

La edad es el principal factor de riesgo de la DMAE. A partir de los 75 años el riesgo aumenta a un 30 por ciento. Sin embargo, hay otros factores a tener en cuenta. La DMAE es más frecuente en las personas de

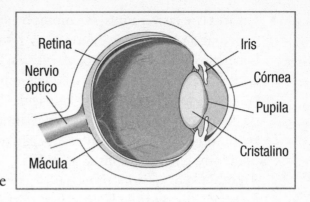

raza blanca, las mujeres, los fumadores, las personas con antecedentes familiares de esta enfermedad, las personas con ojos de color verde o azul claro, las personas con hipertensión no controlada, las personas con niveles altos de proteína C reactiva en la sangre (un marcador químico de la inflamación) o las personas obesas. No hay cura para la DMAE, así que la prevención es lo más importante para combatirla.

## Cinco tácticas para combatir la DMAE

**Coma como los griegos.** A nadie le gusta hacer dieta, ni aunque de ello dependiera salvar su visión. Así que imagínese que la dieta mediterránea no es una dieta, sino más bien una nueva y divertida manera de relacionarse con los alimentos que usted ya consume:

- La retina está repleta de ácidos grasos omega-3 que ayudan a mantener las células que ahí se encuentran fuertes, saludables y capaces de combatir la inflamación y la muerte provocada por la oxidación. Los investigadores han observado que las personas que consumen alimentos ricos en omega-3 gozan de una mayor protección contra la degeneración macular asociada a la edad (DMAE). De hecho, comer pescado una vez a la semana reduce el riesgo de sufrir este mal en un 40 por ciento. Si usted consume pescado tres veces a la semana habrá reducido este riesgo en un 75 por ciento. El pescado, como el salmón y la caballa, es una excelente fuente de ácidos grasos omega-3; también lo son el aceite de oliva y los frutos secos, como la pecana o la avellana.

- Las frutas y las verduras de colores brillantes son la columna vertebral de la dieta mediterránea y resultan realmente beneficiosas para la salud ocular. Están cargadas de antioxidantes, como el zinc y las vitaminas C y E, que protegen las células fotorreceptoras en la mácula. Los productos agrícolas de color verde y amarillo son especialmente ricos en luteína y zeaxantina, dos antioxidantes específicos que también son poderosos guerreros contra la DMAE. Además de combatir los daños de la oxidación, protegen la retina al filtrar las peligrosas longitudes de onda de la luz azul de alta frecuencia. Las verduras de hoja verde, como la espinaca, son estupendas fuentes de luteína y zeaxantina, pero usted también puede disfrutar de la calabaza, el maíz, el brócoli, los chícharos y el espárrago.

- Una teoría sostiene que ciertos alimentos, como el pan blanco y la papa, provocan picos en los niveles de azúcar (o glucosa) en la sangre. Un aumento repentino de la glucosa puede dañar los delicados componentes del ojo y causar una serie de problemas de salud. Los alimentos que pueden provocar estos picos son los que tienen un alto Índice Glucémico (IG). Los alimentos con un IG bajo, en cambio, producen un incremento gradual del nivel de azúcar en la sangre. Los carbohidratos complejos, como los granos integrales, las frutas y las verduras con alto contenido de fibra, tienen un IG bajo. En estudios realizados en Australia se vio que el consumo de alimentos con un IG bajo, sobre todo los cereales ricos en fibra como la avena, puede proteger contra la DMAE y reducir en un tercio el riesgo de desarrollarla.

- La dieta mediterránea se caracteriza por la abundancia de alimentos integrales frescos y por evitar las comidas rápidas, los productos procesados y preenvasados, y las grasas trans. Esta grasa no saludable eleva el nivel del colesterol malo y aumenta la inflamación dañando los vasos sanguíneos en los ojos, tal como daña los vasos sanguíneos en el resto del cuerpo. Las personas que incluyen grandes cantidades de grasas trans en su dieta son más propensas a desarrollar DMAE.

**Dele a la D.** Gracias a sus propiedades antiinflamatorias, la vitamina D combate el proceso que provoca la aparición de drusas en la mácula.

Usted puede obtener la vitamina D de una variedad de alimentos e incluso de los suplementos. Sin embargo, siendo la leche ya parte importante de una dieta equilibrada, ¿por qué no sencillamente disfrutar de un gran vaso de leche fortificada con vitamina D?

## LA DIETA MEDITERRÁNEA

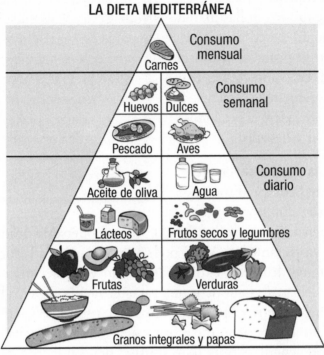

Un plan de alimentación para conservar la salud de los ojos

**Las tres B que alivian las afecciones oculares.** Este trío de vitaminas pueden conservar la visión de varias de maneras. En primer lugar, el ácido fólico y las vitaminas B6 y B12 se descomponen y eliminan la homocisteína del cuerpo. Este aminoácido, que se produce de forma natural en el organismo, daña el revestimiento de los vasos sanguíneos y aumenta el riesgo de desarrollar coágulos de sangre. Además, estas tres vitaminas B pueden actuar como antioxidantes, protegiendo los frágiles fotorreceptores en los ojos. En un estudio, las mujeres que durante siete años tomaron diariamente suplementos de vitamina B —2.5 miligramos (mg) de ácido fólico, 50 mg de vitamina B6 y 1 mg de vitamina B12— presentaban un riesgo 40 por ciento menor de desarrollar DMAE. Pregunte a su médico si los suplementos de vitamina B son una opción aconsejable para usted.

**Córrase de la DMAE.** Si usted ya sale a correr todos los días, propóngase aumentar unos cuantos pasos más a su programa de entrenamiento hasta llegar a por lo menos dos millas diarias. De ese modo, usted habrá duplicado su protección contra la DMAE en comparación con correr sólo una milla o menos. Si no corre, considere la posibilidad de empezar a hacerlo.

EyeCare America es un programa de servicio público de la Fundación de la Academia Estadounidense de Oftalmología. Ofrece exámenes gratuitos de la vista a personas mayores de 65 años que no hayan sido examinadas por un oftalmólogo en más de tres años y que no pertenezcan a una HMO o a la Administración de Veteranos (VA). Llame al 866-324-3937.

**Hágase una prueba de sangre.**
Las personas con predisposición genética son 700 por ciento más propensas a desarrollar DMAE que una persona promedio. Esta sola variación en el ADN podría ser la causa de la formación de las dañinas drusas en el ojo y de promover el crecimiento anómalo de vasos sanguíneos que caracteriza a la DMAE húmeda. Los fármacos que puedan atacar estos genes son la esperanza del futuro. Entretanto, pregunte a su médico sobre la prueba de tipificación genética, sobre todo si usted tiene antecedentes familiares de DMAE. Conocer sus factores de riesgo le permitirá tomar las precauciones apropiadas desde ahora.

Cuadrícula de Amsler para una persona con visión normal

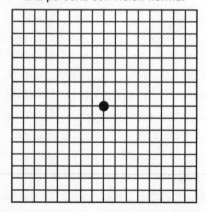

Cuadrícula de Amsler para una persona con DMAE

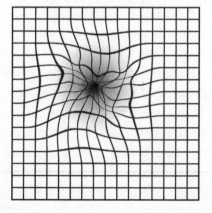

## Dos maneras sorprendentes de disminuir el peligro

Hay dos cosas que no se deben hacer para reducir el riesgo de desarrollar DMAE. La primera es salir sin anteojos de sol. Además de verse bien, con los anteojos de sol las personas protegen sus ojos de los rayos solares perjudiciales. Los expertos creen que los rayos ultravioleta dañan las células pigmentarias en la retina. La segunda es tomar suplementos de betacaroteno. Los estudios demuestran que las personas que aumentan su consumo de betacaroteno a través de pastillas presentan un riesgo mayor de desarrollar DMAE.

# Ácido alfa-lipoico

mejora la memoria • estimula el aprendizaje
• controla los niveles de azúcar en la sangre
• calma el dolor neuropático • reduce los triglicéridos
• acelera el metabolismo • protege la visión

Resulta tentadora la idea de poder estimular la capacidad intelectual con sólo tomar una pastilla. Es una promesa demasiado buena para ser cierta. Sin embargo, los resultados obtenidos con el ácido alfa-lipoico parecen estar a la altura de lo prometido. Aunque poco conocido, este suplemento poderoso puede reparar su "directorio" mental. Los estudios muestran que usted será capaz de recordar el nombre de las personas al instante y recuperar así la confianza en usted mismo.

El ácido alfa-lipoico es un formidable antioxidante natural. A diferencia de la mayoría de los antioxidantes, el ácido alfa-lipoico actúa tanto en el agua como en la grasa. Incluso es capaz de regenerar otros antioxidantes agotados. Otro beneficio es su efecto positivo sobre las mitocondrias, las pequeñas centrales energéticas de las células que queman los alimentos para convertirlos en energía.

El ácido alfa-lipoico es una coenzima sintetizada por el propio organismo. Usted también puede obtenerlo de los alimentos, como las espinacas, el brócoli, la levadura, el tomate, los chícharos, los repollitos de Bruselas, el hígado y otras vísceras. Sin embargo, para obtener cantidades suficientes de este ácido graso usted probablemente necesitará recurrir a los suplementos.

Según los estudios, el ácido alfa-lipoico estimula el metabolismo, reduce los triglicéridos, combate la diabetes y sus complicaciones e incluso puede ayudar a aliviar otras afecciones, como el glaucoma, la esclerosis múltiple y el síndrome de boca ardiente. Con todo, su efecto sobre el cerebro puede que sea su mejor beneficio.

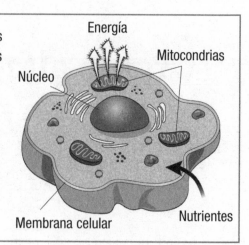

Las mitocondrias son como las pequeñas centrales energéticas de las células, que generan energía a partir de nutrientes como las grasas, las proteínas y los carbohidratos. El daño a las mitocondrias contribuye al envejecimiento, así como a la enfermedad de Parkinson y la enfermedad de Alzheimer.

Energía

Mitocondrias

Núcleo

Membrana celular

Nutrientes

## Tres beneficios del ácido alfa-lipoico para la mente

**Optimiza la memoria.** El paso de los años a menudo trae consigo cierto declive de la agudeza mental. También provoca el deterioro de las mitocondrias, que son las centrales energéticas de las células. Este deterioro ha sido asociado al envejecimiento del cerebro y a trastornos neurológicos, como la enfermedad de Alzheimer y la enfermedad de Parkinson. Afortunadamente, el ácido alfa-lipoico puede ser una solución para estos dos problemas.

En varios estudios se ha observado cómo el ácido alfa-lipoico ha logrado mejorar la función mental, el aprendizaje y la memoria en ratones de edad avanzada. Las perspectivas también son prometedoras para los humanos. En un pequeño estudio realizado con personas que sufrían de alzhéimer y formas similares de demencia se observó que 600 miligramos de ácido alfa-lipoico al día durante un año lograron estabilizar la función mental de estos pacientes.

Según los científicos, éstas son algunas explicaciones posibles del poder del ácido alfa-lipoico para estimular el cerebro:

- Mejora las vías de señalización relacionadas con la memoria.

- Reduce el estrés oxidativo. El ácido alfa-lipoico no sólo neutraliza los dañinos radicales libres, sino que también regenera otros antioxidantes que, como pilotos *kamikaze*, se sacrifican para estabilizar los radicales libres. También impide que metales, como el hierro y el cobre, se oxiden y causen daño.

- Mejora la función mitocondrial. El ácido alfa-lipoico protege a las mitocondrias del daño oxidativo, previene la degeneración de las células cerebrales e, incluso, estimula la producción de nuevas mitocondrias.

Como los buenos empleados, el ácido alfa-lipoico trabaja bien en equipo. Los estudios indican que se obtienen mejores resultados cuando se combina con otros suplementos, como la carnitina o la coenzima Q10. Los animales que recibieron una combinación de carnitina con ácido alfa-lipoico mostraron tener más energía y se desempeñaron mejor en las pruebas de aprendizaje y memoria.

**Derrota la diabetes.** La diabetes no sólo hace peligrar sus niveles de azúcar en la sangre, también va de la mano con la obesidad y los problemas cardíacos. Todos estos problemas de salud afectan el cerebro de manera negativa.

El ácido alfa-lipoico se ha mostrado prometedor para el tratamiento de la diabetes y sus complicaciones. Una serie de pequeños estudios revelan que el ácido alfa-lipoico puede reducir los niveles de azúcar en la sangre en las personas con

> La mayoría de las células del cuerpo contienen entre 500 y 2,000 mitocondrias.

diabetes tipo 2. En otros estudios, el ácido alfa-lipoico mejoró la sensibilidad a la insulina en un 50 por ciento cuando fue administrado por vía intravenosa y en un 25 por ciento cuando fue administrado por vía oral. También parece mejorar los niveles de azúcar en el largo plazo, pero aún se necesitan estudios adicionales.

> Dato importante: el ácido alfa-lipoico puede ayudar a combatir las cataratas y el glaucoma, dos problemas de la visión que suelen afectar a las personas mayores.

Los estudios han constatado que el ácido alfa-lipoico, administrado por vía intravenosa o vía oral, mejora los síntomas de la neuropatía diabética, o daño a los nervios causado por niveles continuamente altos de azúcar en la sangre. Los participantes de un estudio que tomaron ácido alfa-lipoico durante cinco semanas, en dosis que iban de 600 a 1,800 mg al día, experimentaron una disminución de los síntomas, entre ellos el ardor y el dolor punzante. A pesar de estas pruebas sobre el posible beneficio del ácido alfa-lipoico, la diabetes es una enfermedad seria. Hable con su médico antes de probar cualquier remedio alternativo, incluidos los suplementos.

**Arremete contra los triglicéridos.** Al igual que el colesterol alto, los triglicéridos pueden poner su salud en riesgo. Niveles altos de estas grasas o lípidos en la sangre pueden llevar a la obesidad, la diabetes o alguna enfermedad cardíaca. Lo que es bueno para el corazón y para la figura, también lo es para el cerebro, de modo que reducir el nivel de triglicéridos es una decisión inteligente.

En estudios realizados con ratas de laboratorio se encontró que el ácido alfa-lipoico redujo los triglicéridos en hasta un 60 por ciento. Funcionó al frustrar la síntesis de los triglicéridos en el hígado y eliminarlos del torrente sanguíneo. Los científicos señalan que a pesar de actuar de manera distinta a los fármacos el ácido alfa-lipoico puede llegar a ser igual de efectivo para bajar los triglicéridos, y sin los efectos secundarios no deseados que suelen tener los fármacos.

Aún no está claro si el ácido alfa-lipoico puede tener el mismo efecto en los humanos, pero parece ser una nueva y prometedora opción para prevenir o tratar los niveles altos de triglicéridos.

## Cómo encontrar la combinación perfecta

El ácido alfa-lipoico viene en una variedad de presentaciones y concentraciones. La presentación más común en el mercado es la mezcla racémica, que consiste en partes iguales de isómeros R (naturales) y S (sintéticos). Ésta es también la presentación de ácido alfa-lipoico más utilizada en los ensayos clínicos.

Los suplementos que contienen únicamente el isómero natural R serían, según estudios realizados en animales, los más eficaces para mejorar la sensibilidad a la insulina, pero también son más costosos que los que consisten en una mezcla racémica.

Para tratar enfermedades como la diabetes y sus complicaciones, la dosis típica es de entre 600 y 1,200 miligramos (mg) al día, dividida en tres dosis iguales. Los expertos dicen que es seguro tomar hasta 1,800 mg. Para las personas que en general tienen buena salud, se recomienda una dosis diaria máxima de entre 200 y 400 mg y mínima de entre 20 y 50 mg.

Para potenciar sus efectos al máximo, tome los suplementos de ácido alfa-lipoico con el estómago vacío, ya sea una hora antes de comer o dos horas después de comer.

## Estrategias a seguir con los suplementos

Los suplementos dietéticos no son siempre lo que parecen. Debido a que no están sujetos a una regulación estricta por parte de la Administración de Alimentos y Fármacos (FDA), los consumidores acaban teniendo más opciones, pero menos protección. Es decir, hay menos certeza de que un producto contenga lo que dice contener.

Vaya a lo seguro y compre sus suplementos dietéticos únicamente de fuentes reconocidas. También tenga en cuenta que "natural" no siempre significa "seguro". Algunos suplementos dietéticos pueden interactuar de manera peligrosa con los medicamentos recetados y de venta libre, así como con otros suplementos.

El ácido alfa-lipoico tiene también sus propios problemas: sarpullido o erupciones en la piel, urticaria y comezón son algunos de sus posibles efectos secundarios. Si usted toma medicamentos para la diabetes, es posible que tenga que ajustar la dosis debido al efecto beneficioso del ácido alfa-lipoico sobre el azúcar en la sangre. En dosis elevadas, el ácido alfa-lipoico puede causar dolores estomacales, náuseas, vómitos, mareos y dolores de cabeza. Como cualquier otro suplemento, antes de tomar ácido alfa-lipoico consulte con su médico.

# Enfermedad de Alzheimer

olvidos • dificultad para concentrarse • confusión • depresión • deterioro de la capacidad de juicio • problemas con el habla • problemas con el movimiento • cambios en el comportamiento

La enfermedad de Alzheimer (EA) no forma parte del proceso normal de envejecimiento. Es una enfermedad grave con consecuencias graves. Sin embargo, hay una gran diferencia entre los ligeros problemas de memoria que aparecen con la edad y este mal. Debido a la naturaleza devastadora —y mortal— de la EA, muchas personas reaccionan con temor. Sin embargo, cuanta más información tenga, en mejores condiciones estará para enfrentar la EA si llegara a afectar su vida.

"Demencia" es un término que a menudo se entiende mal. Muchos creen que alzhéimer y demencia son enfermedades totalmente distintas. En realidad, hay varios tipos distintos de demencia: la enfermedad de Alzheimer es el tipo más común ya que afecta a más de cinco millones de estadounidenses.

Se dice que una persona tiene demencia cuando padece una enfermedad que daña las células cerebrales a tal punto que causa la pérdida de memoria y de otras capacidades mentales. Las personas con demencia pueden sufrir cambios en la personalidad y tener dificultad para hablar, caminar y pensar con claridad. También presentan un deterioro del buen juicio y se enfrentan a otros problemas que interfieren con su vida diaria.

> Más del 70 por ciento de las personas recientemente diagnosticadas con enfermedad de Alzheimer eligieron no recibir tratamiento durante el primer año.

Un cerebro sano envía información a través de miles de millones de células nerviosas, creando pensamientos, recuerdos y destrezas. Con el alzhéimer, estas células nerviosas o neuronas, dejan de funcionar adecuadamente y finalmente mueren. Esto provoca el deterioro de las partes del cerebro encargadas de la memoria, del pensamiento y del comportamiento. Dado que ésta es una enfermedad progresiva, el daño cerebral y sus efectos se expanden y empeoran gradualmente.

Por ahora, los expertos no saben qué causa la EA y su diagnóstico positivo sólo es posible con una autopsia. En el cerebro de una persona con EA se observan siempre dos anomalías cerebrales: las placas amiloides y los ovillos neurofibrilares. Los médicos no saben si son la causa de la EA o el resultado de esta enfermedad.

- Las placas y las acumulaciones. La beta-amiloide es una proteína que las células nerviosas del cerebro necesitan para transmitir información. A veces, por razones que se desconocen, acumulaciones pegajosas de beta-amiloide flotan entre las neuronas o se adhieren a partes de células nerviosas dañadas y a otras proteínas, dando lugar a la formación de placas.

- Los ovillos. Las células cerebrales tienen un complejo sistema de transporte para el suministro de nutrientes llamado microtúbulos. En condiciones normales, la proteína llamada tau apoya la función de estos microtúbulos. Sin embargo, en las personas con alzhéimer, la proteína tau se altera y forma filamentos entrelazados que acaban destruyendo los microtúbulos. A estos filamentos retorcidos se les conoce como ovillos neurofibrilares.

La presencia de placas, acumulaciones y ovillos afecta las conexiones entre las neuronas. Cuando ya no pueden comunicarse entre sí, las neuronas mueren provocando la contracción del tejido cerebral.

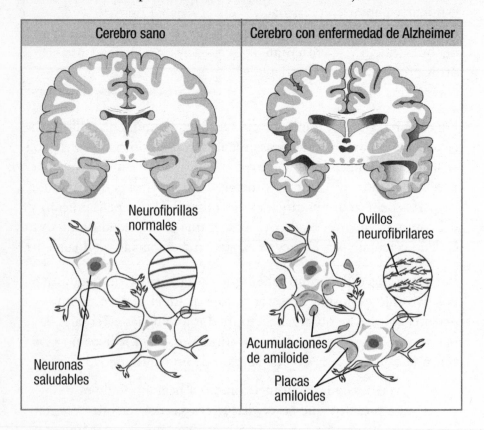

| Cerebro sano | Cerebro con enfermedad de Alzheimer |

Neurofibrillas normales

Ovillos neurofibrilares

Neuronas saludables

Acumulaciones de amiloide

Placas amiloides

**Los beneficios de la detección temprana.** El diagnóstico de EA después de realizar una autopsia es concluyente, pero de nada le servirá. Es por esa razón que los expertos insisten en lo que llaman un diagnóstico clínico. Esto significa descartar otras enfermedades, reunir un historial médico y realizar una serie de entrevistas y evaluaciones mentales. El diagnóstico temprano de EA significa que:

- Usted puede empezar un tratamiento farmacológico en las primeras etapas de la enfermedad, lo que puede hacer que el deterioro físico y mental sea más lento.

- Usted y su familia pueden empezar a planificar el futuro en términos prácticos, financieros y legales.

- Usted puede tener la opción de participar en un ensayo clínico de un medicamento o tratamiento experimental.

Hable con su médico acerca de las pruebas de evaluación que existen para determinar si usted o un ser querido tiene demencia.

**Conozca los signos precoces.** Tal vez le sorprendan algunos de estos signos tempranos y poco conocidos de la enfermedad de Alzheimer:

- La pérdida de olfato. Es común perder el sentido del olfato muchos años antes de presentar otros síntomas de EA. En un estudio se observó que era cinco veces más probable que las personas que no reconocían más de dos de entre diez olores comunes (como el del humo, el cuero y el limón), fueran más adelante diagnosticadas con EA, que aquéllas que obtuvieron mejores resultados en la prueba de olfato.

- La pérdida rápida de peso. Los adultos mayores que adelgazaron rápidamente mostraron ser tres veces más propensos a desarrollar demencia que los que lo hicieron más lentamente. Los expertos creen que posiblemente en las etapas tempranas de la enfermedad las personas tienen dificultad para comer o pierden interés en la comida y la cocina.

- El deterioro de las habilidades financieras. En un estudio de cuatro años realizado por la Universidad de Alabama, la pérdida de las habilidades financieras, como la capacidad para pagar las facturas y administrar una cuenta bancaria, se presentaba un año antes de un diagnóstico de EA.

- La dificultad para evaluar, pensar y comprender.

> Una aspirina al día puede no prevenir el alzhéimer. Por cada estudio publicado que muestra que los medicamentos antiinflamatorios no esteroideos (AINE), como el ibuprofeno, el naproxeno y la aspirina, reducen el riesgo de alzhéimer, hay un informe sobre cómo los AINE aumentan ese riesgo. Pregunte a su médico si los AINE son aconsejables para usted.

| Las siete etapas de la enfermedad de Alzheimer (EA) | |
| --- | --- |
| **Etapa 1:** Ningún deterioro | Normal |
| **Etapa 2:** Deterioro muy leve | Fallas de memoria que pasan desapercibidas para los demás |
| **Etapa 3:** Deterioro leve | Evaluación médica puede detectar problemas; otras personas empiezan a notar las fallas de memoria |
| **Etapa 4:** Deterioro moderado | Se puede diagnosticar EA en fase leve o temprana; dificultad para realizar tareas complejas |
| **Etapa 5:** Deterioro moderadamente grave | Problemas serios de memoria y función cognitiva que hacen necesaria la asistencia diaria |
| **Etapa 6:** Deterioro grave | EA en fase moderada o media; la persona puede necesitar cuidados a tiempo completo debido a cambios importantes en su personalidad, comportamiento y memoria |
| **Etapa 7:** Deterioro muy grave | EA en fase avanzada o tardía; la persona pierde la capacidad para responder a su entorno, para hablar y para controlar sus movimientos |

Estas habilidades comienzan a deteriorarse algunos años antes de perder la memoria. Para entender un mapa o armar un rompecabezas se necesita estar en la capacidad de reconocer la distancia que existe entre distintos objetos, una habilidad, que según un estudio realizado por la Universidad de Kansas, se empieza a perder tres años antes de que se pueda hacer un diagnóstico clínico de enfermedad de Alzheimer.

- Los olvidos momentáneos. ¿Pierde el hilo de pensamiento? ¿Se descubre mirando fijamente al vacío? En un estudio reciente, las personas mayores que experimentaron por lo menos tres síntomas distintos de lapsos momentáneos de memoria como éstos, eran cuatro veces y media más propensas a recibir un diagnóstico de alzhéimer.

**Acepte lo que no puede cambiar.** Hay tres importantes factores de riesgo de la enfermedad de Alzheimer que usted no puede cambiar:

- Genética. La enfermedad de Alzheimer de inicio temprano es una forma poco común de esta enfermedad y por lo general es hereditaria. Por otra parte, los expertos también están estudiando un gen específico llamado apolipoproteína E (ApoE) que puede estar asociado al alzhéimer de aparición tardía, la forma más común de este mal. Ser portador de este gen no significa que necesariamente desarrollará esta enfermedad, sólo que tiene un riesgo mayor de desarrollarla.

- Edad. Aunque la EA no es parte del proceso normal de envejecimiento, la edad es el mayor factor de riesgo: el 96 por ciento de los estadounidenses con EA tienen 65 años o más.

- Sexo. Más mujeres que hombres desarrollan la EA. Esto puede deberse a que las mujeres tienden a vivir más tiempo.

El estrés puede afectar el cerebro y las capacidades mentales, así que no pierda el tiempo preocupándose por estos factores de riesgo. En su lugar, piense en aquello que sí puede cambiar. Asumir el control sobre ciertos problemas de salud, por ejemplo, puede ayudar a detener o retardar el desarrollo de la enfermedad de Alzheimer.

Según la Asociación de Alzheimer, éstos son los 10 signos de alerta de la enfermedad de Alzheimer:
- Pérdida de memoria que interfiere con la vida diaria
- Dificultad para resolver problemas
- Desorientación en tiempo y lugar
- Dificultad para entender imágenes visuales
- Problemas de lenguaje
- Extravío de objetos
- Deterioro de la capacidad de juicio
- Dificultad para llevar a cabo tareas habituales
- Alejamiento de las actividades sociales
- Cambios en el estado de ánimo y en la personalidad

# Cinco tácticas para combatir el alzhéimer

**Ame a su corazón.** Lo que es bueno para el corazón, es bueno para el cerebro. Numerosos estudios han demostrado que la presión arterial alta, el colesterol alto e incluso la diabetes —sobre todo en la mediana edad— aumentan el riesgo de desarrollar la enfermedad de Alzheimer (EA) más adelante. Para combatir estas enfermedades mantenga su peso bajo control, siga una dieta saludable para el corazón y haga ejercicio con regularidad.

**Evite las lesiones en la cabeza.** Un golpe en la cabeza aumenta las probabilidades de desarrollar alzhéimer u otra forma de demencia. Los expertos sostienen que cuando se pierde la conciencia, el riesgo de desarrollar alzhéimer es casi diez veces más alto. Haga su casa a prueba de caídas, use zapatos cómodos y con apoyo firme para sus pies, mejore su equilibrio haciendo ejercicio y pregunte a su médico si le ha recetado algún medicamento que podría provocar mareos.

**Manténgase mentalmente activo.** Tener pasatiempos y ocupaciones que estimulan la mente podría reducir su probabilidad de desarrollar alzhéimer. Lamentablemente, lo contrario también es cierto. Pasar horas enfrascado en actividades que requieren poco esfuerzo mental, como ver la televisión, está asociado a un riesgo mayor de demencia.

**Opte por un estilo de vida saludable.** No fume, si bebe hágalo con moderación y manténgase físicamente activo. Esta es una manera de mantener saludable el sistema cardiovascular y de estimular el cerebro a producir más neuronas y canales de comunicación.

**Coma para nutrir sus capacidades mentales.** Existen nutrientes específicos, como los ácidos grasos omega-3, las vitaminas B y los antioxidantes, que pueden contribuir a reducir el riesgo de desarrollar alzhéimer. Sin embargo, los profesionales de la salud creen que una dieta variada centrada en los alimentos integrales es la mejor protección que usted le puede ofrecer a su cerebro. Esto se debe posiblemente a la interacción de nutrientes. Una dieta como la mediterránea, que incluye frutas, verduras, granos integrales y pescado, es ideal para la salud del corazón y de todo el cuerpo y, además, está asociada a un menor riesgo de desarrollar alzhéimer.

# Otros seis tipos menos conocidos de demencia

**Demencia vascular.** El segundo tipo más común de demencia es causado por las fugas y las obstrucciones en los vasos sanguíneos que reducen el flujo sanguíneo al cerebro. La presión arterial alta, el colesterol alto y la diabetes suelen causar este daño a los vasos sanguíneos provocando demencia vascular.

**Demencia con cuerpos de Lewy.** Los cuerpos de Lewy son depósitos anómalos de una proteína específica —la proteína alfa-sinucleína— que se acumulan dentro de las neuronas en las regiones del cerebro que controlan la memoria y el movimiento. No existe una forma de prevención, tratamiento o cura conocida.

**Enfermedad de Parkinson (EP).** Su principal característica es la pérdida de dopamina, un neurotransmisor clave que afecta el movimiento, la coordinación y el procesamiento de información.

**Demencia frontotemporal.** Un término que abarca tres trastornos diferentes que afectan la región específica del cerebro que controla la personalidad, la conducta y el lenguaje. Se confunde a menudo con trastornos psiquiátricos, alzhéimer o párkinson. No existe tratamiento específico o cura, pero sus síntomas se pueden aliviar con medicamentos y cambios en el estilo de vida.

**Enfermedad de Creutzfeldt-Jakob (ECJ).** La ECJ pertenece a una familia de enfermedades humanas y animales conocidas como encefalopatías espongiformes transmisibles, que causan agujeros microscópicos en el cerebro. Poco común, este trastorno provoca cambios en la memoria y la conducta, así como problemas de visión y de coordinación. No hay tratamiento ni cura.

**Hidrocefalia normotensiva (HNT).** El líquido cefalorraquídeo se acumula —debido a una infección, un tumor, complicaciones de una cirugía, un golpe en la cabeza o una causa desconocida— y ejerce presión sobre el cerebro. Los síntomas son tan similares a los de otros tipos de demencia, que la HNT a menudo se diagnostica mal o no se trata de manera adecuada. Esto es particularmente trágico ya que es posible una mejoría si se coloca una válvula de derivación para drenar el exceso de líquido en el cerebro.

# El *ginkgo* no es eficaz para la demencia

En el estudio más grande que se haya llevado a cabo sobre los beneficios para la memoria del *ginkgo biloba* se concluyó que no hay pruebas de su utilidad. Durante seis años se estudiaron a más de 3,000 adultos mayores: la mitad recibió 120 miligramos de un extracto de *ginkgo* dos veces al día y la otra mitad recibió un placebo. En las distintas pruebas que se realizaron no se registró diferencia alguna en el deterioro mental entre estos dos grupos.

El hecho de que no tenga beneficios significativos para la memoria es menos alarmante que el temor de que podría aumentar el riesgo de sufrir un accidente cerebrovascular. Si bien se sabe que el *ginkgo* tiene un efecto anticoagulante y que, por lo tanto, puede aumentar el riesgo de sangrado, nuevas pruebas sugieren que podría estar asociado a una mayor incidencia de accidentes cerebrovasculares no hemorrágicos o causados por la obstrucción de un vaso sanguíneo. Es más, los participantes del estudio que tenían un mal cardíaco y que tomaron *ginkgo* presentaban una probabilidad 56 por ciento mayor de desarrollar demencia que los que tenían un mal cardíaco y tomaron el placebo. Si usted tiene una enfermedad del corazón, hable con su médico antes de tomar suplementos de *ginkgo*.

> La Asociación de Alzheimer dice que el tratamiento médico agresivo para personas con estados avanzados de demencia rara vez tienen éxito y que éste podría acelerar el deterioro físico y mental. Proponen el cuidado paliativo como alternativa. La finalidad de este tipo de tratamiento es aliviar los síntomas, no curar la enfermedad.

## Los autoexámenes y el diagnóstico temprano

Rápidos y precisos, los autoexámenes ayudan a detectar la enfermedad de Alzheimer (EA) y otros tipos de demencia. La prueba "Evalúa tu Memoria" (*Test Your Memory* o TYM, en inglés) evalúa diez tipos de capacidades mentales. En un estudio reciente, esta prueba identificó correctamente el 93 por ciento de los casos de EA. El Examen Gerocognitivo Autoadministrado (SAGE, en inglés) es una prueba escrita de cuatro páginas que, según nuevas investigaciones, permite reconocer problemas tempranos de memoria y de pensamiento en el 80 por ciento de los casos. Su médico debería poder proporcionarle estas dos pruebas.

# Aromaterapia

aligera la ansiedad • mejora el estado de ánimo
• calma el dolor muscular • alivia los dolores de cabeza
• le mantiene alerta • le ayuda a dormir • frena el apetito

El cuerpo responde de muchas maneras a los olores. La relación entre la nariz y el cerebro ha fascinado a los científicos que buscan entender como actúa la aromaterapia, es decir, el uso de aceites aromáticos de origen vegetal para mejorar la salud. Para empezar, es necesario desentrañar el más maravilloso de los cinco sentidos: el olfato.

El propósito de la nariz es calentar y limpiar el aire que se respira. Sin el sentido del olfato, no sólo dejaríamos de disfrutar del reconfortante aroma del café recién hecho; tampoco podríamos oler el humo de un incendio ni saber si la comida se echó a perder.

La manera más directa en la que los aromas inhalados ingresan al cuerpo es a través de las membranas mucosas de la nariz. Las moléculas son tan

Los aceites esenciales utilizados en un masaje se inhalan o se absorben a través de la piel. Así ingresan a través de los tejidos al flujo sanguíneo, desde donde llegan a todos los órganos y sistemas del cuerpo.

pequeñas que se absorben con facilidad e ingresan rápidamente al flujo sanguíneo para circular por todo el cuerpo. Muchos creen que llegan a afectar directamente órganos internos específicos, como los intestinos, los riñones y los pulmones. Pero otra travesía, algo más compleja, explica mejor la conexión entre los aromas y el cerebro.

En la parte superior de la cavidad nasal hay una capa de millones de células especializadas que se conoce como el epitelio olfativo. Estas células receptoras son sensibles a las moléculas del olor en el aire. Cuando un olor estimula una célula receptora, ésta envía un impulso eléctrico a un grupo de estructuras en el cerebro llamado el sistema límbico.

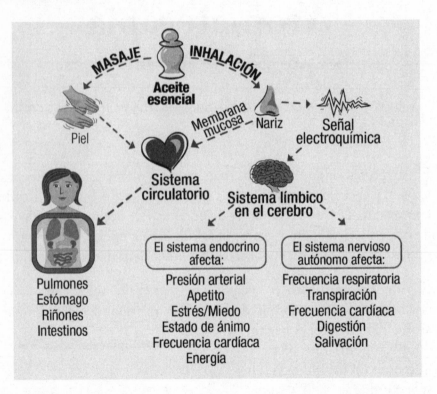

Estas partes específicas del cerebro están a cargo del olor, así como de ciertos estados de ánimo y de los sentimientos. De hecho, se considera que el sistema límbico es el centro emocional del cerebro. No nos debe extrañar entonces el vínculo estrecho que existe entre el olfato y las emociones. Los expertos creen que hay dos maneras en las que los aromas pueden afectar la conducta y el estado de ánimo.

La primera vez que usted inhala un aroma, el cerebro relaciona ese aroma con algo que está sucediendo en su entorno o con la forma en la que usted se siente en ese momento. El cerebro establece estas conexiones entre un olor y un recuerdo, sobre todo en situaciones muy intensas. De modo que cuando vuelve a oler ese aroma, el cerebro activa esa conexión y usted vuelve a sentirse de esa manera.

Tal vez su primera cita transcurrió en una feria del condado y hoy el olor a algodón de azúcar le alegra el corazón. Otra persona pudo tener una experiencia aterradora en la montaña rusa de esa misma feria y el olor a algodón de azúcar lo pone nervioso. Para algunos investigadores estamos ante la memoria olfativa autobiográfica.

Para otra escuela de pensamiento esta relación es puramente química. El sistema límbico se vincula con las funciones automáticas, como la respiración y la circulación, así como con el sistema endocrino, que está a cargo de las hormonas. Cuando un olor "dispara" una señal eléctrica al cerebro, se activan una serie de neurotransmisores que afectan la frecuencia cardíaca, entre otras funciones.

Distintos aromas despiertan distintos recuerdos en distintas personas. Es necesario hacer uso de los aceites esenciales para lograr que los aromas generen determinada respuesta. Al triturar o destilar las hojas, la cáscara o la corteza de ciertas plantas, los expertos pueden extraer un aceite con su fragancia. Cuando este proceso se lleva a cabo de manera natural, sin productos químicos, se obtiene un aceite esencial. Los científicos siguen estudiando el vínculo entre los olores específicos y determinadas conductas. La aromaterapia puede mejorar ciertos problemas de salud, pero no hay pruebas de que pueda prevenir o curar una enfermedad grave.

¿Aromaterapeutas certificados? Busque uno en su zona en *www.aromatherapycouncil.org* (en inglés). Existen 19 escuelas que ofrecen programas aprobados por la Asociación Nacional de Aromaterapia Holística. Si usted desea obtener información sobre acreditaciones, vaya al sitio web en inglés de la Alianza de Aromaterapeutas Internacionales (AIA), en *www.alliance-aromatherapists.org*.

# Cinco beneficios de la aromaterapia para la mente

**Tranquiliza y anima.** Una fragancia asociada con un recuerdo feliz puede recrear esa sensación original de bienestar. Cuando uno se siente feliz es casi imposible sentirse, al mismo tiempo, estresado o deprimido. Así que rodéese de aquellos aromas reconfortantes que logran despertar esos recuerdos de bienestar en usted y deje que influyan en su estado de ánimo.

Para una explicación más clínica, tenga en cuenta que para superar la tensión, la ansiedad y la depresión es necesario antes calmar la respiración, estabilizar la frecuencia cardíaca y la presión arterial, y controlar la cantidad de cortisol, que es la hormona del estrés, presente en el flujo sanguíneo. De todo esto se encargan el sistema endocrino y el sistema nervioso autónomo, que reciben sus órdenes del sistema límbico en el cerebro. Con ese propósito, uno puede identificar qué aroma es capaz de enviar la señal precisa, de la nariz al sistema límbico. Por ejemplo, el aroma de la mejorana, que es una especie de cocina, puede aliviar la ansiedad, reducir la presión arterial al dilatar los vasos sanguíneos y ayudarlo a descansar.

En muchos estudios sobre la aromaterapia para combatir el estrés, la ansiedad y la depresión se recurre al masaje como una manera de hacer que los aromas penetren en el cuerpo. Los resultados suelen ser positivos, pero hay que tener en cuenta la posibilidad de que el masaje por sí solo podría también estar mejorando el ánimo y aliviando la tensión.

**Alivia el dolor de manera natural.** Hay olores tan irritantes que pueden provocar dolores de cabeza y otros tan placenteros que pueden hacerlos desaparecer. No se trata de la acción de sólo un componente del aceite esencial, sino de una compleja combinación que al llegar al cerebro provoca distintas

Nasal SoftStrips es un nuevo y revolucionario producto que además huele bien. Aprobadas por la FDA, estas tiras nasales vienen impregnadas de menta (para frenar el apetito) o de lavanda (para relajarse y aliviar el estrés). Simplemente coloque una tira debajo de la nariz y respire profundamente durante unos minutos.

respuestas. Hay componentes del aceite esencial que afectan los neurotransmisores dedicados a procesar el dolor, como la dopamina, y otros que estimulan la liberación de endorfinas, actuando como analgésicos naturales. El uso de un aceite esencial a la hora del masaje puede ser doblemente beneficioso para tratar los dolores musculares e, incluso, los dolores de cabeza.

La anosmia es la pérdida del sentido del olfato. A menudo es causada por infecciones o por una enfermedad sinusal que provoca hinchazón al interior de la nariz, o por pólipos que impiden que los olores lleguen a la zona olfativa. Tratar la infección o extirpar los pólipos puede devolverle el sentido del olfato. Un traumatismo craneal es una causa más grave y con frecuencia permanente de anosmia.

**Previene el agotamiento mental.** Ciertos olores son tan fuertes que logran captar la atención y ayudan a mantener la concentración. Si usted desea combatir la fatiga o concluir una tarea, o si necesita recordar algo, inhale una fragancia que estimule el sistema nervioso, como la fragancia de menta o de canela.

**Ayuda a dormir como un bebé.** Un momento de tranquilidad, más un baño caliente, estiramientos suaves y una respiración profunda calman la mente y los músculos. A eso súmele un aroma, como el de lavanda. Se ha probado que el aroma de lavanda promueve una mejor calidad de sueño.

**Frena el apetito.** El olor de un alimento delicioso activa los recuerdos de comida y de haber disfrutado ese alimento y, a su vez, despierta las ganas de comer. ¿Lo contrario será también cierto? Sería maravilloso poder empezar una dieta "de olores" y bajar de peso sin esfuerzo.

El hipotálamo, una parte del cerebro del tamaño de una cereza, controla el hambre y su opuesto, es decir, la saciedad o la sensación de estar lleno. Los aromas pueden aplacar el hambre que una persona siente al provocar una serie de reacciones químicas que le indican al hipotálamo qué hacer. Los científicos pudieron constatar esto con los aromas de la menta y de la toronja.

| | Estrés | Depresión | Insomnio | Fatiga y Memoria | Dolor | Aumento de peso |
|---|---|---|---|---|---|---|
| Albahaca | | ✔ | | | | |
| Canela | | | | ✔ | | |
| Cítrico | ✔ | ✔ | | | | |
| Clavo de olor | | | | | ✔ | |
| Enebro | | | | | ✔ | |
| Eucalipto | ✔ | ✔ | | ✔ | | |
| Jazmín | ✔ | ✔ | | | | |
| Jengibre | | | | | ✔ | |
| Lavanda | ✔ | ✔ | ✔ | | ✔ | |
| Limón amarillo | ✔ | | | | ✔ | |
| Manzanilla | ✔ | ✔ | ✔ | | | |
| Mejorana | ✔ | | ✔ | | ✔ | |
| Menta | ✔ | | | ✔ | ✔ | ✔ |
| Olíbano | ✔ | | | | ✔ | |
| Romero | | ✔ | | ✔ | ✔ | |
| Rosa | ✔ | ✔ | | | ✔ | |
| Salvia romana | ✔ | ✔ | | | | |
| Sándalo | | ✔ | | | | |
| Toronja | | | | | | ✔ |
| Ylang-ylang | ✔ | ✔ | | | ✔ | |

## Sugerencias para que sean sanadores y seguros

Los aceites esenciales son muy concentrados. Tenga cuidado en cómo los utiliza:

- No los ingiera a menos que su médico se lo haya indicado específicamente.

- Respete sus alergias. Si es alérgico a los frutos secos, no utilice "aceites portadores" de almendra o cacahuate. Si tiene fiebre de heno, puede sufrir una reacción desfavorable al inhalar el aceite esencial de manzanilla.

- No los aplique directamente sobre la piel. Diluya los aceites esenciales en un "aceite portador", como el de almendra, coco, jojoba o girasol.

- Almacene los aceites esenciales en recipientes herméticamente cerrados y manténgalos en un lugar alejado de la luz directa. De lo contrario pueden descomponerse e irritar la piel.

- Menos es mejor. Empiece con pequeñas cantidades para determinar su reacción. Los productos comerciales perfumados, como los difusores, las velas, las sales de baño y las lociones, pueden ser suficientes para obtener beneficios.

# Betacaroteno

camote • zanahorias • espinacas • melón
• mango • papaya

El betacaroteno, el pigmento responsable del color anaranjado de ciertas frutas y verduras, también aporta muchos beneficios para la salud. Hay muchos alimentos que contienen betacaroteno, que es el más común de los carotenoides. Los carotenoides son pigmentos que van desde el amarillo claro hasta el naranja rojizo. El betacaroteno se encuentra en las frutas y verduras de color naranja brillante y también en las verduras de color verde oscuro. La combinación del pigmento verde llamado clorofila con el naranja del betacaroteno produce ese color verde oscuro.

Al betacaroteno se le puede considerar como la forma vegetal de la vitamina A que se encuentra en los productos animales, tales como el hígado, los lácteos y el huevo. De hecho, el cuerpo convierte el betacaroteno en vitamina A o retinol. Al igual que la vitamina A, el betacaroteno actúa como un antioxidante: ayuda a conservar la visión, fortalece el sistema inmunitario y es un aliado en la lucha contra el cáncer, las enfermedades del corazón y otras graves dolencias. Gracias sobre todo a su acción antioxidante, el betacaroteno también hace maravillas para el cerebro.

| | |
|---|---|
| 1 camote al horno | 16.8 mg* |
| 1 taza de zanahorias cocidas | 12.9 mg |
| 1 taza de espinacas cocidas | 11.3 mg |
| 1 taza de melón | 3.2 mg |
| 1 mango | 0.92 mg |
| 1 papaya | 0.84 mg |

\* miligramos

## Tres beneficios del betacaroteno para la mente

**Mejora la memoria.** Recuerde comer sus zanahorias y recordará mucho más que eso. En un estudio realizado en Suiza se observó a personas entre las edades de 65 y 94 años. Aquéllas que tenían niveles más altos de betacaroteno en la sangre obtuvieron mejores resultados en varias pruebas de memoria. Los investigadores no saben cómo exactamente el betacaroteno ayuda a la memoria, pero consumir más frutas y verduras puede ser beneficioso.

Debido a su gran poder antioxidante, el betacaroteno puede proteger el cerebro contra la demencia. En el Estudio de Salud de los Médicos II se hizo un seguimiento a casi 6,000 hombres mayores de 65 años y se encontró que los suplementos de betacaroteno podían proteger contra el deterioro mental, pero únicamente si su uso era prolongado. Los participantes del estudio que habían tomado suplementos de betacaroteno durante 15 años o más tuvieron puntuaciones ligeramente más altas en las pruebas de memoria, pero aquéllos que habían tomado los suplementos únicamente durante tres años o menos no mostraron beneficio alguno. Las diferencias fueron pequeñas, pero cuando se trata de la memoria, incluso diferencias muy modestas pueden llegar a ser grandes diferencias a la hora de medir el riesgo de desarrollar demencia.

En pruebas de laboratorio, la vitamina A ayudó a controlar la acumulación de beta-amiloide, un factor en el desarrollo de la enfermedad de Alzheimer. Los antioxidantes también ayudaron a mejorar la función cerebral.

Un estudio llevado a cabo por la Universidad de California, Los Ángeles (UCLA), determinó que los niveles elevados de betacaroteno en la sangre pueden proteger contra el deterioro mental a las personas mayores que son portadoras de cierto gen que las hace más susceptibles de desarrollar la enfermedad de Alzheimer. La Asociación de Alzheimer incluso recomienda incluir en la dieta verduras de colores oscuros y frutas de colores brillantes como medida de protección. Esta recomendación es un paso sencillo que le ayudará a pensar con más claridad a medida que envejece.

**Derrota la depresión.** Consumir frutas y verduras de colores brillantes puede iluminar su estado de ánimo. Un estudio realizado en Japón encontró que los hombres de edad avanzada que comían la mayor cantidad de carotenoides mostraron tener menos síntomas de depresión. En comparación con aquéllos que obtenían menos carotenos de su dieta, aquéllos cuyo consumo era el más alto presentaban un riesgo 64 por ciento menor de sufrir síntomas de depresión. Se observaron resultados similares entre las mujeres mayores, pero los resultados no fueron estadísticamente significativos.

Los investigadores señalan que la posible explicación estaría en el poder antioxidante de los carotenoides. Éstos protegen el cerebro contra el estrés oxidativo, un factor determinante en la depresión profunda. El estrés oxidativo se refiere a los daños causados por la producción de las moléculas llamadas especies reactivas de oxígeno, como los radicales libres. Como antioxidante, el betacaroteno ayuda a neutralizar estas sustancias nocivas.

¿Desea aumentar su consumo de betacaroteno? Elija los pimientos dulces, la toronja, los albaricoques, la sandía y las calabazas. No olvide las verduras de hoja verde oscuro, como la berza, las hojas verdes de nabo y de mostaza, y la col rizada. Incluso se puede obtener algo de betacaroteno del brócoli, la lechuga, los chícharos y los repollitos de Bruselas.

**Cuida el corazón.** Al sopesar una decisión, el corazón y el cerebro a veces se encuentran enfrentados. Sin embargo, cuando se trata de su salud, el corazón y el cerebro van de la mano.

Muchos de los factores de riesgo para las enfermedades del corazón también afectan el cerebro. Por ejemplo, las personas que tienen la cintura más ancha, más grasa abdominal y diabetes tipo 2 también corren mayor riesgo de desarrollar demencia. El punto en común es demasiada insulina. La presión arterial alta, que puede llevar a un accidente cerebrovascular, también puede llevar a la demencia. Eso se debe a que puede causar una serie de pequeños accidentes cerebrovasculares, debilitar la barrera hematoencefálica que protege el cerebro de las toxinas y acelerar el avance del alzhéimer.

De modo que al cuidar el corazón, también se cuida el cerebro. El betacaroteno puede ayudar en ambos casos. Como antioxidante protege contra los daños producidos en el ADN a causa del estrés oxidativo, que puede resultar en cáncer o enfermedades cardíacas. En un pequeño estudio efectuado por la Universidad Tufts, las mujeres mayores que tomaron suplementos de carotenoides presentaban menos daños en el ADN en tan sólo 15 días.

El betacaroteno puede incluso ayudar a controlar el colesterol. Pruebas de laboratorio muestran que el betacaroteno y otros carotenoides bloquean la oxidación del colesterol causada por los radicales libres. Esto podría ayudar a prevenir el engrosamiento de las paredes arteriales que ocurre en la aterosclerosis. En Francia, la zanahoria redujo la absorción del colesterol en un estudio efectuado en ratas.

Investigadores en los Países Bajos descubrieron que el betacaroteno puede combatir el síndrome metabólico, que es una combinación de cuatro factores de riesgo —niveles elevados de azúcar en la sangre, grasa abdominal, presión arterial alta y colesterol alto— que aumentan las probabilidades de sufrir una dolencia cardíaca, diabetes o un accidente cerebrovascular. Las personas con el mayor consumo de betacaroteno tenían un riesgo 42 por ciento menor de desarrollar síndrome metabólico que aquéllas con el consumo más bajo. El consumo más elevado de betacaroteno también fue asociado a cinturas más angostas y vientres más planos.

# Superestrategias para el supermercado

Consejos inteligentes para aprovechar el betacaroteno al máximo:

**Sírvase un poco de grasa.** La grasa es su amiga, al menos cuando se trata del betacaroteno. El betacaroteno es liposoluble por lo que se necesita un poco de grasa para que el cuerpo pueda absorberlo. En un pequeño estudio realizado en la Universidad del Estado Iowa se encontró que el cuerpo no llega a absorber el betacaroteno que se encuentra en las ensaladas si éstas tienen un aliño libre de grasa. Usted obtendrá más beneficio si elige los aliños normales para ensalada y no los reducidos en grasa. Asegúrese también de acompañar sus frutas y verduras con grasas saludables, como las grasas monoinsaturadas presentes en el aceite de oliva, los frutos secos y el aguacate. Combine los palitos de zanahoria con una salsa de garbanzos o *hummus* y podrá disfrutar de una merienda saludable.

**Opte por lo orgánico.** Los alimentos orgánicos cuestan más, pero valen la pena. Algunos estudios muestran que se obtiene casi un 50 por ciento más de betacaroteno de algunas frutas y verduras orgánicas en comparación con las cultivadas de manera convencional. Lo mejor de todo, usted además reduce su exposición a los pesticidas.

**Sea selectivo.** Al elegir una toronja, es mejor que se decida por la roja. La toronja roja contiene más betacaroteno que la toronja blanca. También hace mejor el trabajo de barrer con los peligrosos radicales libres y de reducir los triglicéridos en la sangre.

> El consumo excesivo de betacaroteno, ya sea de los alimentos o en suplementos, puede darle a la piel un color amarillento. Es un efecto secundario algo extraño, pero inofensivo.

# El peligro de los suplementos

Los alimentos que contienen betacaroteno ofrecen tantos beneficios, que los investigadores suponían que los suplementos de betacaroteno también lo harían. Los estudios, sin embargo, han mostrado ciertas tendencias preocupantes: los suplementos de betacaroteno podrían aumentar el riesgo de desarrollar algunos tipos de cáncer y de enfermedades cardíacas e, incluso, el riesgo de muerte.

En un amplio estudio se comprobó que la incidencia de cáncer de pulmón era 18 veces mayor en los fumadores que habían tomado suplementos de betacaroteno. Otro importante estudio tuvo que ser interrumpido porque se detectó que la probabilidad de morir de cáncer de pulmón era 46 por ciento mayor entre los participantes que estaban tomando los suplementos de betacaroteno.

En un estudio que se llevó a cabo en Harvard se observó que los suplementos de betacaroteno no tenían efecto alguno sobre la probabilidad de sufrir un ataque cardíaco, un derrame cerebral o muerte entre las mujeres que estaban en riesgo de sufrir un mal cardíaco, mientras que en otros estudios se vio un aumento en el número de ataques cardíacos, derrames cerebrales y muertes cardiovasculares. Una revisión de 47 estudios hecha en Dinamarca concluyó que las personas que tomaban suplementos de betacaroteno tenían un riesgo 7 por ciento mayor de muerte por todas las causas.

Vaya a lo seguro y obtenga su betacaroteno de las frutas y verduras. Los expertos recomiendan consumir entre 3 y 6 miligramos al día.

## Obtener vitamina A es tan fácil como hacer un pastel

No espere al Día de Acción de Gracias para sentarse frente a un pedazo del tradicional *pumpkin pie* o pastel de calabaza. Disfrútelo más a menudo y proteja su visión, su memoria y mucho más. Un pedazo de pastel casero de calabaza aporta 7.4 miligramos de betacaroteno y un increíble 249 por ciento de la recomendación diaria de vitamina A.

Usted necesita cantidades adecuadas de vitamina A para prevenir los problemas de la visión. Lo mejor es que ya no tiene que hornear un pastel para obtener los beneficios de la calabaza. Reduzca el consumo de grasas y calorías preparando la calabaza de maneras más saludables. Por ejemplo, espolvoree un poco de canela sobre una guarnición de puré de calabaza y tendrá un plato saludable y delicioso.

# Gimnasia cerebral

crucigramas • juegos de mesa • redacción creativa
• nueva habilidad o nuevo pasatiempo • juegos de cartas
• clases de música o de arte • aprendizaje de otro idioma

Piense en el cerebro como un músculo que si no se usa, se atrofia. Ejercitar el cerebro podría retrasar o hacer más lento el avance de la enfermedad de Alzheimer y de otras formas de demencia.

Los expertos solían creer que nacíamos con un número determinado de células cerebrales, todas las que tendríamos en la vida. Hoy se sabe que es posible no sólo formar nuevas células a lo largo de la vida, sino también modificar el cerebro. De modo que así como alguien con poco tono muscular en los brazos y las piernas puede ejercitarse para mantener el cuerpo fuerte y tonificado, usted puede ejercitar el cerebro para mantener la lucidez mental.

**Aprenda algo nuevo.** Hacer algo que no ha hecho antes obliga al cerebro a establecer nuevas conexiones. Ponerlo a prueba con actividades distintas a las habituales, tanto física como mentalmente, hará que el cerebro se fortalezca y se vuelva más rápido y ágil.

No hay límite de edad y usted no puede dormirse en sus laureles. Digamos que usted ya domina una actividad complicada, como los rompecabezas de números *Sudoku*, o que sea un genio para resolver los crucigramas del *New York Times*. Su cerebro ya no se esfuerza tanto porque esos circuitos neuronales ya están formados. Usted ha caído en una suerte de atolladero intelectual. Para que el ejercicio mental sea realmente beneficioso, busque nuevos niveles de dificultad y rete al cerebro con actividades diferentes a las habituales.

> Elija a sus amigos con cuidado. Mantenga la mente abierta y activa, rodeándose de personas dinámicas e interesantes, que ofrezcan nuevas ideas y puntos de vista.

**Acumule un fondo de reserva.** Es posible tener señales de demencia en el cerebro y nunca llegar a sufrir los síntomas si se cuenta con la protección de lo que se conoce como una reserva cognitiva. Es como tener una cuenta de ahorros en capacidades mentales. Cuando los fondos en su cuenta corriente empiezan a escasear, usted puede acceder a lo que ahorró para los tiempos difíciles. Cuanto más ejercite la mente, mayor será su reserva cognitiva. Y cuanto más grande sea su reserva, mejor será su capacidad para envejecer con buena salud mental.

Tras revisar los datos combinados de 29,000 personas y 22 estudios en el mundo entero, los expertos concluyeron que las personas que se mantienen activas mentalmente y acumulan una reserva cognitiva, reducen en casi la mitad su riesgo de desarrollar la enfermedad de Alzheimer y otras formas de demencia. Otras pruebas:

- El Centro Médico de la Universidad Rush, de Chicago, encontró que entre los adultos mayores con una edad media de 80 años, los mentalmente activos eran 2.6 veces menos propensos a desarrollar demencia que los que no lo eran.

- El Estudio de Envejecimiento del Bronx, que duró cinco años, determinó que por cada día que los adultos mayores dedicaban a una actividad estimulante para el cerebro, la pérdida rápida de memoria asociada a la demencia se retrasaba en dos meses.

Para que un ejercicio mental sea beneficioso debe estimular el cerebro en al menos una de estas cinco áreas críticas:

| Habilidades visoespaciales | La capacidad para reconocer y entender figuras u objetos bidimensionales y tridimensionales |
|---|---|
| Función motora | La capacidad para usar y controlar los músculos |
| Función ejecutiva | La capacidad para organizar pensamientos y actividades, para establecer prioridades en las tareas, para gestionar el tiempo de manera eficiente y para tomar decisiones |
| Lenguaje | La capacidad para comunicarse |
| Memoria | La capacidad para recordar información |

# Cuatro aeróbicos para conservar la agilidad mental

**El aprendizaje permanente.** Sea un estudiante toda la vida. Aprender algo totalmente nuevo durante apenas 15 minutos al día obliga al cerebro a crear nuevas células y conexiones. Cuando usted resuelve un crucigrama difícil o prepara una receta complicada en la cocina, está ampliando las capacidades que ya tiene. Pero si hace algo distinto, algo que no sea una actividad que le es familiar, usted potenciará aún más el desarrollo de sus capacidades mentales.

> La plasticidad cerebral se define como la capacidad que tiene el cerebro para cambiarse a sí mismo ante un estímulo externo.

Digamos que sabe tocar el piano. Pues aprenda a tocar el oboe. La posición de las manos, la respiración y la postura del cuerpo serán distintas. Si le gusta escribir, trate de trabajar con números. Si lo suyo es la contabilidad, tome clases de pintura o danza para estimular el otro lado de su cerebro. Aprender un idioma es una excelente manera de crear nuevas conexiones neuronales. Para mantener el cerebro en forma, ahora y en el futuro, procure siempre aprender algo nuevo o imagine nuevas maneras de llevar a cabo sus actividades habituales.

**Los juegos y los rompecabezas.** Lance los dados, reparta las cartas y sume los puntos: usted podrá perder o ganar en el juego, pero desde el punto de vista de sus capacidades mentales usted siempre saldrá ganando. Los juegos no son sólo para los niños. Mientras usted afina su puntería en el juego, está afinando su capacidad para pensar y, a la vez, está reduciendo su riesgo de padecer demencia.

En el famoso Estudio de Envejecimiento del Bronx, los adultos mayores que varias veces a la semana participaban en juegos de mesa redujeron su riesgo de desarrollar demencia en un asombroso 74 por ciento. Resolver crucigramas cuatro días a la semana también redujo dicho riesgo en casi la mitad. Asegúrese, eso sí, de no siempre jugar a lo mismo y de favorecer los juegos que ejercitan la mente.

**La lectura.** Por supuesto, usted lee algo todos los días. Pero si lee algo más, hará crecer sus reservas cognitivas. Elija textos que le hagan pensar o que le enseñen algo. Únase a un club de libros o a un grupo de lectura para tener que analizar y hablar sobre lo que leyó. Utilice el diccionario y reflexione sobre las nuevas ideas. Cambie y lea un autor o un género fuera de su zona de confort. Estos consejos de lectura le ayudarán a mejorar su vocabulario y su memoria, a ampliar sus conocimientos y a reducir su riesgo de padecer demencia.

**Los neuróbicos.** "Neuróbicos" es un término acuñado por Lawrence Katz, profesor de Neurobiología en el Centro Médico de la Universidad Duke, y Manning Rubin, escritor especializado en comunicaciones y publicidad.

¿Desea conservar la agilidad mental? Si tiene acceso a Internet y está cansado de los crucigramas, vaya a *www.thinks.com* (en inglés) y descubra una serie de juegos especialmente concebidos para estimular la memoria y los procesos cognitivos.

Ahí encontrará muchas variantes del juego japonés Sudoku, un rompecabezas de colocación de números, así como otros juegos de lógica e ingenio, acertijos y juegos de palabras. Podrá armar un rompecabezas o, si prefiere, jugar una partida de ajedrez o de damas.

Neuróbicos describe los ejercicios que aumentan la capacidad del cerebro para mantenerse en forma y poder aprender y recordar. Para que un ejercicio sea considerado neuróbico, debe:

- Utilizar por lo menos uno de los cinco sentidos de manera diferente mientras se participa en una actividad habitual.

- Diferenciarse de una actividad normal ya sea porque es sorprendente, poco común o divertido.

- Variar una rutina de una manera inesperada.

Al cambiar la forma como se realiza una actividad, se cambia la forma como se piensa acerca de esa actividad, lo que a su vez produce un cambio físico en el cerebro. La activación de vías nerviosas poco utilizadas produce una especie de fertilizante cerebral natural que fortalece las conexiones nerviosas. Esto ayuda al cerebro a mantenerse joven y en forma. Katz y Rubin sostienen que la vida cotidiana es el gimnasio cerebral de los neuróbicos. En otras palabras, usted puede hacer ejercicios neuróbicos en cualquier lugar y en cualquier momento. Estos son algunos ejemplos:

- Si usted es diestro, cepíllese los dientes con la mano izquierda.

- Vístase por las mañanas con los ojos cerrados.

- Reorganice por completo su lugar de trabajo.

- Sin mirar, saque de su monedero el cambio correcto.

- Escuche un género de música distinto en la radio.

- Diríjase a un lugar conocido por una ruta nueva.

Para obtener más información sobre los neuróbicos, visite el sitio *www.neurobics.com* (en inglés).

## Mejore la memoria en 14 días

Un estudio sin precedentes realizado por la Universidad de California, Los Ángeles (UCLA), mostró que es posible reavivar las capacidades mentales en apenas dos semanas. Los investigadores crearon un programa de cuatro pasos combinando distintas estrategias de estilo de vida saludable y, a los 14 días, midieron las capacidades mentales, incluida la memoria, de los adultos mayores que hicieron parte del estudio. Los participantes que habían seguido este programa de cuatro pasos mostraron importantes mejorías.

- Siga una dieta saludable. Alimente su cerebro con cinco comidas diarias que incluyan frutas y verduras ricas en antioxidantes, granos integrales y ácidos grasos omega-3.

- Haga ejercicio todos los días. Camine a paso rápido durante 30 a 45 minutos diarios, para fortalecer su corazón y evitar las enfermedades que puedan afectar la salud de su cerebro.

- Reduzca el estrés. Relájese mediante ejercicios de estiramiento y respirando profundamente, para así reducir los niveles de cortisol, que es la hormona del estrés que puede contraer el centro de la memoria del cerebro.

- Ejercite la memoria. Los ejercicios mentales, como los juegos de ingenio y los rompecabezas, fortalecen el cerebro al obligarlo a trabajar con más fuerza.

# Cafeína

café • bebidas energizantes • té
• bebidas de cola • chocolate

Todos conocemos a por lo menos un fanático del café. Tal vez usted sea uno de ellos. Están los obsesionados por los detalles, desde la selección y la molienda de los granos de café hasta el arte de prepararlo. Otros prefieren dedicarse al eterno peregrinaje de una cafetería a otra, en una constante búsqueda de la taza perfecta de café. Y hay a los que nada les importa salvo que sea fuerte y esté caliente. Pero, ¿por qué inspira el café tanta dedicación?

La respuesta es la cafeína, una sustancia química natural que estimula la energía y las capacidades mentales. Más de la mitad de los estadounidenses toman café todos los días. Pero no olvidemos a los adictos a los refrescos de cola: una lata aporta entre 30 y casi 50 miligramos de cafeína.

| | |
|---|---|
| Taza de 8 onzas de café | 133 mg* |
| Lata de 8.3 onzas de *Red Bull* | 80 mg |
| Taza de 8 onzas de té | 53 mg |
| Lata de 12 onzas de *Diet Coke* | 47 mg |
| Lata de 12 onzas de *Pepsi* | 38 mg |
| Barra de chocolate de 1.45 onzas de *Special Dark* de Hershey's | 31 mg |

* miligramos

La cafeína se encuentra en forma natural en los granos de café y de cacao, las hojas de té y las nueces de cola. La buena noticia es que el consumo de sólo 100 o 200 miligramos de cafeína, que es la cantidad que hay en una taza normal de café o un par de refrescos de cola, puede actuar sobre el sistema nervioso y hacer que uno se sienta más alerta, aliviar la somnolencia y mejorar la capacidad para pensar.

## Seis beneficios de la cafeína para la mente

**Afina la concentración.** Ésta es tal vez una de las primeras razones por las cuales se bebe café: para sentirse con mayor agilidad mental y con la capacidad para tener reacciones más rápidas y recordar mejor las tareas pendientes de un determinado día. Le alegrará saber que no se trata únicamente de una sensación. La ciencia ha corroborado al 100 por ciento estos efectos.

La cafeína es un estimulante. Y ese efecto estimulante es lo que hace que uno se sienta con mayor capacidad de atención y concentración en el corto plazo. La cafeína activa neuronas adicionales en el cerebro y provoca la liberación de adrenalina en el cuerpo. En respuesta al estrés los sentidos se ponen en estado de alerta y el corazón se acelera ligeramente al bombear la sangre y el oxígeno.

Esto es bueno si se busca estimular la atención y la concentración. Pero puede no serlo si el efecto se prolonga demasiado. Más adelante hablaremos sobre los peligros de consumir demasiada cafeína.

**Retiene los recuerdos.** La cafeína también es un antiinflamatorio y la enfermedad de Alzheimer (EA) es, en parte, una inflamación que acabó mal. Existen pruebas de que la cafeína podría retrasar la EA e, incluso, ofrecer protección contra la demencia vascular, que es la pérdida de memoria y la confusión causadas por el deterioro del flujo sanguíneo al cerebro. Pero lo que entusiasma hoy a los científicos son los innovadores estudios realizados en animales que sugieren que la cafeína detiene la formación de la peligrosa proteína beta-amiloide.

Una de las características de la EA es la acumulación de fragmentos de proteína entre las células nerviosas del cerebro. En condiciones normales, estos fragmentos se descomponen y se eliminan. En una persona con EA, sin embargo, se acumulan para formar placas destructivas. Al frenar la producción de ciertas enzimas necesarias para la formación de beta-amiloide, la cafeína le protege contra futuros problemas de memoria.

> Numerosos estudios han demostrado que beber cuatro o cinco tazas de café con cafeína al día reduce el riesgo de desarrollar y morir de una enfermedad cardíaca.

Si se trata de encontrar un equilibrio entre los posibles beneficios de la cafeína y los peligros de su consumo excesivo, los científicos sostienen que hay un punto de rendimiento decreciente. Muy poca cafeína puede no ser suficiente para beneficiarse de sus efectos estimulantes, pero un exceso de cafeína puede causar efectos secundarios, como la ansiedad, los dolores de cabeza y el ritmo cardíaco irregular. Entonces, ¿cuál es la cantidad mágica?

Un grupo de investigadores de Suecia y Finlandia dicen que las personas que toman entre tres y cinco tazas al día son menos propensas a desarrollar la enfermedad de Alzheimer y otros tipos de demencia. Con sólo dos o tres tazas de café no se obtiene la misma protección; y el consumo de más de cinco tazas se asocia a efectos secundarios. En un estudio de cuatro años de duración, fue en las mujeres —sobre todo en las que tenían entre 65 y 76 años de edad y que bebían más de tres tazas de café al día— que se observaron los efectos más positivos del café como estimulante de la memoria.

**Relaja las arterias.** Puede que le sorprenda que a las personas con presión arterial alta su médico les diga que está bien que sigan disfrutando de su café con leche. ¿Acaso la cafeína no hace que la presión arterial se dispare? Los bebedores habituales de café, sin embargo, desarrollan al menos una tolerancia parcial a los efectos de la cafeína sobre la presión arterial. A eso se debe que si disfrutan ocasionalmente de una taza de café, es muy probable que sólo experimenten una subida menor y temporal de la presión arterial.

Aunque se suele describir a la cafeína como un vasoconstrictor —es decir, que contrae o constriñe los vasos sanguíneos—, su descomposición en el hígado da lugar a la formación de la teobromina, un compuesto que causa que los vasos sanguíneos se dilaten. Eso es bueno cuando el corazón tiene que trabajar más duro.

Tal vez sea mejor que favorezca el café como su fuente de cafeína, porque los expertos han encontrado que los refrescos de cola con cafeína están asociados a índices más elevados de presión arterial alta.

**Cuida el corazón.** Para proteger sus niveles de colesterol, usted podrá llenar su taza hasta el borde, pero tendrá que ser muy exigente con las técnicas de preparación del café. El café filtrado protege contra el colesterol "malo" llamado LDL, pero el café hervido o sin filtrar contiene compuestos que en realidad pueden incrementar los niveles del colesterol LDL. El café instantáneo no parece tener efecto alguno sobre este tipo de colesterol.

El buen estado de las arterias hace que sea más fácil bombear sangre y oxígeno al cerebro. Cuando las arterias y los vasos sanguíneos se vuelven rígidos o se obstruyen con colesterol, el cerebro no recibe mucho oxígeno. Las células cerebrales empiezan a morir y se experimentan problemas como la pérdida de memoria a corto plazo.

**Reduce el riesgo de diabetes.** La cafeína, sea del té verde o del café, reduce el riesgo de desarrollar diabetes tipo 2, especialmente en los bebedores de mucho tiempo. Una taza de café al día disminuye el riesgo en un 13 por ciento, pero cuatro o cinco tazas lo reduce en casi la mitad. En las personas con diabetes, el café no empeora los síntomas ni aumenta el riesgo de sufrir las complicaciones de esta enfermedad, siempre y cuando no se tome con demasiada azúcar u otros extras poco saludables.

Los científicos proponen varias posibles explicaciones para estos beneficios de la cafeína:

- La cafeína disminuye la sensibilidad a la insulina.

La cafeína interfiere con la capacidad del cuerpo para absorber la mayoría de vitaminas y minerales. Disfrute de su taza de café diaria y espere una hora para tomar cualquier vitamina o suplemento de calcio.

- Más cafeína puede significar un menor aumento de peso en el largo plazo, una reducción de la peligrosa grasa abdominal y una mayor sensación de saciedad.

- Es posible que la cafeína contribuya a eliminar el glucógeno —que es una forma de almacenamiento de la glucosa— de los músculos, ayudando así a mantener constantes los niveles de azúcar en la sangre.

- Beber café afecta la cantidad de ciertos péptidos que se producen en el tracto intestinal, lo que reduce la absorción de glucosa en el intestino delgado.

**Protege contra el párkinson.** La pérdida de memoria, la confusión y la lentitud del pensamiento son síntomas de la enfermedad de Parkinson (EP). Numerosos estudios muestran que los bebedores diarios de café tienen un riesgo menor de desarrollar EP.

Esto está relacionado con la dopamina, un neurotransmisor específico utilizado para llevar mensajes entre las neuronas. La dopamina es fundamental para regular la memoria operativa y la EP destruye estas neuronas productoras de dopamina. La cafeína, por otro lado, aumenta los niveles de dopamina.

Los expertos abrigan la esperanza de que la cafeína tenga el potencial de restaurar los procesos de aprendizaje y de memoria que se han "roto" en las personas con este mal.

## El problema con las etiquetas

Sería útil saber qué productos contienen cafeína y cuánta, ya sea para aumentar su consumo y sentirse más alerta o para reducirlo y poder controlar los temblores. Lamentablemente, la Administración de Alimentos y Fármacos de Estados Unidos (FDA, en inglés) no obliga a mencionar el contenido de cafeína en las etiquetas de los alimentos. Algunas compañías sí lo hacen, pero sólo porque quieren que usted sepa de sus efectos estimulantes.

Tome, por ejemplo, *Sumseeds*, comercializadas como semillas energizantes de girasol. Estas sabrosas semillas han sido "impregnadas" con cafeína. Una bolsa de una sola porción de 1.75 onzas proporciona nada menos que 140 miligramos de cafeína. Eso equivale aproximadamente al contenido de cafeína de dos tazas de café expreso.

Un laboratorio independiente hizo un estudio sobre 53 productos, incluidos una variedad de suplementos. Descubrieron que si los productos se toman según las indicaciones, el consumo de cafeína en un día sería de entre 1 y 829 miligramos, la misma cantidad que se obtendrían tomando ocho tazas de café. Y, sin embargo, 25 de esos productos ni siquiera enumeraban la cafeína como ingrediente.

**Sorprendentes fuentes de cafeína**
(en miligramos)

| Fuente | Miligramos |
| --- | --- |
| Zantrex-3 para bajar de peso (dosis diaria) | 1,223 |
| Excedrin Extra-Strength (2 pastillas) | 130 |
| Coffee Heath Bar Crunch, helado de Ben & Jerry's (8 oz) | 84 |
| Mountain Dew (12 oz) | 55 |
| Té verde (8 oz) | 25 |
| Café descafeinado (8 oz) | 5 |

## Datos tranquilizantes sobre la abstinencia de cafeína

La cafeína es un fármaco. Y como con cualquier fármaco, su uso conlleva peligros inherentes. El más alarmante es el efecto de la sobredosis. El abuso de la cafeína puede provocar desde náuseas e irritabilidad hasta anomalías en el ritmo cardíaco. El problema es que cada persona es diferente y hay muchos factores que determinan la cantidad de cafeína que es segura y saludable para usted, como el factor metabólico, la tolerancia del cuerpo a la cafeína y las afecciones médicas subyacentes, entre otros.

Si usted siente que la cafeína esta empezando a tener un efecto negativo en su salud, trate de reducir su consumo. Sin embargo, si es adicto al café, haga la reducción con mucho cuidado. Los científicos dicen que cerca de la mitad del 80 o 90 por ciento de estadounidenses que consumen bebidas con cafeína todos los días podrían experimentar síntomas de abstinencia, como dolor de cabeza, irritabilidad, depresión y ansiedad, si dejan la cafeína abruptamente. La mejor manera de dejar la cafeína es reducir su consumo gradualmente: beba media taza en lugar de una completa, por ejemplo, o con el tiempo sustituya el café, el té y las bebidas con cafeína por sus versiones descafeinadas.

¿Ha sentido alguna vez mareos después de comer o ponerse de pie repentinamente? A estas caídas bruscas de la presión arterial se les llama hipotensión postprandial o postural.
Las bebidas con cafeína pueden contrarrestar estos episodios de hipotensión arterial al provocar un pequeño y saludable aumento de la presión arterial.

# Calcio

leche • queso • yogur • cereales para desayuno • espinacas • legumbres • ostras • sardinas

El calcio es el mineral más abundante en el cuerpo y es esencial para tener dientes y huesos fuertes. De hecho, el 99 por ciento del calcio en el cuerpo forma parte de los dientes y los huesos. El uno por ciento restante también tiene funciones bastante importantes. El calcio ayuda a regular la presión arterial y es necesario para la contracción muscular, incluidos los latidos del corazón. También es un factor en la coagulación de la sangre, la transmisión nerviosa y la secreción de hormonas, enzimas digestivas y neurotransmisores.

Para los adultos de entre 19 y 50 años la cantidad recomendada de calcio es de 1,000 mg al día, y para los adultos mayores de 51 años de 1,200 mg al día. Se puede obtener mucho calcio de la dieta. La leche, el queso y otros productos lácteos son buenas fuentes, como lo son las legumbres, las verduras de hoja verde, algunos cereales para desayuno, las sardinas y el *tofu*. También hay una variedad de suplementos de calcio.

Al calcio se le presta más atención porque protege contra la osteoporosis o enfermedad de los huesos frágiles. Pero ésa no es la única razón para incluir más calcio en la dieta. Entérese a continuación cómo el mineral que fortalece huesos y dientes, también fortalece la mente.

| | |
|---|---|
| 1 taza de cereal para desayuno *Total Raisin Bran* | 1,000 mg* |
| 1 taza de queso *ricotta* | 669 mg |
| 8 onzas (226 g) de yogur bajo en grasa | 415 mg |
| 1 taza de leche sin grasa o descremada | 299 mg |
| 1 taza de espinacas cocidas | 245 mg |
| 1 onza (28 g) de queso suizo | 224 mg |

\* miligramos

## Cuatro beneficios del calcio para la mente

**Estimula el funcionamiento del cerebro.** Los estudios sugieren que el calcio desempeña un papel importante en el funcionamiento del cerebro. En un estudio realizado en China con personas de edad avanzada que vivían en áreas rurales, aquéllas con niveles más elevados de calcio en la sangre rindieron mejor en las evaluaciones de su estado mental que incluían pruebas de memoria y aprendizaje.

En Francia, un estudio encontró que altas concentraciones de calcio en el agua potable protegían a hombres y mujeres mayores contra el deterioro mental. Del mismo modo, en otro estudio llevado a cabo en China se notó que, en la población rural de edad avanzada, la función mental aumentaba a la par que el nivel de calcio en el agua potable, pero sólo hasta cierto punto. Pasado ese punto, empezaba a declinar a medida que aumentaba el nivel de calcio.

Por otro lado, investigadores en Japón comprobaron que las mujeres mayores que padecían la enfermedad de Alzheimer tenían niveles de calcio en la sangre significativamente más bajos que las mujeres sin demencia.

Los investigadores no saben con exactitud cómo el calcio afecta el cerebro. Una posible explicación es que el aumento de los niveles de calcio en la sangre estimula la síntesis de la dopamina, y que niveles más altos de dopamina regulan muchas funciones cerebrales. En las pruebas con animales, el ejercicio aumentó los niveles de calcio. Así que además de agregar más calcio a la dieta, es aconsejable también llevar una vida activa para aprovechar mejor los beneficios para el cerebro de este importante mineral.

> Agregar calcio a la dieta es muy importante cuando se es propenso a desarrollar cálculos renales, ya que el calcio se une al oxalato en el intestino, impidiendo su absorción en el organismo. Una dieta baja en calcio y alta en oxalato es una receta para el desastre. Si usted tene cálculos renales, evite los alimentos ricos en oxalato, como las espinacas, el ruibarbo, la beterraga, el té negro, el chocolate, los frutos secos, el salvado de trigo y las legumbres.

**Protege el corazón.** Lo que es bueno para el corazón, también lo es para el cerebro, y el calcio beneficia el corazón de muchas maneras. Si la presión arterial alta es lo que a usted le preocupa, tal vez ya sepa que reducir el consumo de sodio y a la vez aumentar el consumo de potasio ayuda a bajarla. Ahora puede agregar calcio a esta solución. El calcio baja la presión arterial tanto en las personas sanas como en aquéllas con hipertensión. Obtener más calcio a través de la dieta incluso frena el aumento de la presión arterial sistólica (el número superior en una lectura de presión arterial) que aparece con la edad.

Pero los beneficios para el corazón no se detienen ahí. En Nueva Zelanda, en un estudio realizado con mujeres de edad avanzada se encontró que los suplementos de calcio aumentaban los niveles de lipoproteínas de alta intensidad (HDL, en inglés) o colesterol "bueno" en un 7 por ciento. En otro estudio, quienes tomaron calcio junto con vitamina D redujeron su nivel de lipoproteínas de baja intensidad (LDL, en inglés) o colesterol "malo" en un 14 por ciento.

No resulta sorprendente, teniendo en cuenta sus efectos positivos sobre la presión arterial y el colesterol, que el calcio también proteja contra los accidentes cerebrovasculares o ataques cerebrales. En un estudio efectuado en Japón se vio que el consumo elevado de calcio dietético, especialmente de productos lácteos, redujo el riesgo de sufrir un accidente cerebrovascular en hombres y mujeres de mediana edad.

Un estudio de la Universidad de California, Los Ángeles, sugiere que el calcio mitiga la gravedad de los accidentes cerebrovasculares y hace que sea más fácil restablecerse. Las personas que presentaban niveles elevados de calcio en la sangre tuvieron derrames cerebrales un tercio menos graves que las personas con niveles relativamente bajos. También era más probable que su estado de recuperación no fuera pobre a la hora de abandonar el hospital.

**Vigila el peso.** La obesidad ha sido vinculada con la enfermedad de Alzheimer y con otras formas de demencia. Asimismo, el sobrepeso aumenta el riesgo de sufrir una enfermedad cardíaca o diabetes, dolencias que también afectan el cerebro. Numerosos estudios sugieren que el calcio ayuda a bajar de peso o a mantener el peso bajo control.

Un estudio encontró que los suplementos de calcio pueden ayudar a controlar el peso en las mujeres de mediana edad, mientras que otro sugirió que el equivalente a dos raciones adicionales de lácteos al día podría reducir el riesgo de sobrepeso en hasta un 70 por ciento.

Pero no es tan sencillo. Para lograr el beneficio adelgazador del calcio, usted además tiene que reducir su consumo de calorías. Ésa es la base de cualquier plan de pérdida de peso eficaz.

Los científicos no saben con certeza cómo es que el calcio contribuye a la pérdida de peso. Puede que ayude a controlar el apetito, que bloquee la absorción de grasa o que suprima el calcitrol, una hormona que fomenta la acumulación de grasa. Es probable que sean varios los factores que influyan en este proceso.

**Defiende contra la diabetes.** En las personas con diabetes, los niveles de glucosa e insulina están fuera de control. Esto puede causar estragos en el cerebro. Niveles altos de azúcar en la sangre llevan a un deterioro de las habilidades de pensamiento y memoria, y se ha relacionado la falta de insulina con la enfermedad de Alzheimer. Las personas con diabetes son más propensas a sufrir un mal cardíaco, que puede cortar el flujo de sangre al cerebro. También son más propensas a sufrir depresión.

En un estudio realizado recientemente con un grupo de mujeres en China, se encontró que tanto el calcio como la leche baja en grasa protegen contra la diabetes tipo 2. La explicación puede deberse al efecto beneficioso del calcio sobre el peso corporal. El calcio también es esencial para los procesos relacionados con la acción de la insulina en el músculo esquelético y el tejido adiposo. La leche, rica en calcio y vitamina D, puede afectar la sensibilidad a la insulina.

## Consejos para aumentar el consumo de calcio

La cantidad diaria de calcio recomendada para un adulto mayor de 51 años es de 1,200 miligramos (mg). La clave está en saber elegir la fuente de dicho calcio. Un estudio de la Universidad de Washington encontró que las mujeres que obtenían calcio principalmente de la dieta o tanto de los alimentos como de los suplementos, tenían huesos más saludables que las que lo obtenían principalmente de los suplementos. Una teoría es que el calcio de los alimentos se absorbe con mayor facilidad que el calcio de los suplementos.

Si decide tomar suplementos de calcio, elija el carbonato o el citrato de calcio. El carbonato de calcio es la opción más popular y barata. Opte por el citrato de calcio si tiene una afección llamada aclorhidria, o falta de ácido estomacal, o si tiene una enfermedad intestinal inflamatoria o algún trastorno de absorción. El citrato de calcio se puede tomar con o sin alimentos. Para aumentar la absorción de los suplementos de calcio, no tome más de 500 mg a la vez.

¿Tiene sed de más calcio? No es necesario que beba leche. El agua mineral con alto contenido de calcio es otra buena opción. También las bebidas fortificadas, como el jugo de naranja y la leche de arroz. Sólo asegúrese de agitar estas bebidas antes de servirse un vaso. De lo contrario, el calcio añadido permanecerá en el fondo del envase.

## Las consecuencias del exceso de calcio

Bueno es lo bueno, pero no lo demasiado. Si bien el calcio ofrece muchos beneficios para la salud, los expertos han establecido que el consumo máximo tolerable es de 2,500 miligramos (mg) al día.

El exceso de calcio puede provocar dolores de cabeza, irritabilidad, acumulación de depósitos de calcio en el tejido blando e, incluso, insuficiencia renal. El exceso de calcio también inhibe la absorción de otros minerales clave, como el hierro, el magnesio, el fósforo y el zinc. Los suplementos de calcio también pueden causar hinchazón, estreñimiento y flatulencia.

El calcio interactúa con algunos antibióticos, incluidas la tetraciclina y la ciprofloxacina, lo que obstaculiza la absorción tanto del mineral como del fármaco. Evite los suplementos de calcio mientras está en tratamiento con antibióticos.

Un estudio reciente efectuado en Nueva Zelanda llegó a sugerir que las mujeres mayores que toman suplementos de calcio son más propensas a sufrir un ataque al corazón o un derrame cerebral. Sin embargo, en otros estudios no se ha comprobado esta relación.

Otro estudio reciente también mostró que el consumo elevado de calcio no previene fracturas. Una de las razones podría ser que las mujeres en dicho estudio ya

El requesón o *cottage cheese* es una merienda saludable, baja en grasa y rica en proteínas. Sin embargo, no aporta tanto calcio como uno se imagina. El requesón retiene sólo entre el 25 y el 50 por ciento del calcio de la leche. Una taza de requesón bajo en grasa contiene 138 miligramos de calcio, menos de la mitad de lo que obtendría de una taza de leche.

estaban recibiendo suficiente calcio y que el calcio adicional no sirvió de mucho. Además, aumentar el consumo de calcio puede no ser de mucha ayuda para las personas con bajos niveles de vitamina D, ya que se necesita vitamina D para absorber el calcio.

*Los emperadores chinos, el emperador romano Nerón y el aventurero Marco Polo contribuyeron a la invención del helado. En ese entonces se endulzaba la nieve con miel. Hoy en día es mucho más fácil darle gusto al paladar y obtener calcio al mismo tiempo. Pruebe esta receta sencilla. [Para 2 porciones]*

## Helado casero

1/2 taza de leche
1/2 taza de crema de leche espesa (*heavy cream*, en inglés)
3 cucharaditas de azúcar o sustituto de azúcar
   (agregue más si desea)
1/2 cucharadita de extracto de vainilla

Combine la leche, la crema espesa y el azúcar. Agregue el extracto de vainilla.

Coloque la mezcla en una bolsa pequeña de plástico para sándwich y ciérrela herméticamente. Tome una bolsa de plástico de un galón que también pueda ser cerrada y llénela con hielo hasta la mitad. Coloque la bolsa pequeña dentro de la bolsa grande. Cubra el hielo con sal (la sal *kosher* y la sal para helados son las mejores, pero también puede usar sal de mesa). Utilice suficiente sal para cubrir bien. Cierre la bolsa herméticamente.

Agite suavemente la bolsa —que contiene la bolsa pequeña, el hielo y la sal— durante ocho minutos o hasta que el helado se solidifique. No amase o manipule la bolsa porque la bolsa pequeña se podría abrir.

# Carbohidratos complejos

verduras ricas en almidón • arroz integral
• panes integrales • cereales integrales para desayuno
• frijoles • lentejas • chícharos

Todo el mundo necesita carbohidratos. Además de ser nuestra fuente más básica de energía, proveen combustible particularmente al cerebro y al sistema nervioso. Si es así, ¿por qué existe un movimiento "anticarbohidratos" que ha producido un sinfín de libros de dietas y planes de comidas? Hoy sabemos que no todos los carbohidratos son iguales. Al agruparlos todos en una misma categoría como "malos para la salud", nos perdemos alimentos rebosantes de fibra, minerales y vitaminas esenciales. Esto es lo que necesita saber.

Los azúcares naturales, como la fructosa, la lactosa y la maltosa, se consideran carbohidratos simples debido a su estructura química y al hecho de que se descomponen rápidamente en el cuerpo. Se encuentran en las frutas, en los lácteos y en algunas verduras. Parecen saludables debido a que además contienen otros nutrientes. Los carbohidratos simples también pueden ser el ingrediente principal en dulces, sodas, jarabes y en el azúcar de mesa o sacarosa. Éste es el tipo de carbohidrato del que conviene alejarse.

Los carbohidratos que usted debería incluir en su dieta son los llamados carbohidratos complejos. Lo aconsejable es consumir alimentos naturales sin refinar, ya que éstos se descomponen lentamente en el sistema digestivo,

| Una porción de carbohidratos complejos equivale a: |
| --- |
| 1 taza de verduras crudas |
| 1/2 taza de verduras cocidas |
| 1 papa o camote al horno |
| 1 rebanada de pan integral |
| 2/3 de taza de cereal integral para desayuno listo para comer |
| 1/2 taza de arroz integral cocido |
| 1/2 taza de pasta integral |
| 1/2 taza de frijoles, lentejas o chícharos cocidos |

liberan azúcares gradualmente, añaden fibra a la dieta y proveen al cuerpo con grandes cantidades de valiosos minerales y vitaminas. Las papas y otras verduras, los granos integrales, los chícharos y los frijoles son buenos ejemplos.

> Obtenga alrededor de la mitad del total de sus calorías diarias de los carbohidratos, de preferencia de los carbohidratos complejos y de los azúcares naturales.

Los expertos a veces recomiendan cierto número de gramos de carbohidratos al día para que una persona se mantenga sana, pero cuidado. La fuente de estos carbohidratos es tan o más importante que su cantidad en gramos. Supongamos que usted quiere seguir las recomendaciones nutricionales que estipulan que han de consumirse 130 gramos de carbohidratos al día. Tanto media taza de pasas como media taza de bombones de chocolate semidulce le proveen alrededor de 50 gramos de carbohidratos. Y una taza de frijoles tiene la misma cantidad de carbohidratos que una porción de pastel de merengue de limón.

¿Se da cuenta de cuál es el problema? Este sistema de medición no distingue entre carbohidratos simples y complejos. Use su sentido común y considere la cantidad de fibra que tienen los alimentos antes de incluirlos en su dieta. Será un mejor indicador de si es o no un carbohidrato complejo saludable.

## Cinco beneficios para la mente

**Destruyen el desánimo.** Los carbohidratos son alimentos que nos hacen sentir bien. Promueven la producción de serotonina, que es una sustancia química que se encuentra en el cerebro y que afecta, entre otras cosas, el estado de ánimo. Eso explica por qué después de comer una merienda rica en carbohidratos, como papitas fritas o dulces, se experimenta una ligera euforia mental. Y por qué, cuando se está estresado, a uno se le antoja algo dulce o rico en almidón.

Esto puede convertirse en un ciclo vicioso si la causa del desánimo es el sobrepeso. Los carbohidratos simples de este tipo pueden subirle el ánimo, pero también contienen gran cantidad de calorías "vacías". Para combatir el desánimo en una forma sana e inteligente, opte por los carbohidratos complejos, como los granos integrales.

**Equilibran el azúcar en la sangre.** Si usted sufre de diabetes, su objetivo es mantener un nivel de azúcar en la sangre constante y controlado. Usted ha de evitar picos repentinos y caídas aceleradas. Todos los carbohidratos contienen azúcares, pero los carbohidratos simples se descomponen más rápidamente. Esto significa que usted va a experimentar una subida repentina de azúcar y energía seguida de una crisis de hambre. Los carbohidratos complejos están hechos de moléculas más grandes y se descomponen más lentamente, liberando azúcar y energía a lo largo de un período de tiempo más largo.

**Le dan "sabor" a la vida.** Los carbohidratos le mantienen lleno de vitalidad y vigor de dos formas:

- Más energía. Son el principal combustible del cuerpo. Las enzimas descomponen los carbohidratos en glucosa, también llamada azúcar en la sangre, que las células necesitan para realizar hasta las funciones más básicas.

- Mejor calidad de sueño. Son necesarios para que usted se mantenga activo, pero, irónicamente, también para ayudarle a descansar. Los carbohidratos complejos envían una señal al cerebro para que libere más serotonina. Una de las funciones de la serotonina es promover la relajación y la calidad de sueño.

**Le ayudan a recordarlo todo.** ¿Necesita más razones para incluir los carbohidratos complejos en su dieta? En un estudio de la Universidad de Tufts, las mujeres que habían eliminado por completo los carbohidratos de su dieta fueron sometidas a una serie de pruebas para evaluar su funcionamiento cerebral. Estas mujeres puntuaron peor en las pruebas de memoria que las que siguieron una dieta baja en calorías. A medida que fueron reintroduciendo carbohidratos en su dieta, su rendimiento en las pruebas de memoria mejoró.

**Promueven la pérdida saludable de peso.** Es muy probable que usted baje de peso con una dieta "anticarbohidratos". Sin embargo, los profesionales de la salud están cada vez más convencidos de que no mantendrá esos kilos a raya. Es verdad. Con esas dietas se eliminan todos los azúcares nada saludables de los carbohidratos simples, pero también se pierden los nutrientes y la fibra que aportan los carbohidratos complejos.

Un estudio en el que participaron más de 4,000 canadienses puso a prueba la teoría sobre la que se basan estas dietas "anticarbohidratos". Los que comían menos carbohidratos resultaron tener mayor propensión al sobrepeso, mientras que los que comían hasta 300 gramos de carbohidratos al día tenían más probabilidades de estar delgados. Esto no quiere decir que "más es mejor", porque aquéllos que comieron más de 300 gramos de carbohidratos al día, también tuvieron mayor propensión a cargar con algún kilito de más.

---

*Una taza de frijoles negros proporciona nada menos que 15 gramos de fibra. Si le agrega tomates y especias, usted podrá disfrutar de un delicioso* chili *para combatir el frío y cargarse de energía.* [Para 4 porciones]

### *Chili* rápido de frijoles negros

1 libra (454 g) de carne molida de aguja de res, pavo o pollo
1 cebolla mediana, picada
1 lata de 15 onzas de tomates listos para usar o "*Chili Ready*"
1 lata de 15 onzas de caldo de res
1 lata de 15 onzas de frijoles negros
1 cucharadita de pimienta
3 cucharadas de *ketchup*
10 chorritos de salsa picante de Louisiana o de Tabasco,
   o una lata pequeña de chiles
   Sal al gusto

En un wok o sartén grande, dore la carne y la cebolla. Añada la sal, la pimienta y la salsa picante.

Agregue los frijoles, los tomates, el *ketchup* y el caldo. Hierva a fuego lento durante unos 45 minutos, revolviendo ocasionalmente.

---

# Las etiquetas nutricionales eliminan la confusión

Hay una forma muy sencilla de saber si un alimento contiene carbohidratos complejos saludables o carbohidratos simples no tan buenos. Revise la etiqueta de información nutricional. Fíjese en la línea "*Total Carbohydrate*" (Total de carbohidratos). Aquí, una cifra alta puede ser sinónimo de buenas noticias.

Para asegurarse, fíjese más abajo, en las líneas correspondientes a "*Dietary Fiber*" (Fibra dietética) y "*Sugars*" (Azúcares). ¿Cuál es el valor más alto? Si el alimento tiene más fibra que azúcar, lo más seguro es que sea una buena elección, ya que es muy probable que contenga carbohidratos complejos. Si el valor de *Sugars* (Azúcares) es alto, este alimento contiene demasiados gramos de carbohidratos simples poco saludables. Compare los valores correspondientes a carbohidratos en las etiquetas de información nutricional de más abajo.

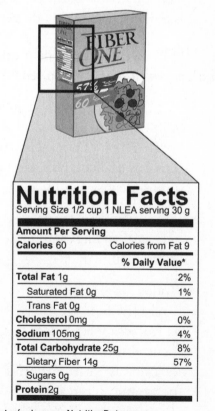

## Nutrition Facts
Serving Size 1 cup 253g

**Amount Per Serving**

**Calories** 152     Calories from Fat 3

       % Daily Value*

| | |
|---|---|
| **Total Fat** 0g | 1% |
|   Saturated Fat 0g | 0% |
|   Trans Fat | |
| **Cholesterol** 0mg | 0% |
| **Sodium** 13mg | 1% |
| **Total Carbohydrate** 37g | 12% |
|   Dietary Fiber 1g | 2% |
|   Sugars 36g | |
| **Protein** 1g | |

## Nutrition Facts
Serving Size 1/2 cup 1 NLEA serving 30 g

**Amount Per Serving**

**Calories** 60     Calories from Fat 9

       % Daily Value*

| | |
|---|---|
| **Total Fat** 1g | 2% |
|   Saturated Fat 0g | 1% |
|   Trans Fat 0g | |
| **Cholesterol** 0mg | 0% |
| **Sodium** 105mg | 4% |
| **Total Carbohydrate** 25g | 8% |
|   Dietary Fiber 14g | 57% |
|   Sugars 0g | |
| **Protein** 2g | |

Datos nutricionales e imágenes cortesía de www.NutritionData.com

# Los científicos aclaran los mitos sobre el azúcar

Deje de alarmarse por el jarabe de maíz con alto contenido de fructosa (*high-fructose corn syrup* o HFCS, en inglés). Estos son algunos temas que sí le deben preocupar:

- La cantidad total de azúcares que consume. Las mujeres mayores que no llevan una vida muy activa deberían consumir sólo tres cucharaditas de azúcar añadida al día. La mayoría de las personas consume un promedio de 22.

- Lo prevalentes que son los azúcares en los alimentos procesados. Los refrescos son una fuente importante de azúcares añadidos para los estadounidenses. Una lata contiene alrededor de ocho cucharaditas de azúcar.

- La epidemia de obesidad en Estados Unidos. Tres cucharaditas adicionales de azúcar —o 50 calorías extra al día— podrían significar una subida de peso de hasta cinco libras en un año.

El HFCS no es mejor ni peor que la mayoría de los edulcorantes. En este sentido, es preciso tener presente lo siguiente:

- El HFCS es aproximadamente 55 por ciento fructosa y 45 por ciento glucosa. El azúcar de mesa, también llamado sacarosa, es 50 por ciento fructosa y 50 por ciento glucosa. Los dos edulcorantes son prácticamente idénticos desde un punto de vista químico.

- El HFCS, el azúcar de mesa y la miel se metabolizan de manera similar.

- Todos los azúcares —el HFCS, la sacarosa, la fructosa y la glucosa— tiene el mismo número de calorías: cuatro calorías por gramo o cerca de 16 calorías por cucharadita.

> La papa es una gran fuente de carbohidratos complejos. Eso es bueno ya que en Estados Unidos se consume mucha papa: alrededor de 130 libras por persona al año. Elija platos saludables y aléjese de las papas fritas y de las papitas de bolsa.

- El HFCS y la fructosa pura son completamente diferentes. En muchos estudios sobre la fructosa pura que causaron alarma, se emplearon cantidades enormes en ratas, que en ocasiones suponían el 60 por ciento de su energía diaria. Esto es, como mínimo, cuatro veces la cantidad en una dieta humana normal.

- Ya sea que se trate del consumo de azúcar de mesa o de HFCS, el exceso no es saludable.

# Curcumina

combate la enfermedad de Alzheimer • ataca el cáncer • reduce la inflamación • protege de la diabetes • alivia la artritis • calma el ardor de la acidez estomacal • cuida el corazón • controla el peso

La cúrcuma, una especia muy popular en la India y el sur de Asia, es también un remedio que ha sobrevivido al paso del tiempo. Muchos prefieren este remedio antiguo a los fármacos modernos.

La cúrcuma es uno de los ingredientes principales del *curry* en polvo y desde 600 años antes de Cristo se viene utilizando para darle sabor y color a las comidas. En la medicina tradicional de la India también se emplea para aliviar los trastornos estomacales, el dolor de artritis y los niveles bajos de energía. No sólo eso, esta antigua especia también aporta beneficios para la salud que son igualmente relevantes en la medicina actual.

La curcumina, uno de los componentes de la cúrcuma, es la clave. Es la curcumina la que da a los platos preparados con cúrcuma y *curry* en polvo su distintivo color amarillo. Su extraordinario poder antioxidante y antiinflamatorio lo convierte en un dínamo contra una amplia variedad de enfermedades.

Existen estudios que sugieren que la curcumina ayuda a combatir varios tipos de cáncer, la artritis, la enfermedad de Crohn, la diabetes y sus complicaciones, los problemas de corazón, el colesterol alto, la obesidad y la acidez estomacal. Y eso no es todo. La curcumina también protege el cerebro.

## Cuatro beneficios de la curcumina para la mente

**Combate el alzhéimer.** La India tiene el índice más bajo de alzhéimer en el mundo. Tal vez esto se deba a que en la India está muy extendido el uso de una especia en particular: la cúrcuma. Aunque la genética y otros factores relacionados con el estilo de vida también podrían influir, hay algo de respaldo científico con el que "alimentar" esta conexión entre baja incidencia de alzhéimer y la cúrcuma.

Existen estudios de laboratorio que demuestran que la curcumina frena la formación de placas en el cerebro y que, incluso, las descompone. En un pequeño estudio realizado en la Universidad de California, Los Ángeles, la curcumina aumentó la efectividad de los macrófagos, que son los que "recogen la basura" del sistema inmunitario y que recorren el cerebro y el cuerpo limpiando los desechos. Después de seguir un tratamiento a base de curcumina, los macrófagos en un grupo de personas con alzhéimer realizaron mejor la tarea de "barrer" los beta-amiloide o depósitos de proteína que forman las placas.

En otro estudio se observó que la curcumina funcionaba muy bien con la vitamina D3 a la hora de prevenir la acumulación de beta-amiloide en personas con alzhéimer, aunque las versiones sintéticas de la curcumina

¿Siente que se está resfriando? En la India, para aliviar el dolor de garganta, se agrega un poco de cúrcuma a la leche tibia. ¿La razón? La curcumina ayuda a combatir las infecciones. De hecho, el uso tópico de cúrcuma incluso favorece la cicatrización de heridas.

funcionaron mejor que la forma natural. Otros estudios muestran que la curcumina reduce el estrés oxidativo e inhibe las proteínas inflamatorias que pueden llegar a dañar el cerebro.

La combinación de los poderes antioxidantes, antiinflamatorios e 'inmunofortalecedores' de la curcumina la convierten en un arma ideal en la lucha contra la enfermedad de Alzheimer.

Un estudio de la Universidad Nacional de Singapur aportó pruebas adicionales. En dicho estudio, realizado con más de 1,000 asiáticos entre las edades de 60 y 93 años, aquéllos que comían *curry* de forma ocasional o a menudo rindieron mejor en las pruebas mentales que aquéllos que nunca comían *curry* o lo hacían rara vez. La buena noticia es que con muy poco *curry* se logra mucho. Para el estudio "a menudo" simplemente significaba más de una vez al mes y "de forma ocasional" al menos una vez en seis meses, pero menos de una vez al mes.

**Defiende contra la diabetes.** Niveles elevados de azúcar en la sangre pueden ser muy peligrosos para el cerebro. Afortunadamente, la curcumina puede ayudarle a protegerle contra la diabetes. En un estudio realizado en Corea con ratones diabéticos, la curcumina bajó sus niveles de azúcar en la sangre y actuó como un poderoso antioxidante. También redujo sus niveles de colesterol y de triglicéridos.

El extracto de cúrcuma llamado oleorresina de cúrcuma contiene curcumina y aceite esencial de cúrcuma, y combate los niveles elevados de azúcar en la sangre y la grasa abdominal en los ratones.

En un nuevo y prometedor tratamiento para la diabetes, un investigador australiano desarrolló una inyección de curcumina recubierta de grasa absorbible. La curcumina actúa sobre las células hepáticas para prevenir su inflamación. Esta inflamación es común en las personas obesas y a menudo causa diabetes. La inyección, que funciona en ratones, aún no ha sido probada en humanos.

La curcumina también puede ser útil en el tratamiento de las complicaciones derivadas de la diabetes. En un estudio efectuado con ratas, la cúrcuma y la curcumina retrasaron el avance y el proceso de maduración de las cataratas causadas por altos niveles de azúcar en la sangre. El crédito se lo llevan sus poderes antioxidantes.

El estrés oxidativo y la inflamación contribuyen al desarrollo de la retinopatía diabética, una de las causas principales de la ceguera. La curcumina reduce el estrés oxidativo y la inflamación en ratas diabéticas, lo que sugiere que podría ofrecer protección contra esta enfermedad.

En un estudio efectuado en la India, la combinación de insulina y curcumina alivió el dolor en ratones con neuropatía diabética, que es el daño a los nervios causado por un alto nivel de azúcar en la sangre.

**Ayuda al corazón.** Si ama a su cerebro, cuide su corazón. Muchos problemas del corazón, incluidos el colesterol alto y la hipertensión, pueden convertirse en problemas para el cerebro. La curcumina tiene unas cuantas propiedades beneficiosas para el corazón.

La hipertrofia o agrandamiento anormal del corazón aumenta el riesgo de sufrir un ataque al corazón o una insuficiencia cardíaca. En un estudio realizado en Canadá, la curcumina previno e incluso revirtió el agrandamiento del corazón en ratones. En Japón se han reportado resultados similares en ratas.

La curcumina también puede ser un freno para los depósitos de grasa en las arterias. Un estudio reciente realizado en Francia encontró que los ratones que recibieron una dieta con un suplemento de curcumina mostraron una reducción del 26 por ciento en los depósitos de grasa en comparación con los ratones que recibieron una dieta estándar. En un estudio efectuado en la India, la curcumina aumentó los niveles del llamado colesterol "bueno" (HDL, en inglés), a la vez que redujo los niveles de colesterol total. Los niveles altos de colesterol elevan el riesgo de desarrollar el mal de Alzheimer y pueden contribuir a que las proteínas beta-amiloide se agrupen en placas.

> Prepare un sabroso adobo para el pescado o el pollo con cúrcuma y pimienta negra. Como beneficio adicional, esta combinación aumenta la absorción de la curcumina.

**Vence la obesidad.** La obesidad aumenta el riesgo de desarrollar diabetes, enfermedades del corazón y demencia. Un estudio reciente encontró que la curcumina ayuda a reducir la grasa corporal y a controlar el aumento de peso. Los ratones que recibieron una dieta alta en grasas con un suplemento de curcumina redujeron el aumento de peso y la grasa corporal aunque su consumo de comida fue el mismo que el del grupo de ratones que recibieron únicamente la dieta alta en grasas. Los ratones alimentados con curcumina también mostraron niveles más bajos de azúcar en la sangre, de triglicéridos y de colesterol. Se cree que la curcumina funciona, en parte, al frenar el crecimiento de nuevos vasos sanguíneos en el tejido adiposo.

En un estudio de laboratorio reciente, la curcumina —junto con el resveratrol— redujo la inflamación en el tejido adiposo. Este tipo de inflamación crónica puede conducir a enfermedades del corazón y a la diabetes.

## Todo sobre especias, suplementos y aerosoles

La curcumina viene en una variedad de formas. El polvo puro de cúrcuma le proporcionará la mayor cantidad de curcumina, mientras que la cantidad de curcumina en el *curry* en polvo varía mucho.

El habitante promedio de la India come entre 2 y 2.5 gramos de curcumina al día, lo que significa unos 60 a 200 miligramos (mg) de curcumina. Si sus papilas gustativas no pueden tolerar la intensidad de esta especia, usted puede optar por los suplementos de cúrcuma o de curcumina.

Cuando vaya a comprar un suplemento, preste atención a las etiquetas de los productos que le indicarán qué parte de la planta es la que se ha utilizado. Elija la raíz o el rizoma ya sea en extracto o en polvo. Fíjese también en la concentración de curcumina. Las dosis típicas van desde cápsulas de 450 mg de curcumina a 3 gramos de raíz de cúrcuma al día, divididos en varias dosis.

Usted puede incluso encontrar curcumina en la forma de aerosoles nasales u orales de *Curecumin*.

## Precauciones con respecto a la curcumina

Aunque los suplementos de cúrcuma o curcumina generalmente se consideran seguros, tienen algunas desventajas. Pueden causar malestares estomacales, náuseas o diarrea, así como reacciones alérgicas en la piel, como un sarpullido con comezón. Evite estos suplementos si usted está tomando anticoagulantes o si padece cálculos biliares o una enfermedad de la vesícula biliar. También pueden aumentar las hemorragias y causar que la vesícula se contraiga.

Un estudio reciente de Wake Forest encontró que la curcumina puede afectar la metabolización del hierro, especialmente en personas con deficiencia límite de hierro. Si usted tiene anemia, puede que necesite reconsiderar el consumo de suplementos de curcumina.

Recuerde, los suplementos dietéticos no están sujetos a las estrictas regulaciones de la Administración de Alimentos y Fármacos (FDA, en inglés), así que nunca se sabe que es lo que se está comprando. Como siempre, hable con su médico antes de tomar suplementos.

# Depresión

tristeza • sentimientos de baja autoestima • fatiga • pérdida de interés • problemas de sueño

Todo el mundo alguna vez se ha sentido triste o ha deseado no tener que levantarse por la mañana. Pero si padece de depresión, la tristeza es casi constante y puede que no sea capaz de salir de la cama. La depresión es una enfermedad grave que puede afectar seriamente su rutina diaria.

Una persona con depresión llega a perder todo interés en las actividades que antes disfrutaba y sentir que nada vale la pena. También puede experimentar cansancio, problemas de sueño, cambios en el apetito y el peso, indecisión y pensamientos de muerte o suicidio.

Existen varios factores que pueden contribuir a la depresión, como el factor genético, el abuso de alcohol o drogas, los fármacos y algunas enfermedades. Un desequilibrio en los neurotransmisores también afecta el estado de ánimo. Los neurotransmisores, como la serotonina, la norepinefrina y la dopamina, son sustancias químicas que actúan como mensajeros en el cerebro. De ahí que un desequilibrio de los neurotransmisores puede provocar el envío de un mensaje equivocado. Otra causa puede ser la inflamación crónica del cerebro.

La depresión no sólo afecta el estado de ánimo. También puede pasarle factura al cuerpo, al elevar el riesgo de enfermedades del corazón y al agravar las enfermedades crónicas, como la diabetes, la artritis, los problemas de espalda y el asma. Incuso puede ser una señal temprana de la enfermedad de Alzheimer.

Las personas mayores corren un riesgo aún mayor porque ciertos cambios de vida, como la jubilación o la pérdida de un cónyuge, pueden desencadenar una depresión. El aislamiento social, las enfermedades crónicas y los medicamentos con receta médica también pueden hacer que usted se deprima. El tratamiento más común para la depresión incluye fármacos antidepresivos y psicoterapia. Pero usted también puede tomar estas otras medidas para levantar el ánimo.

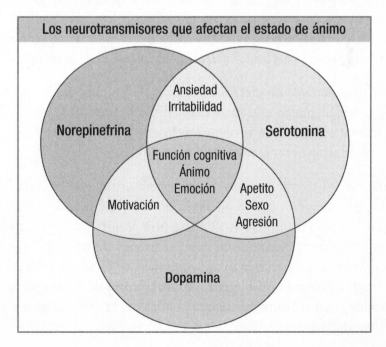

Los neurotransmisores que afectan el estado de ánimo

Ansiedad
Irritabilidad

Norepinefrina

Serotonina

Función cognitiva
Ánimo
Emoción

Apetito
Sexo
Agresión

Motivación

Dopamina

# Cinco tácticas para combatir la depresión

**Alimente el alma.** Lo que come puede afectar cómo se siente. Cambie su dieta y podría estar cambiando su estado de ánimo.

En Japón, un estudio encontró que los hombres que consumían más carbohidratos eran mucho menos propensos a mostrar síntomas de depresión que los que consumían menos. Un alto consumo de carbohidratos ayuda a que el aminoácido triptófano llegue al cerebro, lo que promueve la síntesis de la serotonina. Elija carbohidratos complejos, como los granos integrales y las verduras ricas en almidón, y carbohidratos simples y saludables, como la fruta y la miel.

Los cítricos y otras frutas y verduras de colores brillantes y ricos en antioxidantes, como la vitamina C y los carotenoides, ayudan a proteger el cerebro del estrés oxidativo que contribuye a la depresión.

Los ácidos grasos omega-3, que se encuentran en el pescado, también combaten la depresión. A medida que el consumo de omega-3 de una población en particular disminuye, la incidencia de la depresión aumenta. Se cree que el cerebro convierte el ácido eicosapentaenoico (EPA), un ácido graso omega-3, en sustancias químicas que el cerebro necesita, como las prostaglandinas o los leucotrienos. O tal vez los ácidos grasos omega-3 afecten el sistema de señalización de las células del cerebro al activar o bloquear ciertos receptores.

Tener niveles bajos de ciertas vitaminas B, como el ácido fólico o la B12, también puede estar asociado con la depresión. Obtenga más de estas vitaminas clave incorporando en su dieta panes y cereales enriquecidos, así como carnes, lácteos y huevos.

**Movilícese.** El ejercicio físico puede ser un antidepresivo efectivo y menos costoso. Y es que el ejercicio no sólo libera endorfinas, que son las hormonas que hacen sentirse bien y que reducen el dolor, sino que también puede aumentar los niveles de serotonina y de norepinefrina. El ejercicio ayuda, además, a reducir el estrés, la ira y la frustración, así como a reducir los factores de riesgo en la depresión, como la intolerancia a la glucosa, la inflamación y los problemas cardiovasculares.

No necesita matricularse en un gimnasio o comprar un equipo especial. Caminar ya ofrece resultados. Incluso actividades cotidianas como las tareas domésticas —siempre que duren al menos 20 minutos y le hagan perder el aliento— pueden ayudar.

Un estudio reciente encontró que los efectos positivos del ejercicio en el estado de ánimo pueden durar hasta 12 horas. Asegúrese de hacer ejercicio con regularidad para mantener esos beneficios. Procure ejercitarse al menos 30 minutos al día.

> Esté atenta a las señales de alerta del suicidio, como amenazar o hablar sobre el suicidio, tener un sentimiento de desesperanza, tener rabia o ira incontrolable, aumentar el consumo de sustancias adictivas, alejarse de los amigos y de la familia, o tener cambios radicales del estado de ánimo. Para recibir ayuda, llame a la Red Nacional de Prevención del Suicidio, al 1-888-628-9454, y será atendido en español.

**Mande la tristeza a la cama.** El insomnio puede ser tanto síntoma como causa de la depresión. No dormir lo suficiente y los malos hábitos de sueño pueden hacer que la depresión empeore o pueden interferir con su tratamiento.

Mejore su estado de ánimo mejorando la calidad de su sueño. Algunos consejos útiles son mantener un horario para dormir; hacer ejercicio con regularidad, pero no cerca de la hora de irse a la cama; evitar las siestas en las últimas horas de la tarde; mantener el dormitorio oscuro, silencioso y fresco; usar la cama sólo para dormir y tener relaciones sexuales; y evitar la cafeína y el alcohol por la noche.

**Haga buenas migas con los amigos.** Ya lo dijeron los Beatles: es posible salir adelante con un poco de ayuda de los amigos. El aislamiento social contribuye a la depresión, pero contar con un sólido sistema de apoyo puede ayudarle a lidiar con los altibajos de la vida. Manténgase en contacto con sus amigos y familiares, y participe en las actividades de su iglesia o del centro para los adultos mayores de su comunidad. Un amigo o un familiar le podría también "contagiar" un poco de felicidad. Un estudio reciente comprobó que estar cerca de gente feliz aumenta las posibilidades de sentirse bien.

**Supérela con suplementos.**

Pruebe una alternativa segura y natural a los fármacos con receta médica. Algunos suplementos le pueden ayudar a superar la melancolía, sin efectos secundarios desagradables.

Ensayos clínicos y revisiones de estudios han determinado que el corazoncillo o hierba de San Juan funciona mejor que un placebo y tan bien como los antidepresivos estándar para la depresión de leve a moderada. Este remedio herbario funcionaría al inhibir la recaptación de la serotonina, la dopamina y la norepinefrina. Eso significa que estas sustancias químicas, en vez de ser reabsorbidas y recicladas por las células que las produjeron originalmente, permanecen en su cerebro para subirle el ánimo.

Disfrute de los placeres simples. Según un estudio de la Clínica Cleveland, escuchar música puede aliviar los síntomas de depresión en un 25 por ciento. La jardinería también ayuda a levantar el ánimo. Un estudio británico encontró que las bacterias beneficiosas que suelen encontrarse en la tierra hacen que el cerebro produzca serotonina.

La S-adenosil metionina, popularmente conocida como SAM-e, también podría combatir la depresión. La SAM-e es un compuesto natural que se encuentra en cada célula del cuerpo y que tiene poderes antioxidantes y antiinflamatorios. Incluso ayuda en la producción de neurotransmisores. En un estudio reciente en el que participaron 30 personas, investigadores de Harvard observaron que la SAM-e ayudó a algunos pacientes con depresión grave que no respondían a fármacos tradicionales.

## Evite las interacciones peligrosas

El corazoncillo puede funcionar tan bien como algunos de los fármacos con receta médica, pero no siempre funciona bien junto con ellos. Tenga cuidado con las interacciones. Este remedio herbario puede debilitar el poder de muchos medicamentos, como los fármacos para el colesterol alto o la hipertensión, y los anticoagulantes.

Tomar corazoncillo junto con un inhibidor selectivo de recaptación de serotonina (SSRI, en inglés), como *Prozac* o *Zoloft*, podría provocar una peligrosa dolencia llamada síndrome de la serotonina. Usted podría experimentar confusión, calores, sudoración, ansiedad, dolores de cabeza, dolores estomacales, espasmos musculares y convulsiones.

Los SSRI, aunque se consideran la clase más segura de antidepresivos, también conllevan riesgos. Los efectos secundarios incluyen ansiedad, nerviosismo, insomnio, mareos, náuseas y problemas sexuales. Pueden también incrementar el riesgo de sangrado estomacal, sobre todo cuando se toman junto con medicamentos antiinflamatorios no esteroideos, como el ibuprofeno o la aspirina. El SSRI también puede debilitar los huesos e incrementar el riesgo de fracturas.

Un consejo: nunca deje de tomar un medicamento sin la aprobación del médico que se lo haya recetado.

## Arrojemos un poco de luz sobre este tema

Si usted se deprime a finales del otoño y durante el invierno, puede que padezca de trastorno afectivo estacional (TAE) o SAD, por sus siglas en inglés. Una reducción en las horas de luz diurna podría estar interfiriendo con el reloj interno del cuerpo. Pregunte a su médico sobre la fototerapia, que es una terapia de luz que consiste en sentarse frente a una lámpara especial con múltiples bombillas fluorescentes de amplio espectro.

La clave está en la luz artificial brillante, que se mide en unidades llamadas lux. La terapia típica es de 2,500 lux dos horas al día o de 10,000 lux 30 minutos al día. Compárela con otras fuentes comunes de luz, como la luz del sol y la iluminación en su hogar.

| Fuente de luz | Lux |
|---|---|
| Luz del sol al mediodía | 100,000 |
| Día brumoso | 50,000 |
| Fototerapia para el TAE | 10,000 |
| Fototerapia para el TAE | 2,500 |
| Día nublado | 2,000 |
| Oficina | 200-500 |
| Sala de estar | 50-200 |
| Típico hogar de ancianos | 50 |
| Luna llena | 1 |

# Diabetes

micción frecuente • aumento de la sed • infecciones • visión borrosa • fatiga • hormigueo • entumecimiento • cortadas que sanan lentamente

En este preciso instante, su cuerpo es el escenario de una lucha de poder entre la glucosa y la insulina. ¿Sabe usted quién está ganando? Si sufre de diabetes, puede que su insulina esté siendo noqueada.

La glucosa es un azúcar que provee la energía que sus células necesitan para funcionar. El cuerpo obtiene algo de glucosa de los alimentos que usted consume y el hígado produce otro tanto. La insulina, por su parte, es como el guardagujas de esta energía. La insulina le dice al hígado cuánta glucosa producir y ayuda a mover la glucosa del flujo sanguíneo a las células. Cuando todo funciona adecuadamente, el páncreas produce la cantidad precisa de insulina, las células reciben la cantidad adecuada de glucosa y usted se siente bien. Pero si usted tiene diabetes tipo 2, el equilibrio de poder se desestabiliza.

Se habla de tres fases en la evolución de la diabetes:

- Primero, se desarrolla la resistencia a la insulina, lo que significa que a la insulina le cuesta trabajo mover la glucosa a las células receptoras para que éstas puedan utilizarla. Normalmente el cuerpo compensa esto produciendo más insulina para vencer dicha resistencia.

- Con el tiempo, el páncreas simplemente no puede mantener el ritmo y deja de producir la insulina suficiente en el momento necesario. La cantidad de glucosa en la sangre varía enormemente dependiendo de la cantidad de insulina que usted tiene y lo bien que esté funcionando.

- Al final, todo ese exceso de glucosa en el flujo sanguíneo acaba por destruir las células productoras de insulina en el páncreas y la diabetes se desarrollará por completo.

¿Qué significa esto para su salud? Las fluctuaciones en los niveles de glucosa en la sangre pueden causar un verdadero caos en su cuerpo y pueden llegar a afectarlo todo, de la cabeza a los pies. Pero lo más aterrador es el posible daño cerebral.

Inmediatamente después de que los niveles de glucosa en la sangre se disparan se experimentan una serie de efectos secundarios, como la deshidratación y la fatiga, que perjudican sus habilidades mentales. Si los niveles caen, usted podría experimentar confusión y falta de coordinación, así como dolores de cabeza, visión doble o dificultad para hablar. Éstos son síntomas a corto plazo que, por lo general, desaparecen una vez que el azúcar en la sangre se estabiliza. De cualquier forma, existen complicaciones a largo plazo que podrían afectar su cerebro y su salud mental. Cada vez que los niveles de azúcar en la sangre fluctúan, el cuerpo sufre daños menores que, con el tiempo, podrían conducir a problemas más serios.

Un exceso de glucosa en la sangre puede dañar el interior de las paredes arteriales, lo que puede llevar a la formación de depósitos de placa y a la reducción del flujo sanguíneo. Lo malo es que un flujo sanguíneo deficiente aumenta el riesgo de sufrir un derrame cerebral o un ataque al corazón. De hecho, una persona con diabetes es entre dos y cuatro veces más propensa a sufrir una enfermedad del corazón que una persona sin diabetes.

Pero, ¿puede la diabetes afectar la capacidad cognitiva y su memoria? Por supuesto. A medida que se elevan los niveles de azúcar en la sangre, la capacidad para pensar con rapidez y para hacer varias tareas a la vez disminuye. Hay varias explicaciones para esto. Si la glucosa no está llegando a las

TAG-IT es una nueva herramienta para evaluar la probabilidad de alteración de la glucosa en ayunas. Es fácil de usar y sus resultados son rápidos. Es más, le podría salvar la vida. Usted responde seis preguntas personales y acerca de su salud, y recibe una puntuación de riesgo que le permitirá a su médico saber si usted debe someterse a pruebas adicionales de detección para diabetes.

células del cerebro, éstas no tienen la energía suficiente para funcionar adecuadamente. Y si las neuronas no funcionan adecuadamente, el cerebro tampoco. Este tipo de daño cognitivo es como una espiral hacia abajo. Si su capacidad para pensar es deficiente, es probable que usted no pueda cumplir con las indicaciones de su médico, seguir una dieta adecuada o hacer ejercicio. La diabetes empeora y sus capacidades mentales sufren más daño aún.

Además, según nuevas investigaciones la falta de insulina no sólo tiene un efecto negativo en la diabetes. También en la enfermedad de Alzheimer. Se observó que hombres que a los 50 años de edad no producían cantidades suficientes de insulina tenían un riesgo significativamente mayor de desarrollar alzhéimer y otros tipos de demencia más adelante.

¿No se siente bien anímicamente? También puede echarle la culpa a la diabetes. Las personas con diabetes tienen un riesgo de más del 50 por ciento de padecer depresión. Gestionar una enfermedad crónica como la diabetes crea estrés y algunos expertos creen que ésta es la causa. Otros afirman que la culpa la tienen la inflamación y las hormonas. Extrañamente, también es cierto que si usted está deprimido tiene más probabilidades de desarrollar diabetes. En parte, la clave podría estar en el estilo de vida: las personas deprimidas tienden a fumar, a llevar una vida más sedentaria y a comer más.

> Para algunas personas, la dieta y el ejercicio pueden no ser suficientes para controlar los niveles de azúcar en la sangre. Si usted no puede cumplir con su objetivo de HbA1c o si desarrolla síntomas de diabetes, es probable que su médico le sugiera tomar medicamentos por vía oral y recibir, además, inyecciones de insulina.

## Cuatro tácticas para combatir la diabetes

**Perder peso.** Es lo mejor que puede hacer si usted quiere reducir su riesgo de desarrollar diabetes. Según los expertos, el sobrepeso es el principal factor de riesgo asociado con la diabetes tipo 2. Y si el sobrepeso se localiza en la sección media del cuerpo, la probabilidad de desarrollar diabetes tipo 2 es aún mayor que si se centrara en las caderas y los muslos. Así que para calcular su riesgo actual, no se guíe sólo por la báscula. Mídase la cintura también.

**Tome el control de su presión arterial.** Aunque no existe un único peso ideal para todo el mundo, cuando hablamos de presión arterial, sí existe un objetivo específico que debería marcarse. Manténgala por debajo de 130/80mm Hg y podría prevenir o retrasar ciertas complicaciones causadas por la diabetes. Podría incluso reducir la gravedad de estas complicaciones si llegaran a ocurrir.

**Conozca sus niveles de colesterol.** Ya sabe lo importante que es mantener un corazón sano para combatir la diabetes. Una de las mejores formas de mantener un corazón fuerte y vasos sanguíneos flexibles es controlar el colesterol. Mantenga la lipoproteína de baja densidad (LDL) o colesterol "malo" por debajo de 100 mg/dL. Por debajo de 70 es incluso mejor. Los triglicéridos deberían estar por debajo de 150 mg/dL. En cambio, la lipoproteína de alta densidad (HDL) o colesterol "bueno" debería estar, al menos, en 50 mg/dL.

**Mantenga estables los niveles de azúcar en la sangre.** Para monitorear los niveles de glucosa en la sangre, sométase a la prueba de la hemoglobina A1c (HbA1c) con una regularidad de entre tres y seis meses. Al controlar la diabetes buscamos que los niveles de azúcar ni se disparen ni caigan en picada. Lo ideal es mantener los niveles de HbA1c en o por debajo del 7 por ciento.

Pero existe controversia con respecto a cuán importante es el control del azúcar en la sangre en comparación con otros factores, como el colesterol o la presión arterial. Muchos profesionales de la salud creen que someterse a medidas drásticas para bajar o mantener cierto nivel de glucosa en la sangre no es tan importante para la gestión de la diabetes como controlar el colesterol y la presión sanguínea.

Un buen ejemplo de esta controversia es el plan de comidas que se basa en el índice glucémico (IG). El IG mide la velocidad con la que un alimento que contiene carbohidratos eleva la glucosa en la sangre. A los alimentos se les adjudica un valor comparándolos con el pan blanco. Un alimento con un índice glucémico (IG) alto eleva los niveles de glucosa en la sangre más rápido que un alimento con un IG medio o bajo. Este método de elegir los alimentos puede ser complicado porque es necesario referirse a una lista específica y porque el IG de un alimento puede variar dependiendo de la manera en la que esté preparado.

| Elija | En lugar de |
|---|---|
| Crema de cacahuate | Carnes frías ricas en grasas |
| Café | Soda |
| Camote | Papas fritas |
| Canela | Azúcar |
| Ajo | Sal |
| Bayas | Galletitas |
| Pan integral | Dulces y pasteles |
| Frijoles | Carnes rojas |

La Asociación Estadounidense de Diabetes le da un enfoque más sencillo a la nutrición. Ellos aconsejan llevar una dieta variada a base de frutas, verduras, granos integrales, productos lácteos sin grasa, frijoles, carnes magras y pescado.

En conclusión, lo sensato es elegir siempre alimentos ricos en vitaminas, minerales y fibra, y evitar los procesados y pobres en nutrientes.

Una última reflexión. Cada vez que realiza una actividad física, usted está utilizando glucosa, lo que evita su acumulación en el flujo sanguíneo. Además, el ejercicio desarrolla músculo y las células musculares necesitan grandes cantidades de glucosa. Una razón más para levantarse y ponerse en movimiento.

## Un sencillo análisis de sangre puede salvarle la vida

Millones de personas están al borde de la diabetes y no lo saben. Tienen lo que se llama prediabetes, es decir, su nivel de glucosa en la sangre en ayunas está entre 100 y 125 mg/dL. Aunque estas cifras son más altas de lo normal, para la mayoría de los médicos no son lo suficientemente altas como para crear alarma. Si éste es su caso y usted no cambia su estilo de vida o toma medicamentos, es probable que desarrolle diabetes del tipo 2 en un plazo de 10 años.

Es fácil hacerse una prueba para determinar sus niveles de glucosa. Su médico puede solicitar tres tipos de análisis de sangre: la prueba de glucosa plasmática al azar, la prueba de glucosa plasmática en ayunas (FPG, en inglés) o la prueba oral de tolerancia a la glucosa. Si usted tiene más de 45 años de edad, hágase una prueba. Si tiene

> Recuerde que debe medirse la presión arterial cada vez que visite a su médico. También debe verificar sus niveles de colesterol cada año o con mayor frecuencia si su colesterol no está dentro de los límites deseados.

menos de 45 años y tiene sobrepeso y algún otro factor de riesgo para la diabetes, pregúntele a su médico si debe hacerse una prueba.

# Caídas

mareos • deshidratación • deterioro de la visión
• debilidad muscular • mascotas

Una caída solía significar rodillas raspadas y curitas con personajes de los dibujos animados. Con la edad pasa a significar huesos rotos y traumatismo craneal. De hecho, casi un tercio de los adultos mayores que se caen sufren lesiones graves.

Las consecuencias de golpearse la cabeza al caer van más allá de unos cuantos magullones. Una caída puede llegar a afectar las capacidades mentales y eleva el riesgo de desarrollar la enfermedad de Alzheimer (EA) y otras formas de demencia. El pronóstico depende en parte de si se perdió el conocimiento o no. Los expertos dicen que el riesgo de padecer EA es casi 10 veces mayor después de una lesión en la cabeza con desmayo. La probabilidad de desarrollar EA a una edad temprana es mayor si la pérdida de conocimiento dura más de cinco minutos.

¿Cómo puede un golpe en la cabeza afectar las capacidades mentales? Existen varias explicaciones posibles. El golpe podría causar la muerte de células cerebrales o dañar la barrera hematoencefálica. Esta barrera protege al cerebro de las sustancias extrañas en la sangre y de las hormonas y los neurotransmisores en el resto del organismo. También ayuda a mantener un entorno controlado para el cerebro.

Reconocer su propio riesgo de sufrir caídas es el primer paso. Los estudios muestran que los programas de prevención para los adultos mayores han logrado reducir las caídas en un 11 por ciento.

## Siete tácticas para evitar las caídas

**Revise su botiquín.** Los medicamentos a veces crean más problemas de los que supuestamente deberían solucionar. Esto es cierto en el caso de algunas pastillas para dormir, antidepresivos, fármacos para el corazón y remedios de venta libre para las alergias y los resfriados. Éstos pueden causar somnolencia o mareos, aumentado la probabilidad de accidentes por resbalones y tropiezos. El riesgo es mayor:

- Si usted está tomando inhibidores selectivos de recaptación de serotonina (SSRI, en inglés) para la depresión. De hecho, la propensión a sufrir una caída en estos casos es 50 por ciento mayor que la de otros adultos mayores.

- Si usted es más sensible a los efectos adversos o secundarios de ciertos medicamentos.

- Si usted toma más de cuatro medicamentos.

Pregunte a su médico si un medicamento podría ser la causa de su problema o infórmese en línea. Vaya a *www.worstpills.org* (en inglés) y busque en *"Drug-Induced Disease or Condition"* (enfermedad causada por un medicamento). Seleccione *"Dizziness"* (mareos) o *"Falls"* (caídas) y verá una lista de medicamentos que podrían ser la causa de su inestabilidad. Si usted cree que uno de sus medicamentos está afectando su equilibrio, hable con su médico. Y recuerde, nunca deje de tomar un medicamento sin la aprobación de su médico.

**Hágase un examen de la vista y del oído.** Usted sentirá más seguridad al caminar si puede ver y escuchar claramente. ¿Cuándo fue la última vez que fue a ver a un oftalmólogo? Asegúrese de que sus lentes tengan la medida correcta y hágase un chequeo para el glaucoma y las cataratas. Asimismo, cualquier problema con el oído interno puede causar mareos, vértigo y problemas de equilibrio. Puede tratarse de una simple infección de oído, de alergias o de la enfermedad de Ménière. A medida que la edad avanza, mayor es la probabilidad de que algo falle en los delicados mecanismos del oído interno. A partir de los 40 años, más de un tercio de los estadounidenses tienen problemas del oído interno o lo que se conoce como disfunción vestibular. Si ése es su caso, su probabilidad de sufrir una caída es 12 veces mayor.

No camine y hable a la vez. No camine y coma a la vez. No camine y envíe mensajes de texto a la vez. Simplemente camine. Los estudios han demostrado que las personas que intentan hacer "tareas duales", es decir, caminar mientras hacen otra cosa, son cinco veces más propensas a las caídas. ·

**Vaya con paso seguro con el calzado adecuado.** Tal vez le sorprenda, pero los expertos dicen que la probabilidad de caerse es 10 veces mayor cuando se camina descalzo. Para mantener la estabilidad recomiendan el uso de zapatos deportivos, ya sean con cordones o con cierres de velcro. Es importante que le queden bien y que tengan un buen soporte de arco. Evite los de suela extragruesa o resbaladiza. Si prefiere no usar zapatos en casa, evite andar en medias. Eso es aún más peligroso. Pruebe las zapatillas de entrecasa con suelas antideslizantes.

**Mejore su equilibrio haciendo ejercicio.** Fíjese dos objetivos: fortalecer los músculos de la parte inferior del cuerpo y mejorar la flexibilidad y el rango de movimiento. Ésas son las herramientas que usted necesita para caminar con paso seguro y no perder el equilibrio. Son muchas sus opciones: el yoga y el *tai chi*, por ejemplo, mejoran el equilibrio corporal y la fortaleza física. Pero lo cierto es que cualquier actividad que implique movimiento es buena para combatir la pérdida de tono muscular tan común en la edad avanzada. Utilice bandas elásticas de resistencia para las piernas y los tobillos. Si usted no hace ejercicio físico por miedo a caerse, piense en lo siguiente: la actividad física ayuda a prevenir las caídas.

**Haga que su casa sea a prueba de caídas.** Entre la mitad y dos tercios de todas las caídas ocurren en la casa o alrededor de ella. Reduzca el riesgo de tropiezos y caídas, tomando algunas precauciones sencillas:

- Mantenga las habitaciones bien iluminadas y evite que haya cordones y extensiones eléctricas que crucen por el piso.

- Mantenga las escaleras y el pasillo libres de objetos y desorden.

- Deshágase de los tapetes y alfombrillas o asegúrelos en el piso.

- Instale barras de apoyo en el baño, un inodoro con asiento elevado y alfombras de baño antideslizantes.

- Instale lamparitas de noche.

- Verifique la solidez de los pasamanos.

- Entrene a sus mascotas para que caminen con calma y no salten alrededor de sus pies.

- Instale teléfonos inalámbricos en toda la casa para no tener que apresurarse para atender una llamada.

**Beba, beba y beba.** Unos cuantos vasos de agua podrían ser la diferencia entre la lucidez y un resbalón que le cambie la vida. El organismo depende del agua que lleva los nutrientes y el oxígeno a las células. Cuando una persona se deshidrata, el agua abandona las células para pasar al flujo sanguíneo en un intento por mantener el volumen de la sangre y la presión arterial en niveles seguros. Si la deshidratación continúa, las células se "encogen" y dejan de funcionar adecuadamente.

Las células cerebrales son las más vulnerables ya que alrededor del 70 por ciento del cerebro es agua. La falta de agua acabará por provocar una caída en la presión arterial y la consiguiente sensación de aturdimiento, mareo y confusión. Si una persona deshidratada se pone de pie repentinamente, la probabilidad de que se desmaye o caiga será mayor debido al descenso de la presión arterial. Las personas de edad avanzada se deshidratan más fácilmente porque por lo general tienen más grasa corporal, que contiene menos agua que el tejido magro. Además, el sentido de la sed en las personas mayores no es tan agudo como solía ser y a veces no llegan a sentir sed.

Un importante estudio realizado en un hogar de ancianos en Inglaterra encontró que las caídas se reducen en un 50 por ciento entre los adultos mayores que aumentan su consumo diario de agua. Recuerde:

- Beba antes de sentir sed.

- Incluya en su dieta frutas y verduras ricas en agua, como las bayas, la sandía, las uvas, los melocotones y los tomates.

- Examine su orina. Si su color es amarillo pálido está bien. Ámbar oscuro significa que debe beber más líquido.

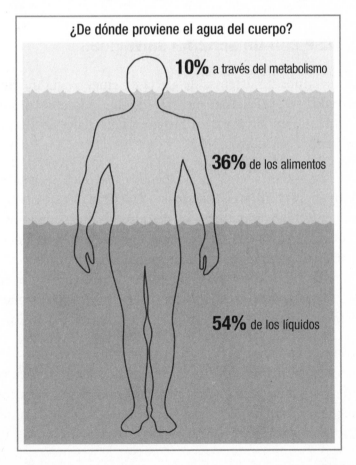

¿De dónde proviene el agua del cuerpo?

**10%** a través del metabolismo

**36%** de los alimentos

**54%** de los líquidos

**Disminuya las caídas con la D.**

La vitamina D es una maravilla multifuncional. No solamente ayuda a mantener los huesos sanos, también es clave para mantener la fortaleza muscular. Sin suficiente vitamina D, los músculos pueden dolerle y volverse débiles, lo que no es bueno si desea caminar y mantenerse erguido. Debido a que el procesamiento de la vitamina D no es tan eficiente en las personas mayores, es posible tener deficiencia de esta vitamina y no saberlo. Hable con su médico acerca de los suplementos.

> Cerca de 50,000 adultos mayores se lesionan cada año a consecuencia de una caída relacionada con el uso de bastones y caminadores. Pida a su médico que le ajuste a su medida estas ayudas técnicas para caminar y que le explique cómo usarlas de manera segura.

## Asegúrese con un sistema salvavidas

Existen dos tipos de sistemas de alerta de emergencia médica a los que usted puede "llamar" en caso de una caída: los monitores de movimiento en la casa y los Sistemas Personales de Respuesta a Emergencias (PERS, en inglés).

El sistema de vigilancia en la casa depende de sensores de movimiento instalados en las distintas habitaciones. La compañía observa y analiza las actividades y los movimientos diarios y si detecta una posible emergencia, digamos que la persona no sale del baño después de una hora, hace un seguimiento con una respuesta acordada de antemano. PERS, en cambio, depende de un "botón de pánico", ya sea en forma de collar o brazalete. Si usted se cae o sufre otro tipo de emergencia, sencillamente presiona el botón y la ayuda se pondrá en camino.

Los precios y los servicios varían mucho. Infórmese bien si está pensando en invertir en uno de estos sistemas. Pregunte acerca de las tarifas de instalación y los cargos mensuales, el compromiso contractual, el alcance de la batería, el tiempo de respuesta, la política de reparaciones, los cargos por cancelación y la capacitación del personal.

# Fatiga

agotamiento físico y mental • debilidad
• falta de energía • problemas de sueño

*"Estoy enfermo y cansado de estar enfermo y cansado"*. Ésta es una vieja expresión que se dice en son de broma, pero que a la final no resulta muy graciosa. Y no es de extrañar: no hay nada de gracioso en la fatiga persistente.

La fatiga es uno de esos síntomas "invisibles" que, como el dolor, no se puede probar, mucho menos a un médico. Aceptémoslo. No existe una prueba médica para la fatiga. En la mayoría de los casos, la fatiga es un síntoma de otro problema médico y no una enfermedad en sí misma. Averiguar su origen es ya parte de la solución.

Lo primero es revisar su botiquín. ¿No estará usted tomando un medicamento que causa cansancio como uno de sus efectos secundarios? Los antihistamínicos, los fármacos para la presión arterial, las pastillas para dormir, los esteroides y los diuréticos serían los principales sospechosos.

Si cree que un medicamento que usted está tomando es la causa de su fatiga, pregunte a su médico o farmacéutico si puede tomar otro en su lugar. No deje de tomar el medicamento por su propia cuenta.

Otra posibilidad es que sus elecciones de estilo de vida estén reduciendo sus niveles de energía.

> Hay momentos en los que uno tiene la tentación de combatir la fatiga con un remedio antiguo: la cafeína. Pero cuidado, no permita que el café se convierta en parte necesaria de su rutina. En el largo plazo, depender de un estimulante puede empeorar un problema de falta de energía. Supere la fatiga con tácticas más saludables y ocasionalmente beba cafeína por gusto y no por necesidad.

¿Se acuesta más tarde de lo habitual? ¿Se siente tenso, con exceso de trabajo o aburrido? Examine su estilo de vida y sus horarios, y tenga en cuenta lo siguiente:

- Mala alimentación, además de deshidratación

- Falta de ejercicio

- Consumo excesivo de cafeína

Esa sensación de cansancio también podría tener su origen en otra enfermedad. La lista es larga y variada. Dolencias comunes, como las alergias, el dolor de espalda crónico o las infecciones, pueden hacer que usted se sienta alicaído. El cansancio también puede ocurrir, aunque rara vez, en casos de derrame cerebral, esclerosis múltiple y la enfermedad de Parkinson. Sin embargo, la fatiga es más frecuente como resultado de las siguientes enfermedades que afectan a miles de personas:

- Anemia

- Hipertiroidismo o hipotiroidismo

- Enfermedades cardíacas

- Diabetes

- Enfermedades renales o hepáticas

> Llame a su médico de inmediato si además de sentir un cansancio poco común tiene otros síntomas preocupantes, como mareos, confusión, visión borrosa, aumento de peso reciente y poco o nada de orina.

Estas causas subyacentes de la fatiga afectan la capacidad del cuerpo para funcionar adecuadamente, incluso a nivel celular en la sangre y el cerebro. Debido a que perturban el equilibrio entre los nutrientes, el oxígeno y las hormonas, es más difícil concentrarse, tomar decisiones, resolver problemas, organizarse, completar varias tareas a la vez y procesar información.

Llame a su médico si padece fatiga durante más de dos semanas. Es probable que le recomiende que se haga un chequeo exhaustivo y otras pruebas médicas. Si usted sufre de fatiga simple, estos consejos le ayudarán a combatirla por su propia cuenta:

# Cuatro tácticas para frenar la fatiga

**Redondee su dieta.** Le será más fácil ponerse en marcha si llena el tanque de gasolina de su cuerpo con el tipo adecuado de combustible. Nunca se salte el desayuno y cada tres a cuatro horas coma alimentos saludables, balanceados y en porciones controladas. Algunos expertos en temas de salud recomiendan tomar un multivitamínico diario. ¿Desea más detalles? Éstos son los distintos tipos de alimentos y nutrientes que mantienen el buen funcionamiento del organismo:

- Los carbohidratos se convierten en glucosa, una importante fuente de energía para todo lo que ocurre en el cuerpo.

- Las proteínas aportan alrededor del 10 por ciento del total de combustible que se utiliza tanto en los momentos de actividad como de reposo.

- La fibra regula la digestión, asegurando una liberación constante de energía.

- Las grasas son abundantes en calorías: un gramo de grasa equivale a nueve calorías. Las grasas no saturadas, como las monoinsaturadas y las poliinsaturadas, son grasas saludables, siempre y cuando se consuman con moderación. La grasa acumulada es la reserva de energía más importante, de donde se puede obtener el "empujoncito" que se necesita para realizar actividades físicas prolongadas, lentas y de baja intensidad, como andar en bicicleta o caminar.

- El hierro transporta el oxígeno a través del torrente sanguíneo. Si las células no reciben suficiente oxígeno, no pueden producir energía.

**Beba abundante líquido.** El agua transporta nutrientes y oxígeno a las células de todo el cuerpo. Si una persona se deshidrata, aunque sea muy levemente, se sentirá cansada y sin energía. Los participantes del estudio de Anglian Water que bebieron entre dos y ocho vasos de agua adicionales al día dijeron sentirse con más vitalidad. Vaya a lo seguro y beba agua durante todo el día, pero recuerde: se puede obtener gran parte del líquido que se necesita de alimentos como las sopas, los jugos, los tés de hierbas, la leche sin grasa, las frutas y las verduras.

**Póngase en movimiento.** Cuando uno se siente aletargado, lo último que quiere hacer es participar en alguna actividad física, pero precisamente ésa debería ser su prioridad. En un nuevo estudio efectuado por la Universidad de Georgia se comprobó que los niveles de energía aumentaron en un 20 por ciento en aquellas personas que hacían ejercicios de baja intensidad en forma regular. Curiosamente, los beneficios no se obtuvieron del estado aeróbico y muscular de los participantes, sino que fueron el resultado de la manera como el ejercicio actúa sobre el sistema nervioso central.

**Descanse bien.** Por supuesto, eso es exactamente lo que usted quisiera hacer: pasarse el día entero en la cama. Pero no se entusiasme demasiado. No es posible luchar contra la fatiga durmiendo todo el tiempo. Siempre y cuando el cuerpo no esté tratando de combatir una enfermedad o una infección, la solución no es necesariamente dormir más. Lo que usted sí necesita es una cantidad adecuada y regular de sueño restaurador. Haga siestas si las necesita, pero váyase a la cama a la hora habitual y levántese a la misma hora cada mañana. Y trate de mejorar la calidad de su sueño.

La fatiga y la depresión van de la mano, tanto así que a veces es difícil determinar cuál de las dos es la causa y cuál la consecuencia.

Sentir cansancio y desánimo durante un tiempo prolongado puede deprimir a cualquiera. Por otro lado, la fatiga es un efecto secundario muy común de la depresión, y muchos antidepresivos pueden causar o empeorar un estado de fatiga. Trate de obtener un diagnóstico preciso de su problema y hable con su médico acerca de las ventajas y desventajas de cualquier medicamento que deba tomar.

## La fatiga crónica y los riesgos para la salud

A la fatiga que no tiene explicación, que dura más de seis meses y que no responde al descanso u otros tratamientos tradicionales se le conoce como síndrome de fatiga crónica (SFC). Es menos común en las personas menores de 29 años y mayores de 60, y las mujeres son más propensas a experimentar SFC que los hombres. Además de la fatiga, los otros síntomas son problemas de memoria o de razonamiento, dolor muscular o en las articulaciones, dolor de garganta, dolores de cabeza, problemas gastrointestinales y depresión.

El diagnóstico es difícil de hacer ya que a menudo ocurre junto con otras enfermedades. Es por esa razón que los médicos tratan primero de eliminar todas las otras causas de la fatiga. Se trata de una dolencia compleja y potencialmente grave, de modo que si usted cree estar sufriendo de SFC, tómeselo en serio y consulte a su médico.

# Flavonoides

frutas • verduras • legumbres • té • vino tinto
• chocolate • granos integrales • hierbas

Un mordisco de una fruta jugosa o un bocado de verduras crujientes aportan no sólo valiosas vitaminas y minerales, también aportan muchas sustancias beneficiosas que se conocen como fitoquímicos.

Los fotoquímicos son sustancias de origen vegetal que protegen a las plantas del clima, las plagas y otros peligros. Los fotoquímicos también pueden proteger el cerebro y desempeñan un papel importante en la salud, a pesar de no ser considerados nutrientes esenciales, como lo son las vitaminas, los minerales, las grasas, las proteínas y los carbohidratos. Para resaltar su importancia —y para hacerlas más apetecibles— muchos prefieren referirse a estas sustancias como fitonutrientes.

Hay miles de fitonutrientes y muchos han sido clasificados como flavonoides. Éstos, a su vez, se dividen en varias subclases.

En general, los flavonoides tienen poderes antioxidantes. Neutralizan los radicales libres nocivos, pero antes que nada, impiden su formación a partir de metales como el hierro. También actúan sobre las vías de señalización celular para aliviar la inflamación y controlar el crecimiento celular. Los estudios sugieren que combaten las enfermedades cardíacas, el cáncer y los trastornos cerebrales.

Tres tipos específicos de flavonoides merecen especial atención:

- Las antocianinas. Estos pigmentos dan a los alimentos su color azul, rojo o púrpura, y se encuentran en las bayas, las uvas y el vino tinto. Las antocianinas tienen una alta actividad antioxidante y poseen un sinnúmero de beneficios para la salud, entre ellos, frenar el colesterol "malo" LDL, prevenir la coagulación de la sangre y proteger contra el cáncer.

- Las catequinas. El té y el chocolate son las fuentes más ricas de catequinas. También se encuentran en las uvas, las bayas y las manzanas. Las epicatequinas, que pertenecen a la misma subclase de flavonoides que las catequinas, también están presentes en estos alimentos.

- La quercetina. Es uno de los flavonoides más abundantes y se encuentra en la cebolla amarilla, las cebolletas, la col rizada, el brócoli, las manzanas, las bayas y el té.

Éstos y otros flavonoides se encuentran disponibles en forma de suplementos. Su mejor opción, sin embargo, es obtenerlos de los alimentos enteros y de colores rojo, azul y púrpura. De ese modo, usted recibe el paquete completo de beneficios. Después de todo, los alimentos enteros son superiores a la suma de sus partes.

Siga leyendo para descubrir los beneficios que aporta cada uno de estos flavonoides —así como las asombrosas frutas, verduras y alimentos que los contienen— para estimular el cerebro y la salud en general. Se sorprenderá al ver cuál es el beneficio que encabeza la lista.

# Tres beneficios de las antocianinas para la mente

**Mejoran la memoria.** Estudios recientes revelaron las jugosas ganancias que se pueden obtener de las bebidas ricas en antocianinas.

En un estudio a pequeña escala se encontró que el jugo de arándano azul estimula la memoria. En el estudio de 12 semanas de duración, nueve personas mayores con deterioro temprano de la memoria bebieron, cada día, el equivalente a dos tazas y media de jugo de arándano azul silvestre. No sólo su capacidad para aprender y recordar información mejoró, también mejoraron sus síntomas de depresión y bajaron sus niveles de azúcar en la sangre.

Los efectos antioxidantes y antiinflamatorios de las antocianinas que se encuentran en los arándanos azules pueden ayudar a evitar el deterioro del cerebro. Las antocianinas también pueden aumentar la señalización cerebral en las regiones del cerebro relacionadas con la memoria.

Estos mismos investigadores de la Universidad de Cincinnati también obtuvieron resultados positivos con el jugo de uva Concord, otra gran fuente de antocianinas.

**Revierten el envejecimiento cerebral.** Cada año aparece otra vela sobre su pastel de cumpleaños, porque el tiempo no detiene su marcha. Pero lo que sí se puede hacer es retroceder en el tiempo en busca de inspiración — y protección—. Para revertir el envejecimiento del cerebro hay que comer como lo hacían nuestros antepasados, que buscaban los frutos secos y las bayas.

El poder de las bayas, estupendas fuentes de antocianinas, ha sido comprobado en estudios realizados en animales. El extracto de arándano

| Alimentos ricos en antocianinas | |
|---|---|
| 1/2 taza de bayas de saúco | 551 mg* |
| 1/2 taza de arándanos azules | 121.36 mg |
| 1 taza de arándanos rojos | 91.88 mg |
| 1 taza de col morada picada | 65 mg |
| 1/2 taza de zarzamoras | 64.8 mg |
| 10 cerezas dulces | 64 mg |
| 10 frambuesas | 61.56 mg |
| 10 uvas rojas | 22 mg |

* miligramos

azul redujo el estrés oxidativo y la inflamación que contribuyen al deterioro mental y la demencia. También revirtió el envejecimiento cerebral en ratas de edad avanzada. En uno de los estudios, los extractos de arándano azul y de fresa contrarrestaron los efectos de la radiación que acelera el proceso de envejecimiento. Las ratas irradiadas a las que se les dio extractos de arándano azul o fresa obtuvieron los mismos resultados en las pruebas de laberinto que las ratas que no habían sido irradiadas.

En un estudio en ratas, realizado recientemente en Inglaterra, se vio que el arándano azul revierte las fallas de memoria relacionadas con la edad. Las ratas que recibieron un suplemento de arándano azul mejoraron su rendimiento en las tareas de memoria espacial funcional y encontraron la salida del laberinto donde había comida.

El mérito se lo llevan las antocianinas. Tras cruzar la barrera hematoencefálica, las antocianinas pueden fortalecer las conexiones neuronales, mejorar la comunicación entre las células y promover la regeneración de las células cerebrales. Los científicos especulan que existe un vínculo entre las antocianinas y la activación de las proteínas de señalización a través de una vía específica en el hipocampo, la parte del cerebro que controla el aprendizaje y la memoria.

Con una taza diaria de arándanos azules usted podría obtener los mismos beneficios. Sírvase además un puñado de nueces y protegerá su cerebro aún más. Gracias a los fotoquímicos que contiene, entre ellos los flavonoides, el extracto de

Esté atento a las versiones de color púrpura o morado de frutas y verduras familiares. El camote morado de Hawai, por ejemplo, tiene 150 por ciento más antocianinas que los arándanos azules.

Los científicos han creado un tomate morado rico en antocianinas, al activar en la planta de tomate los genes de una planta de boca de dragón. Los ratones susceptibles al cáncer que comieron este tomate morado vivieron considerablemente más tiempo que los alimentados con el tomate rojo normal. Y hay una coliflor morada, que obtiene su color de las antocianinas.

nuez frena la formación de las placas de beta-amiloide y disuelve las que ya se formaron. Estas placas son características de la enfermedad de Alzheimer.

Otro estudio también demostró que las nueces pueden mejorar el equilibrio, la coordinación y la memoria en las ratas. En dicho estudio, las ratas comieron el equivalente humano de una onza de nueces, o alrededor de siete o nueve nueces al día.

**Conquistan el colesterol.** El colesterol alto no sólo es peligroso para el corazón, también lo es para el cerebro, porque es un factor de riesgo para la demencia. Afortunadamente, las antocianinas pueden venir al rescate. Es más, las antocianinas se encuentran en alimentos comunes que barren con el colesterol que obstruye las arterias. Y lo más probable es que usted ya tenga esos alimentos en la cocina.

Un estudio realizado en China encontró que las antocianinas elevan el colesterol "bueno" HDL en 13.7 por ciento y, a la vez, reducen el colesterol "malo" LDL en casi el mismo porcentaje: 13.6 por ciento. Debido a que cada 1 por ciento de aumento en el colesterol HDL o de disminución del colesterol LDL corresponde a una reducción del 1 por ciento en el riesgo de sufrir una enfermedad cardíaca, eso significa que usted puede reducir su riesgo de padecer una enfermedad cardíaca en un 27.3 por ciento.

En el estudio, 120 personas con colesterol alto entre las edades de 40 y 65 años tomaron 160 miligramos de antocianinas dos veces al día durante 12 semanas. Las cápsulas utilizadas en el estudio contenían una mezcla de 17 antocianinas naturales diferentes procedentes del mirtilo (*bilberry*) y de la grosella negra (*black currant*).

Los investigadores especulan que las antocianinas tal vez funcionan porque inhiben la proteína de transferencia de ésteres de colesterol (CETP, en inglés), que normalmente intercambia los ésteres de colesterol HDL por una molécula de triglicérido perjudicial. Los inhibidores de CETP son medicamentos que aumentan el colesterol HDL y disminuyen el colesterol LDL, pero que además aumentan la presión arterial, mientras que las antocianinas no lo hacen.

Por el contrario, pueden incluso ayudar a disminuir la presión arterial. En un estudio realizado en Finlandia, las personas que comieron una variedad de bayas durante dos meses redujeron su presión arterial sistólica —el valor superior en una lectura de la presión arterial— y aumentaron sus niveles de colesterol HDL. En promedio, su nivel de colesterol HDL aumentó en 5.2 por ciento y su presión arterial sistólica se redujo en 1.5 puntos. Pero para las personas con presión arterial alta, la caída fue mucho más significativa.

Las bayas que se utilizaron el estudio fueron, entre otras, los mirtilos (*bilberries*), los arándanos rojos del norte (*lingonberries*), las grosellas negras (*black currants*), las fresas, las bayas de aronia (*chokeberries*) y las frambuesas (*raspberries*), ya sea enteras, en puré o en jugo.

El consumo de frutas y bayas también protegería los vasos sanguíneos, según un estudio de Noruega que midió el grosor íntimo-medial (IMT, en inglés) de la arteria carótida, un indicio de aterosclerosis. Los hombres mayores en situación de riesgo para la enfermedad cardíaca que consumieron la mayor cantidad de frutas y bayas tuvieron un IMT 5.5 por ciento más bajo que los que consumieron la menor cantidad. Tan sólo una fruta dulce al día puede ayudar a fortalecer los vasos sanguíneos y aumentar el colesterol HDL.

## Tres beneficios de las catequinas para la mente

**Aumentan la capacidad mental.** ¿Cuál es el mejor momento del día para proteger el cerebro? ¡La hora del té! Pero asegúrese de beber el tipo correcto. El té verde ayuda al cerebro de varias maneras y contiene más flavonoides, como las catequinas, que el té negro o el *oolong*.

Un flavonoide del té verde, la epigalocatequina-3-galato (EGCG), redujo la formación de proteínas de beta-amiloide en el cerebro de ratones con alzhéimer. Se cree que la acumulación de beta-amiloide contribuye al daño neuronal y a la pérdida de memoria que ocurre con el alzhéimer. Otros estudios recientes sugieren que los flavonoides del té verde pueden proteger contra las enfermedades de Alzheimer y de Parkinson, pero es necesario realizar más estudios.

En un estudio en ratas conducido en Japón, mezclar las catequinas del té verde con agua mejoró la capacidad de aprender y la memoria en las ratas estudiadas. Los investigadores atribuyen estos resultados a la actividad antioxidante de las catequinas. Al prevenir el estrés oxidativo, las catequinas ayudan a prevenir el deterioro mental.

La apnea del sueño es un trastorno que impide un descanso reparador por las noches y afecta la memoria y el aprendizaje. En la Universidad

| Alimentos ricos en catequinas | |
|---|---|
| 1 taza de té verde | 300.11 mg* |
| 1 taza de té *oolong* | 117.74 mg |
| 1 taza de arándanos azules | 76.53 mg |
| 1 taza de té negro | 66.03 mg |
| 1 taza de zarzamoras | 61.2 mg |
| 1 oz. de chocolate oscuro | 14.98 mg |
| 1 taza de jugo de manzana | 14.78 mg |
| 1 manzana mediana | 13.81 mg |
| 3 cucharaditas colmadas de mezcla de cacao | 7.34 mg |

\* miligramos

de Louisville, en un estudio realizado con ratas, las catequinas del té verde ayudaron a prevenir estos efectos negativos. Para simular la apnea del sueño, durante dos semanas se privó a las ratas de oxígeno periódicamente durante las noches. A las que recibieron agua con catequinas del té verde les fue mucho mejor en las pruebas de laberinto que a las que bebieron agua pura. También mostraron menos signos de estrés oxidativo e inflamación. La apnea del sueño puede dañar el cerebro y el té verde es la bebida sencilla que podría impedirlo.

**Ayudan al corazón.** El consumo de té ha sido asociado a índices más bajos de enfermedades cardíacas. Los estudios también sugieren que el té verde puede reducir la presión arterial, el colesterol y los triglicéridos. Además de sus conocidos poderes antioxidantes y antiinflamatorios, este té también previene la formación de coágulos sanguíneos y reduce la absorción de colesterol.

Un análisis reciente efectuado por la Universidad de California, Los Ángeles (UCLA), determinó que beber tres o más tazas de té verde o té negro al día puede reducir en un 21 por ciento el riesgo de sufrir un accidente cerebrovascular. El mecanismo no está claro, pero se cree que en las catequinas del té está la clave que explicaría estos resultados.

Se estima que esas mismas tres tazas diarias de té verde pueden, asimismo, reducir en un 11 por ciento el riesgo de sufrir un ataque cardíaco, según un análisis que se hizo de siete estudios anteriores.

**Recortan la grasa.** No subir de peso puede tener efectos beneficiosos para el cerebro. La obesidad no sólo aumenta el riesgo de padecer una enfermedad del corazón, un accidente cerebrovascular o diabetes, también aumenta el riesgo de desarrollar demencia. Por suerte, una taza de té verde puede ayudar a bajar de peso de manera natural.

En Holanda, un análisis de 11 estudios concluyó que las catequinas del té verde reducen significativamente el peso corporal y ayudan a no volver a recuperar el peso perdido. Y en Japón, en un estudio de 12 semanas de duración, un extracto de té verde con 690 miligramos de catequinas redujo la grasa corporal. El peso corporal de las personas que bebieron el té verde era considerablemente menor y su cintura era más delgada que la del grupo de control.

Además de su utilidad para controlar el peso, el té verde ayuda a reducir el riesgo de desarrollar diabetes tipo 2 de otras maneras. Algunos estudios muestran que los flavonoides del té verde tienen efectos positivos sobre la actividad de la insulina. Incluso si usted ya tiene diabetes, este té puede ser beneficioso. Se sabe que el estrés oxidativo contribuye al desarrollo de complicaciones a largo plazo de la diabetes.

Un estudio realizado en la India encontró que, gracias a sus potentes propiedades antioxidantes, las catequinas del té aminoran el proceso de estrés oxidativo en los glóbulos rojos de las personas con diabetes. Protéjase de la diabetes y sus complicaciones consumiendo más alimentos ricos en catequinas, como el té verde.

A pesar de su alto contenido de azúcar, el jugo de naranja puede ser bueno para las personas con diabetes. Eso se debe a que los flavonoides en el jugo de naranja —la hesperitina y la naringenina— inhiben los radicales libres y la inflamación. En estudios con animales, la naringenina redujo los niveles de colesterol y de azúcar en la sangre, y ayudó a prevenir el aumento de peso.

# Consejos para almacenar y servir el té

La opción verde ayuda a salvar el medio ambiente. A la hora del té, la opción verde le puede salvar la vida. Elija el té verde en lugar del té *oolong*, el té rojo o el té negro. Así obtendrá más catequinas. Siga estos consejos para comprar, servir y almacenar el té verde:

- Para potenciar la absorción de las catequinas del té verde, añada un poco de azúcar y vitamina C al té. Un chorrito de jugo de algún cítrico —como la naranja, la toronja, el limón amarillo o el limón verde— es suficiente.

- Las catequinas se descomponen con el tiempo. Compre únicamente la cantidad de té que utilizará en los próximos seis meses. Anote la fecha de compra en la caja de té. La caja puede tener una fecha impresa al lado de "*Best-if-used-by*" (consumir de preferencia antes de), esa fecha sólo tiene en cuenta el sabor, no los flavonoides.

- Almacene el té suelto o a granel en recipientes pequeños y herméticos. Las bolsitas de té y los envoltorios de papel de aluminio también brindan cierta protección.

# Tres beneficios de las epicatequinas para la mente

**Agilizan el cerebro.** Agudice el ingenio con una taza de chocolate caliente o una barra de chocolate. Repletas de flavonoides, como las catequinas y las epicatequinas, estas dulces delicias pueden estimular el cerebro.

En un estudio realizado en Noruega, las personas mayores que consumían con regularidad chocolate, té, vino y otros alimentos ricos en flavonoides, obtuvieron mejores resultados en varias pruebas mentales. El máximo beneficio se registró con el consumo de unos 10 gramos (un tercio de onza) de chocolate al día. Por otra parte, en un estudio británico reciente se observó que las bebidas elaboradas con cacao rico en flavonoides pueden mejorar el rendimiento en las tareas mentales difíciles. Los participantes del estudio consumieron bebidas a base de cacao, ya sea con 520 miligramos (mg) o 994 mg de flavonoides del cacao, o de una bebida de control. Quienes tomaron las bebidas de cacao obtuvieron resultados significativamente mejores en una prueba que les pedía que contaran hacia atrás y de tres en tres a partir del número 999. Quienes tomaron la bebida de 520 mg reportaron además menos fatiga mental durante las tareas.

**Aumentan el flujo de sangre.** Es probable que estos resultados positivos se deriven de la capacidad del cacao para aumentar el flujo de sangre al cerebro. El aumento del flujo de sangre significa que más oxígeno y nutrientes llegan a las células del cerebro.

En un estudio con personas mayores, se les pidió que tomaran durante siete días ya sea una bebida a base de cacao rico en flavonoides, que contenía 900 mg de catequinas y epicatequinas, o una bebida a base de cacao, pero sin flavonoides. El flujo de sangre al cerebro aumentó hasta en un 10 por ciento en las personas que tomaron la bebida rica en flavonoides del cacao. Asombrosamente, este aumento se prolongó durante 14 días, es decir, una semana después de que dejaran de consumir la bebida de cacao.

En otro estudio con mujeres jóvenes sanas se reportaron resultados similares. En el estudio de la Universidad de Nottingham, se les dio a las participantes una bebida de cacao rica en flavonoides antes de una prueba que consistía en distinguir entre consonantes y vocales o entre números pares e impares. Utilizando imágenes de resonancia magnética funcional, se observó un incremento del flujo sanguíneo en la sustancia gris del cerebro durante dos o tres horas.

Según un estudio realizado en Japón, cocinar la cebolla en el microondas sin agua o freírla en aceite y mantequilla ayuda a preservar los flavonoides. Cuando la cebolla se cuece en agua, alrededor del 30 por ciento de la quercetina se pierde en el agua de la cocción. Otra manera de aumentar su consumo de quercetina es cocinar con la piel de la cebolla. Échela a sus sopas o guisos y descártela antes de servir, como lo haría con una hoja de laurel.

Los productos de cacao ricos en flavonoides parecen aumentar el flujo sanguíneo y la función cerebral y, por lo tanto, pueden ser beneficiosos para las personas de edad avanzada y para las personas con fatiga o con falta de sueño.

Los beneficios del chocolate pueden ser aún mayores cuando se incorpora el ejercicio. En un estudio reciente realizado con ratones por el Instituto Salk, se les dió ya sea una dieta típica o la dieta típica más epicatequinas. Un grupo de ratones tenían acceso a una rueda en la que podían correr durante dos horas diarias, el otro era un grupo de ratones sedentarios. A continuación se les enseñó cómo encontrar una plataforma en medio de un laberinto de agua.

Los ratones que habían recibido la dosis de epicatequina y que además habían hecho ejercicio recordaron la ubicación de la plataforma durante más tiempo que el resto de ratones. La actividad de los genes asociados al aprendizaje y a la memoria aumentó, mientras que los genes asociados a la inflamación y el deterioro cerebral fueron eliminados.

Los ratones que habían recibido la dosis de epicatequina, pero que no hicieron ejercicio, también mostraron una mejor memoria, además de otros beneficios, pero no en la misma medida que el grupo de ratones que recibieron epicatequina e hicieron ejercicio.

Por desgracia para los amantes del chocolate, no todos los chocolates tienen efectos beneficiosos para el cerebro. Para obtener los mejores resultados, elija el chocolate oscuro rico en flavonoides.

**Cuidan el corazón.** Varios estudios sugieren que el chocolate y el cacao tienen beneficios saludables para el corazón.

Un estudio de observación de los indios kuna, que viven en las islas de San Blas frente a la costa de Panamá, comprobó el poder del cacao. Los kuna beben, a la semana, hasta 40 tazas de cacao rico en flavonoides cultivado localmente. En comparación con las personas que viven en la parte continental de Panamá, se observó que los kunas tenían un riesgo mucho menor de muerte por enfermedades del corazón, accidentes cerebrovasculares, cáncer y diabetes.

Si bien hay otros factores que podrían explicar la diferencia, no se puede excluir el de los flavonoides del cacao. De hecho, estudios adicionales entre los kuna identificaron los efectos beneficiosos de las epicatequinas, como el aumento del óxido nítrico y el flujo sanguíneo.

En ensayos de laboratorio y en otros estudios se ha comprobado que el chocolate con alto contenido de flavonoides protege contra la oxidación del colesterol LDL, previene la aglutinación de las plaquetas, relaja y ensancha los vasos sanguíneos para mejorar el flujo sanguíneo, aumenta el nivel del colesterol "bueno" HDL, baja la presión arterial y reduce la inflamación. Entre los probables mecanismos que explican estos procesos se incluyen el aumento del nivel de óxido nítrico, así como la actividad antioxidante y antiinflamatoria de los flavonoides del cacao. Los efectos positivos del cacao en los vasos sanguíneos y el flujo sanguíneo pueden ser incluso mayores entre las personas de edad avanzada.

> Las frutas y verduras orgánicas aunque suelen ser más caras, tienen un contenido más alto de flavonoides. Un estudio de 10 años de duración encontró que los tomates cultivados orgánicamente tienen casi el doble de flavonoides, como la quercetina y el kaempferol, que los tomates de cultivos convencionales. El estrés ante las plagas y el clima estimula los mecanismos de defensa natural de las plantas en los cultivos orgánicos. El resultado son más flavonoides y mejor sabor.

El chocolate puede incluso mejorar las posibilidades de supervivencia después de un ataque al corazón. En un estudio de observación de ocho años de duración realizado en Suecia, se hizo un seguimiento a personas que habían sufrido su primer ataque al corazón. Comer chocolate parecía reducir el riesgo de muerte de origen cardíaco. Quienes comieron chocolate menos de una vez al mes redujeron dicho riesgo en un 27 por ciento en comparación con los que no lo hicieron. Las personas que comieron chocolate hasta una vez por semana redujeron ese riesgo en un 44 por ciento, y quienes lo hicieron dos veces o más por semana semana redujeron de forma considerable ese riesgo en un 66 por ciento.

Eso no es todo. Un estudio llevado a cabo en Italia concluyó que comer una onza o un trozo pequeño de chocolate dos o tres veces a la semana reduce significativamente los niveles de proteína C reactiva, un marcador de inflamación. La inflamación crónica es un importante factor de riesgo para las enfermedades del corazón, los ataques cardíacos y los accidentes cerebrovasculares. Reduzca este factor de riesgo disfrutando de algo dulce al concluir la cena, como una deliciosa taza de chocolate caliente o un trozo de chocolate oscuro.

## Dulces consejos para los amantes del chocolate

Algunos consejos a tener en cuenta a la hora de comprar o disfrutar el chocolate:

- Pase la grasa por alto. El chocolate oscuro podrá tener más grasa que el chocolate de leche, pero también tiene más flavonoides. En pequeñas cantidades, los beneficios del chocolate oscuro pesan más que las desventajas. Limítese a 1 o 2 onzas al día.

- Más oscuro no siempre significa más saludable. Algunos chocolates oscuros pueden no ser tan saludables debido a que los fabricantes suelen eliminar los flavonoides por su sabor amargo. Así, en lugar de un bocado de salud lo que queda es una gran porción de grasa, azúcar y calorías.

- Elija las mejores fuentes. En un estudio reciente se determinaron cuáles eran las mejores fuentes de catequinas y epicatequinas. El cacao en polvo natural encabezaba la lista, seguido por el chocolate para hornear sin azúcar, las chispas de chocolate oscuro y semidulce para hornear, el chocolate de leche y el sirope o salsa de chocolate.

- Cuidado con la vía láctea. Un vaso de leche fría no es necesariamente la manera ideal de acompañar el chocolate. Hay estudios que sugieren que la leche afecta la absorción de los flavonoides del cacao. Otros expertos sostienen que la leche no afecta dicha absorción. Esté atento a lo que digan las últimas investigaciones.

# Cuatro beneficios de la quercetina para la mente

**Protege las células cerebrales.** "*Una manzana al día, del médico te librará*", dice un conocido refrán. Gracias a la quercetina, esta manzana también ayudaría a mantener vivas las células cerebrales.

En pruebas de laboratorio realizadas en Canadá, los científicos concluyeron que la quercetina reduce la muerte de las células cerebrales causada por el estrés oxidativo y la inflamación. De modo que los alimentos como la manzana que contienen quercetina serían armas potenciales contra el deterioro mental y los trastornos del cerebro, como la enfermedad de Parkinson.

La enfermedad de Parkinson incluye la pérdida de neuronas dopaminérgicas, o células cerebrales cuyo neurotransmisor es la dopamina. Al reducir el estrés oxidativo y la inflamación, la quercetina contribuye a proteger estas importantes células cerebrales.

**Aumenta la memoria.** Para gozar de buena memoria en sus años dorados, beba más jugo de manzana. En una serie de estudios en animales llevados a cabo por la Universidad de Massachusetts Lowell, los investigadores comprobaron el increíble poder para estimular el cerebro que tendría el jugo de manzana.

- El jugo de manzana ayuda a controlar el nivel de acetilcolina en ratones de edad avanzada. La acetilcolina es un neurotransmisor clave para tener buena memoria. Un bajo nivel de acetilcolina es un factor de riesgo para la enfermedad de Alzheimer. Como era de esperarse, los ratones de edad avanzada que bebieron el jugo de manzana también tuvieron un mejor desempeño en las pruebas de laberinto.

| Alimentos ricos en quercetina | |
|---|---|
| 1 cebolla dulce | 48.99 mg* |
| 1 cebolla roja mediana | 36.77 mg |
| 1 cebolla mediana | 23.56 mg |
| 1 taza de cebolleta picada | 18.33 mg |
| 1 pera mediana | 8.03 mg |
| 1 manzana mediana con cáscara | 7.77 mg |
| 1 taza de té verde | 6.38 mg |
| 1 taza de té negro | 4.72 mg |

\* miligramos

- Los ratones que recibieron, durante un mes, el equivalente a dos vasos de jugo de manzana produjeron menos beta-amiloide, la proteína responsable de la formación de placas en el cerebro de personas con enfermedad de Alzheimer.

- Los ratones de edad avanzada cuya dieta incluía jugo de manzana obtuvieron mejores resultados en las pruebas de laberinto y mostraron tener menos daño oxidativo cerebral que los ratones bajo una dieta estándar. Los ratones recibieron el equivalente humano de dos o tres tazas de jugo de manzana o entre dos y cuatro manzanas al día.

El mérito lo tienen los antioxidantes en la manzana y en el jugo de manzana, como la quercetina y otros flavonoides. En un estudio en ratas realizado por la Universidad de Cornell, la quercetina pareció proteger las células cerebrales del estrés oxidativo asociado a la enfermedad de Alzheimer y otros trastornos cerebrales.

**Fortalece las mitocondrias.** Estas pequeñas "centrales energéticas" dentro de las células transforman los alimentos en energía. Con el tiempo, sin embargo, el daño causado por los radicales libres puede debilitarlas. Y estas mitocondrias "débiles" pueden conducir a enfermedades, como el párkinson y el alzhéimer.

Los estudios demuestran que la quercetina tiene un efecto positivo sobre las mitocondrias. En la Universidad de Carolina del Sur, investigadores comprobaron que la quercetina fortaleció las mitocondrias tanto en el cerebro como en los músculos de los ratones objeto de investigación. Los ratones mejoraron su resistencia física en las pruebas de esfuerzo en la banda caminadora y se mostraron espontáneamente más activos, eligiendo pasar más tiempo corriendo en la rueda. Se observó que el cerebro desempeña un papel importante en el ejercicio. El metabolismo cerebral

El kaempferol, que se encuentra en el té, el brócoli, la toronja y otras fuentes de origen vegetal, es un flavonoide que puede reducir el riesgo de sufrir enfermedades cardíacas y desarrollar cáncer de ovario.

puede afectar la motivación y el estado de ánimo, y un aumento en la actividad mitocondrial puede potenciar dicho metabolismo.

La quercetina también mejoró la resistencia física en doce estudiantes universitarios que no solían hacer ejercicio con regularidad. Durante siete días, los estudiantes consumieron *Tang,* una bebida con sabor a frutas y que contiene 500 miligramos de quercetina. Al cabo de una semana lograron incrementar en 13 por ciento el tiempo que podían permanecer en la bicicleta estacionaria sin sentir cansancio.

**Previene los males del corazón.** Si usted quiere cuidar la salud de su cerebro, cuide la salud de su corazón. Los estudios sugieren que la quercetina puede proteger el corazón. En Finlandia se encontró que el aumento en el consumo de quercetina —sobre todo de la manzana y la cebolla— redujo el riesgo de muerte por enfermedad cardíaca. Consumir más alimentos ricos en quercetina también puede reducir el riesgo de desarrollar diabetes tipo 2. Un estudio sobre los flavonoides y los alimentos que los contienen concluyó que la manzana reduce el riesgo de enfermedades cardíacas en las mujeres.

Los suplementos de quercetina ayudaron a bajar la presión arterial en personas con hipertensión. En Holanda, dos estudios parecen indicar que la quercetina reduce el riesgo de sufrir accidentes cerebrovasculares y ataques al corazón.

La obesidad puede aumentar el riesgo de diabetes, demencia y afecciones cardíacas. En la Universidad de Georgia, en pruebas de laboratorio con células adiposas se descubrió que la quercetina —sobre todo en combinación con el resveratrol— es una poderosa aliada contra la obesidad.

**Los flavonoides: su mejor arma contra estos 10 riesgos para la salud**

1 Enfermedad de Alzheimer
2 Dolencias cardíacas
3 Obesidad
4 Inflamación
5 Diabetes
6 Pérdida de memoria
7 Derrame cerebral
8 Presión arterial alta
9 Colesterol alto
10 Cáncer

Los flavonoides son poderosas sustancias químicas de origen vegetal que protegen la salud, de pies a cabeza.

# La manzana contiene un mineral que activa el cerebro

La quercetina no es la única razón para comer manzanas. La manzana es también una de las principales fuentes de boro, un mineral que protege los huesos y las articulaciones, y que mantiene el cerebro joven.

Investigadores en Dakota del Norte se propusieron averiguar cómo afecta el boro al cerebro. Realizaron una serie de estudios con hombres y mujeres mayores que debían seguir una dieta con muy poco boro o una con abundante boro. Quienes no recibieron suficiente boro tuvieron un rendimiento pobre en las pruebas de función cerebral, destreza manual, atención y memoria. Para conservar estas importantes habilidades en sus años dorados, asegúrese de comer una manzana al día.

Otras buenas fuentes de boro son la crema de cacahuate, el vino, las pasas y los cacahuates. También se puede obtener boro del café, la leche, la papa, los frijoles, el durazno, la banana y los jugos de fruta.

> Como suplemento, la quercetina ayuda a aliviar los síntomas de la alergia al controlar la liberación de la histamina. Para mayor eficacia tómela con vitamina C. La suplementación con quercetina también podría ser efectiva como refuerzo para la inmunidad, ya que inhibe la reproducción de los virus. En estudios con soldados y ciclistas redujo los casos de resfriado y dolor de garganta.

# Las dosis altas conllevan un riesgo mayor

Coma todos los alimentos ricos en flavonoides que desee. Pero tenga en cuenta que el consumo de dosis altas de flavonoides en la forma de suplementos puede no ser tan seguro.

Altas dosis de quercetina, por ejemplo, pueden provocar náuseas, dolores de cabeza y hormigueo en las extremidades. Cuando se toma por vía intravenosa, también puede causar vómitos, sudoración, enrojecimiento facial, dificultad para respirar e incluso toxicidad renal.

En dosis altas, el extracto de té verde puede provocar náuseas, vómitos, dolores abdominales y diarrea. La causa de otros efectos desagradables, como la agitación, el insomnio, los temblores, los mareos y la confusión, puede ser la cafeína en el té verde, no los flavonoides.

Debido a que frenan la aglutinación de las plaquetas, los flavonoides en dosis altas pueden aumentar el riesgo de sangrado si se toman junto con medicamentos anticoagulantes como la warfarina, *Plavix* y los medicamentos antiinflamatorios no esteroideos (AINE), como la aspirina y el ibuprofeno. También puede darse una interacción con el jugo de toronja. Los flavonoides naringenina, quercetina y EGCG en dosis altas también pueden interferir con ciertos medicamentos.

Los flavonoides inhiben la absorción del hierro no hémico, del tipo que se encuentra en las plantas y en muchos suplementos de hierro. Para potenciar al máximo la absorción de hierro, evite las bebidas o los suplementos con alto contenido de flavonoides durante las comidas.

# Folato

verduras de hoja verde • legumbres • cítricos
• hígado • cereales para desayuno enriquecidos
• pasta y granos enriquecidos

Muchas personas utilizan indistintamente los términos folato y ácido fólico. A pesar de que se refieren a la misma e importante vitamina B, estos dos términos indican formas diferentes:

- El folato se encuentra naturalmente en los alimentos.

- El ácido fólico es la versión sintética que se utiliza en los suplementos vitamínicos y para fortificar algunos alimentos, como los panes y los cereales para desayuno.

Cualquiera que sea la forma en que la obtenga, esta vitamina B es esencial para la buena salud. Además de actuar como un antioxidante y ofrecer protección contra los ataques destructivos de los radicales libres, el folato también es importante en la formación de glóbulos rojos y de ADN, los componentes genéticos básicos del cuerpo.

Desde 1998, los gobiernos de Estados Unidos y Canadá han exigido a los fabricantes de alimentos agregar ácido fólico a los productos derivados de los cereales. Esto sucedió después de que se descubriera que una deficiencia de folato estaba detrás de los defectos del tubo neural, un tipo de defecto de nacimiento que afecta el cerebro y la espina dorsal de los bebés. Estos alimentos fortificados aseguran que la mayoría de las personas reciban por lo menos 100 microgramos (mcg) de ácido fólico al día.

Sin embargo, eso no es suficiente. Puesto que el folato es soluble en agua, el cuerpo no puede almacenarlo. Para mantener niveles saludables se necesita un suministro continuo a través de la dieta o de los suplementos. La cantidad recomendada es de 400 mcg al día.

Ciertos medicamentos y afecciones, como la enfermedad celíaca, pueden impedir que el cuerpo absorba el folato. Puede que usted no note ningún síntoma al principio, pero esa deficiencia de folato hará que las células de la sangre dejen de dividirse adecuadamente. Esto puede resultar en una anemia megaloblástica, que ocurre cuando no hay suficientes glóbulos rojos sanos para suministrar el oxígeno adecuado. Con el tiempo, usted se sentirá cansado y débil, y le faltará el aire.

Tal vez lo más crítico para el corazón y el cerebro es la relación que existe entre el

| | |
|---|---|
| 3/4 de taza de cereal integral para desayuno *Total* | 676 mcg* |
| 1 taza de arroz blanco enriquecido cocido | 238 mcg |
| 1/2 taza de lentejas cocidas | 179 mcg |
| 10 *pretzels* | 172 mcg |
| 1 taza de brócoli cocido | 168 mcg |
| 1 taza de pasta enriquecida cocida | 167 mcg |
| 1/2 taza de espinacas cocidas | 132 mcg |
| 1 taza de jugo de naranja de concentrado congelado | 110 mcg |

* microgramos

folato y la homocisteína. La homocisteína es un aminoácido que daña las células sanguíneas y a la vez aumenta el riesgo de formación de coágulos peligrosos. Esto explica el vínculo entre niveles altos de homocisteína y el desarrollo de enfermedades cardíacas y demencia. Se ha demostrado, además, que existe una relación entre niveles muy bajos de folato en la sangre y niveles altos de homocisteína.

| Cereal para desayuno (sin leche) | % del valor diario de ácido fólico |
|---|---|
| 1 taza de *Special K*, de Kellogg's | 100% |
| 1 taza de *Product 19*, de Kellogg's | 100% |
| 1 taza de *Cheerios*, de General Mills | 50% |
| 3/4 taza de *Wheaties*, de General Mills | 50% |
| 1/2 taza de *Grape-Nuts*, de Post | 50% |
| 1 taza de *Raisin Bran*, de Post | 50% |
| 1 taza de *Raisin Bran*, de Kellogg's | 25% |
| 3/4 taza de *Frosted Flakes*, de Kellogg's | 25% |
| 1 taza de *Shredded Wheat*, de Post | 4% |

## Cuatro beneficios del folato para la mente

**Le ayuda a mantenerse alerta.** El folato tiene una relación indiscutible con la memoria y la capacidad intelectual. En un estudio que durante 10 años hizo seguimiento a más de 13,000 mujeres mayores, aquéllas que comieron la mayor cantidad de verduras de hoja verde, como espinacas y lechuga romana, obtuvieron mejores resultados en pruebas de memoria y agudeza mental a partir de los 70 años. Y un reciente estudio efectuado en Corea encontró que las personas con deficiencia de folato son tres veces y media más propensas a desarrollar demencia.

Un nivel muy bajo de folato significa más homocisteína en la sangre. Además del hecho de que la homocisteína puede dañar los vasos sanguíneos del cerebro, también ha sido asociada a la atrofia del hipocampo, la parte del cerebro que es clave para la memoria. El folato regula la cantidad de homocisteína en la sangre, por lo que su consumo adicional puede ayudar a mejorar el funcionamiento del cerebro. En definitiva, se trata de un suplemento que se debe tomar para ayudar a prevenir la pérdida de memoria relacionada con la edad.

**Reduce el riesgo de accidentes cerebrovasculares.** Un derrame cerebral puede causar estragos en el cerebro y afectar el habla, los procesos de pensamiento e incluso la memoria. Resulta increíble que un solo suplemento pueda reducir este riesgo en un 18 por ciento. Un importante análisis de ocho estudios confirmó que el consumo de entre 500 microgramos (mcg) y 15,000 mcg de ácido fólico al día proporciona este tipo de protección.

Si esto no es suficiente para convencerle, considere lo siguiente: desde que la fortificación de ciertos alimentos con ácido fólico se convirtió en obligatoria en 1998, menos personas han muerto a causa de accidentes cerebrovasculares en Estados Unidos y Canadá.

Al final, todo se reduce a la homocisteína, al daño que produce en los vasos sanguíneos, a cómo engrosa y estrecha las arterias y a cómo aumenta las probabilidades de desarrollar coágulos. Cuanto menor es el nivel de homocisteína, menor será el riesgo de padecer accidentes cerebrovasculares. Para reducir su nivel de homocisteína, consuma alimentos ricos en folato o tome suplementos de ácido fólico.

**Ayuda a bajar la presión arterial.** La presión arterial alta reduce el suministro de oxígeno al cerebro y aumenta el riesgo de sufrir un derrame cerebral, dos situaciones problemáticas para la agudeza mental. Un estudio combinado siguió a más de 150,000 mujeres durante ocho años para determinar cómo el folato afectaba su presión arterial. Las mujeres que tenían entre 30 y 50 años, redujeron en casi la mitad su riesgo de desarrollar hipertensión arterial después de recibir 1,000 mcg de ácido fólico al día, tanto de alimentos como de suplementos. Las mujeres de 50 años o más mostraron menos beneficio, pero aún así redujeron su riesgo en un 18 por ciento.

> El folato fue identificado por primera vez en las hojas de la espinaca, por eso su nombre proviene de la palabra en latín para hoja: *folium*. Eso debería ayudarle a recordar que las verduras de hoja verde son excelentes fuentes de folato.

Los investigadores no pueden ofrecer una explicación definitiva, pero creen que el folato ayuda a controlar la presión arterial por su interacción con el óxido nítrico, una hormona de vital importancia para la salud del corazón. Las células que recubren el interior de los vasos sanguíneos, llamadas células endoteliales, naturalmente liberan óxido nítrico que, a su vez, ayuda a mantener los vasos sanguíneos relajados y flexibles.

> Tres investigadores recibieron el Premio Nobel de Medicina en 1998 por descubrir que el óxido nítrico (ON) es un importante mensajero químico en el sistema cardiovascular. El ON también desempeña un papel importante en la memoria, el aprendizaje y la regulación de los ciclos de sueño y vigilia.

La sangre fluye sin problemas cuando los vasos sanguíneos son elásticos y muy abiertos. Pero conforme envejecemos, las células producen menos óxido nítrico y los vasos sanguíneos se vuelven menos flexibles. Cantidades adicionales de ácido fólico pueden ayudar a que las células endoteliales produzcan más óxido nítrico.

**Mantiene la agudeza del oído y de la vista.** Los alimentos ricos en folato, como las verduras de hoja verde y la naranja, pueden ayudar a mantener los sentidos en óptima forma:

- ¿Le gustaría deshacerse de sus audífonos para la sordera? Un nuevo estudio demostró que los hombres mayores de 60 años que consumían mucho folato a través de los alimentos y de los suplementos, tenían una probabilidad 20 por ciento menor de sufrir pérdida de la audición. No existe una explicación oficial, pero se cree que las propiedades antioxidantes del folato ayudan a proteger el delicado funcionamiento interno del oído. Un estudio anterior indica que los suplementos de ácido fólico brindan una mayor protección para la audición de frecuencias bajas.

- Un importante estudio realizado en el 2009 concluyó que el folato, junto con otras vitaminas del grupo B, puede proteger a las mujeres de la degeneración macular asociada a la edad (DMAE). Aquéllas que durante siete años tomaron cada día suplementos de vitamina B —2.5 miligramos (mg) de ácido fólico, 50 mg de vitamina B6 y 1 mg de vitamina B12—, redujeron en hasta un 40% sus probabilidades de desarrollar DMAE. Los investigadores lo explican de esta manera: si el folato elimina la homocisteína, ésta no puede dañar el revestimiento de los vasos sanguíneos, incluido el de los ojos. Es más, como antioxidante, el folato protege los frágiles fotorreceptores del ojo, tan necesarios para la visión aguda.

## Lo que usted necesita saber sobre los EFD

El ácido fólico es la forma sintética del folato. Se utiliza en los suplementos dietéticos y es agregado a los panes, los cereales para desayuno y otros productos de cereales. Los estudios indican que se absorbe más fácilmente en el torrente sanguíneo que el folato, que se encuentra naturalmente en los alimentos. Es decir, 1 microgramo (mcg) de folato de la espinaca no equivale exactamente a 1 mcg de ácido fólico de la pasta enriquecida. Es por ello que el Consejo de Alimentos y Nutrición del Instituto de Medicina creó los Equivalentes de Folato Dietético (EFD).

El uso regular de la aspirina y de los antiácidos puede interferir con la absorción del folato. Si usted toma estos fármacos a menudo, pregunte a su médico sobre una prueba para medir su nivel de folato.

El Consejo determinó que se tendría que comer 1.7 mcg de folato de los alimentos para absorber la misma cantidad que hay en 1 mcg de ácido fólico. Para evitar confusiones, gracias al EFD se pueden convertir todas las formas de folato en una unidad estandarizada.

Algunos puntos a tener en cuenta:

- El suplemento de ácido fólico se absorbe mejor si se toma con el estómago vacío.

- Tenga cuidado con las etiquetas que siguen utilizando microgramos en lugar de los EFD (o DFE, en inglés).

# El folato: ¿riesgo de cáncer o remedio?

El tema de los suplementos de ácido fólico y el cáncer de colon ha desatado una tormenta, pero en toda historia existen dos lados.

A partir de 1998, los fabricantes empezaron a fortificar los alimentos con ácido fólico. Poco después, los médicos notaron un incremento del 100 por ciento en los niveles de ácido fólico en la sangre. Casi al mismo tiempo, el número de casos de cáncer de colon empezó a aumentar y han seguido aumentando desde entonces. Por un lado, tenemos los argumentos de quienes piensan que estos dos hechos están relacionados:

> Antes de que en Estados Unidos se exigiera fortificar con ácido fólico los productos a base de granos, el 26 por ciento de la población no obtenía el requerimiento mínimo. Hoy, menos del uno por ciento tiene deficiencia de ácido fólico.

- Una de las principales funciones del folato es crear nuevas células. Algunos expertos creen que esto significa que podría fomentar el crecimiento y la reproducción de células precancerosas y cancerosas. En otras palabras, que un consumo elevado de ácido fólico podría convertir los adenomas en el colon, o cualquier tumor benigno, en cáncer y hacer crecer los pequeños tumores cancerosos.

- El ácido fólico parece tener un efecto negativo en las defensas inmunitarias contra el cáncer al reducir el número de células asesinas naturales del cuerpo.

Y éste es el otro lado de la historia:

- El ácido fólico no parece desarrollar cáncer ahí donde no lo hay.

- Se ha demostrado que el ácido fólico en altas dosis y a largo plazo protege contra el cáncer de colon. Un estudio realizado recientemente en Corea encontró que las mujeres eran dos tercios menos propensas a desarrollar cáncer de colon cuando tomaban suplementos de ácido fólico.

En conclusión, no existen pruebas absolutamente concluyentes de que uno sea la causa del otro, pero es mejor tomar precauciones. En Estados Unidos, cerca de la mitad de las personas mayores de 50 años tienen por lo menos un tumor benigno en el colon. La mayoría no presentan síntomas, pero son precursores de

> En Grecia, las personas que siguen una dieta mediterránea rica en verduras obtienen, en promedio, 559 mcg de folato al día.

cáncer de colon. Si usted ha sido diagnosticado con un adenoma de colon, no consuma cantidades adicionales de ácido fólico a través de un multivitamínico o de alimentos enriquecidos. La mayoría de los expertos coinciden en que es prácticamente imposible obtener un exceso de folato de las verduras y de otras fuentes naturales.

# Ajo

actúa como antioxidante • baja la presión arterial
• previene los coágulos de sangre • reduce el colesterol
• ataca las infecciones • aumenta la energía
• combate la enfermedad de Alzheimer

Entre 10 y 60 segundos después de triturar un diente de ajo y tras una cadena de reacciones químicas se produce la alicina, que es tal vez el compuesto orgánico de azufre más conocido. Es tan increíblemente beneficiosa, que la Organización Mundial de la Salud recomienda consumir entre 2 y 5 miligramos (mg) de alicina al día. Eso es muy fácil, ya que un diente de ajo contiene entre 5 y 18 mg de alicina.

Comer un diente de ajo cada día es la forma más sencilla de obtener alicina. Lamentablemente, algunas personas no pueden tolerar su fuerte sabor y el ajo no siempre es fácil de incorporar a las comidas. Pero se puede recurrir a los suplementos. En la mayoría de los estudios sobre el ajo se utilizan las tabletas de ajo deshidratado en polvo o el extracto de ajo envejecido (EAE) y, algunas veces, el aceite de ajo.

Pero recuerde, los suplementos no son todos iguales. La mayoría no están estandarizados y la cantidad de compuestos orgánicos de azufre que contienen puede variar tremendamente dependiendo de cómo ha sido procesado el ajo. Para tener la certeza de qué es lo que está comprando, consulte una empresa de verificación independiente como ConsumerLab.com, en *www.consumerlab.com* (en inglés).

Aún no se entiende del todo cómo es que funciona la alicina, tal vez porque los investigadores no logran detectarla en el torrente sanguíneo. Aún después de que los participantes en un estudio comieran 25 gramos de ajo fresco (entre seis y 13 dientes de ajo), los científicos no pudieron detectar la presencia de alicina en la sangre. Esto sugiere que su absorción es muy rápida.

> Tal vez llegue el día en que usted se cepille los dientes o haga gárgaras con un producto que contenga extracto de ajo.
> Debido a sus propiedades antibacterianas, el ajo puede acabar con las bacterias que causan las caries.

## Seis beneficios del ajo para la mente

**Reduce la presión arterial.** Cuanto más alta la presión arterial, más probable es que el ajo ayude a bajarla. Tras examinar los resultados de 11 estudios, los expertos confirmaron que los suplementos de ajo eran tan eficaces a la hora de reducir la hipertensión como los betabloqueadores y los inhibidores de la ECA (ACE, en inglés). Se cree que la alicina del ajo estimula la producción de óxido nítrico, que es una sustancia química que relaja y dilata los vasos sanguíneos, lo que permite que la sangre fluya más fácilmente. Esto garantiza que el cerebro obtenga abundante oxígeno y nutrientes vitales. En la mayoría de los estudios se utilizó la misma cantidad de alicina que se encuentra en un diente de ajo. Hable con su médico antes de tomar un suplemento de ajo si usted ya está tomando un medicamento para bajar la presión arterial.

**Acaba con los coágulos de sangre.** Cuando uno se corta el dedo ve con buenos ojos el proceso de coagulación de la sangre que ocurre fuera del cuerpo. Cuando los coágulos de sangre ocurren dentro del cuerpo, en cambio, implican peligro, a menudo en la forma de un ataque cardíaco o un derrame cerebral. Muchos de los componentes del ajo actúan para evitar que la sangre se coagule y, a la vez, promueven la fibrinólisis, el proceso natural del cuerpo que impide el crecimiento de los coágulos de sangre ya formados.

**Pone un alto al colesterol alto.** Lo que hay son resultados heterogéneos de numerosos estudios, es decir, por cada estudio que alaba las bondades del ajo para reducir el colesterol, hay otro que sostiene que es ineficaz. Pero, en general, la opinión es que el ajo podría, en el corto plazo, reducir moderadamente el colesterol total, el colesterol LDL y los triglicéridos. No espere milagros y no crea que se trata de la cura definitiva para el colesterol alto. Si lo que desea es reducir un poco sus niveles o reforzar un tratamiento que ya sigue para controlar su colesterol, agregar ajo a su dieta puede ser la solución.

¿Podría ser que el ajo combata los resfriados al hacer que usted se mantenga lo más lejos posible de las personas que podrían exponerlo a sus gérmenes?

**Combate las infecciones.** Es posible que su abuelita se colgara un collar de ajos alrededor del cuello para ahuyentar los resfriados, pero basta con comérselos para estimular el sistema inmunitario. Debido a que está repleto de compuestos que combaten las infecciones bacterianas y virales, el ajo suele reducir la probabilidad de contraer un resfriado y ayudar en la recuperación de un resfriado existente.

**Ofrece protección contra el alzhéimer.** Ya se sabe que el extracto de ajo envejecido (EAE) protege el cerebro al defender a las células nerviosas de las toxinas, al fomentar el crecimiento sano del tejido nervioso y al actuar como un antioxidante para salvaguardar el capital intelectual y la memoria.

Un estudio reciente realizado en la India encontró que el ajo podría, además, retrasar o incluso prevenir la enfermedad de Alzheimer. Los investigadores creen que los distintos compuestos orgánicos de azufre del EAE son los que impiden la formación de las placas amiloides que caracterizan la enfermedad de Alzheimer.

**Le da energía.** Quizás haya oído la historia de que a los antiguos esclavos egipcios y a los solados romanos se les alimentaba con ajo para que tuvieran más energía. Un estudio realizado recientemente en Japón confirma esta propiedad del ajo. Se encontró que:

- El extracto de ajo envejecido (EAE) ayuda a músculos específicos a metabolizar el azúcar en la sangre más fácilmente durante el ejercicio, produciendo energía extra.

- El ajo aumenta la producción de óxido nítrico, ensanchando los vasos sanguíneos y permitiendo que más oxígeno fluya a los músculos fatigados.

- El EAE actúa como un antioxidante para combatir los peligrosos radicales libres producidos durante el ejercicio.

## Secretos de cocina que aseguran los beneficios

Éstos son algunos consejos de los expertos para incluir el ajo en sus comidas y aprovechar al máximo sus valiosas propiedades para la salud:

- Cocinar o calentar el ajo de cualquier forma reduce su poder anticoagulante. Si se limita el tiempo de cocción a menos de tres minutos, el ajo conservará más propiedades.

- El ajo fresco triturado conserva más alicina saludable que los tipos de ajo en conserva, y sus efectos saludables para el corazón son más potentes que los del ajo seco.

- El ajo mantiene su poder antioxidante después de la mayoría de los métodos de preparación y cocción.

El ajo pertenece a la familia de las liliáceas. Si usted es alérgico a flores como los jacintos o los tulipanes, también podría tener una reacción alérgica al ajo.

## El peligro oculto del ajo

El ajo es muy seguro si se come como parte de una dieta normal y los suplementos en las dosis recomendadas son seguros para la mayoría de las personas. Sin embargo, consumir más ajo podría ser peligroso si usted está tomando un medicamento anticoagulante con receta médica, como la warfarina (*Coumadin*), o un suplemento que se sabe aumenta el riesgo de sangrado, como el *ginkgo biloba*. Debido a que el ajo interfiere con la capacidad natural de coagulación de la sangre, también podría causar problemas si usted tiene un trastorno de sangrado o si va a someterse a un procedimiento quirúrgico o dental.

El ajo picado será bueno para la salud, pero el olor de los dedos después de picar ajo no es nada agradable. Elimine el mal olor del ajo frotando los dedos contra un utensilio o un lavamanos de acero inoxidable.

# *Ginseng*

controla los niveles de azúcar en la sangre
• acorta los resfriados • potencia las vacunas contra la gripe
• combate la fatiga • proporciona poder antioxidante

El *ginseng* se consigue en muchas presentaciones: tabletas, cápsulas, extracto, raíz o té. Es un ingrediente de algunas bebidas energéticas y también se vende como crema para frotaciones. No importa su forma, millones de personas en todo el mundo creen en los poderes curativos de esta planta herbácea milenaria.

El *ginseng* es una planta con flores que crece mejor a la sombra. Tiene bayas rojas y una raíz de color amarillo-marrón, famosa por parecerse a una figura humana. De hecho, su nombre chino se traduce como "raíz de hombre". Su nombre botánico griego, *panax*, significa "panacea", tal vez porque históricamente se utilizó para curar muchas afecciones distintas, desde las alergias hasta las arrugas. Para los expertos de hoy, el *ginseng* no es un cura todo, pero sí reconocen que es un remedio casero seguro y natural.

La raíz de *ginseng* es especialmente rica en ginsenósidos, los compuestos químicos que se creía eran responsables de sus poderes curativos. Y aunque la raíz es la parte más ampliamente estudiada y comercializada, las bayas y las hojas de *ginseng* también ofrecen muchos beneficios.

Éstos son algunos de los factores que afectan la potencia del *ginseng*:

- La especie de la planta
- El tipo de tierra en la que se cultivó
- La edad que tenía la planta cuando fue cosechada
- La época del año en la que se cosechó
- El país en el que se cultivó
- Si creció de manera silvestre o si fue cultivada
- La forma en que fue procesada

**Niveles de ginsenósidos naturales**

# Cuatro beneficios del *ginseng* para la mente

**Controla el azúcar en la sangre.** El *ginseng* podría ser una adición segura a un plan de tratamiento para la diabetes. Las investigaciones demuestran que puede disminuir los niveles de azúcar en la sangre sin provocar una caída peligrosa. Además, parece actuar directamente sobre el páncreas, aumentando la producción de insulina y reduciendo la resistencia a la insulina. Tenga cuidado al comprarlo, debido a que el *ginseng* americano y el *ginseng* rojo coreano fueron los dos únicos tipos que redujeron el azúcar en la sangre en estos estudios, mientras que el *ginseng* asiático (*Panax ginseng*) puede de hecho incrementar su nivel. Recuerde que sólo se debe tomar este suplemento con el conocimiento y la aprobación de un médico.

> Un estudio de 14 semanas de duración con más de 250 voluntarios de mediana edad mostró que quienes tomaron una mezcla herbaria de *ginkgo* con *Panax ginseng* obtuvieron mejores resultados en las pruebas de memoria que aquéllos que tomaron un placebo.

**Fortalece el sistema inmunitario.** Durante la temporada de resfriados y gripe, la protección adicional de un suplemento de *ginseng* puede:

- Hacer que el cuerpo produzca más células T, un tipo de glóbulo blanco que busca y destruye bacterias y virus.

- Añadir potencia a cualquier antibiótico indicado para combatir las infecciones bacterianas.

- Darle un poco más de fuerza a la vacuna contra la gripe.

Muchas personas están convencidas de que gracias a una dosis diaria de *ginseng* sus resfriados son menos frecuentes y más cortos de lo habitual.

**Le da energía.** Pruebe el *ginseng* si necesita más energía y vea si funciona para usted. A pesar de que las pruebas clínicas no son sólidas, en China los atletas lo han utilizado durante décadas porque sienten que mejora su rendimiento. Un estudio de ocho semanas en personas entre las edades de 40 y 70 años encontró que los tiempos de reacción eran más rápidos en aquéllas que tomaban 400 miligramos de *ginseng* al día. Tal vez el *ginseng* también le ayude a usted a sentir menos cansancio y a estar más alerta.

**Libera antioxidantes.** Los ginsenósidos del *ginseng* le dan poderes antioxidantes. Esto es útil en la lucha contra el colesterol alto, la pérdida de memoria, la presión arterial alta y muchos otros problemas médicos en los que los peligrosos radicales libres causan estragos.

La raíz cultivada más grande de un *ginseng* americano de siete años pesó más de 2 libras, eso sería $35 al precio del mercado actual. Una raíz silvestre de 2 libras puede llegar a costar $300 o más.

## Las dosis sugeridas le garantizan más beneficios

Lea la etiqueta de cualquier producto de *ginseng* antes de comprar, para saber exactamente qué es lo que tiene en sus manos. La etiqueta debe mencionar el tipo de *ginseng*, la parte de la planta que ha sido utilizada, si contiene polvo o extracto, y qué cantidad de ginsenósidos contiene el producto final.

| Tipo | Cantidad recomendada de ginsenósidos en producto | | Dosis diaria | Cantidad de ginsenósidos en una dosis diaria |
| --- | --- | --- | --- | --- |
| | % total de ginsenósidos | Ginsenósidos por gramo de *ginseng* | | |
| Raíz de *ginseng* asiático en polvo | 1.5% | 15 mg | 1,000-2,000 mg | 15-30 mg |
| Raíz de *ginseng* americano en polvo | 2% | 20 mg | 1,000-2,000 mg | 20-40 mg |
| Extracto de *ginseng* asiático | 3% | 30 mg | 200 mg en dos dosis de 100 mg | 6 mg |
| Extracto de *ginseng* americano | 4% | 40 mg | 200 mg en dos dosis de 100 mg | 8 mg |

# Conozca la terminología de las etiquetas

**El *ginseng* asiático** *(Panax ginseng)* se cultiva principalmente en China, Corea y Rusia, pero está casi extinto en estado silvestre. Éste es el tipo de *ginseng* que se utiliza con más frecuencia en las investigaciones.

**El *ginseng* americano** *(Panax quinquefolius)* es nativo de América del Norte, principalmente del sureste de Canadá y de las regiones de clima templado frío de Estados Unidos, pero también se cultiva en China. Es muy apreciado porque sus raíces tienen más ginsenósidos naturales que las variedades asiáticas. Todos los años se exportan miles de kilos de *ginseng* americano, sobre todo a los países asiáticos.

**El *ginseng* siberiano** no contiene ginsenósidos y no se considera que es propiamente un *ginseng*.

**El *ginseng* silvestre** no es plantado ni cultivado, simplemente se cosecha ahí donde crece naturalmente. Tanto el *ginseng* americano como el asiático crecen silvestres, pero sólo en zonas específicas del norte de América del Norte y en China. Debido a que contiene niveles más altos de ginsenósidos que el *ginseng* cultivado, el *ginseng* silvestre es muy buscado, es mucho más caro, se cosecha en exceso y, hoy en día, está en peligro de extinción.

**El *ginseng* cultivado en el campo o en granjas** crece en jardineras bajo sombra artificial. Se puede cosechar sólo después de cinco o siete años, pero su precio es mucho más bajo que el del *ginseng* silvestre.

**El *ginseng* blanco** no ha sido procesado y ha sido secado al aire.

**El *ginseng* rojo** siempre proviene de raíces cultivadas, generalmente de China o Corea del Sur. Las raíces sin pelar se tratan al vapor y se secan al sol, lo que les da su color rojo marrón. Se dice que este proceso, al evitar la descomposición de los ginsenósidos, hace que sea más potente.

> Si usted está tomando un diluyente de la sangre como la warfarina (*Coumadin*), hable con su médico primero, ya que el *ginseng* puede afectar la coagulación.

# Extracto de semilla de uva

baja la presión arterial • estimula la buena circulación • protege las células cerebrales • disminuye el riesgo de sufrir enfermedades cardíacas en personas con diabetes

Si bien el vino y el jugo de uva pueden combinar todas las bondades de las semillas, la pulpa y la piel de la uva, no hay que pasar por alto el extracto concentrado que se obtiene al triturar únicamente las semillas. Estas pepitas diminutas son depósitos ricos en ácidos grasos y compuestos químicos naturales de la planta y contienen incluso más vitamina E, flavonoides, ácido linoleico y compuestos antioxidantes que la piel de la uva. El extracto de semilla de uva se utiliza para combatir algunas enfermedades.

> En los capítulos *Flavonoides* y *Resveratrol* se describen muchos de los compuestos beneficiosos para la salud que se encuentran en la uva.

Los antioxidantes específicos del extracto de semilla de uva (ESU) se conocen como complejos de proantocianidinas oligoméricas (CPO). Estudios iniciales de laboratorio muestran que los CPO actúan como cualquier otro antioxidante que brinda protección contra el daño causado por los radicales libres.

Busque un extracto de semilla de uva estandarizado, como mínimo, al 95 por ciento de CPO o que contenga entre 40 y 80 por ciento de proantocianidinas. El extracto de uva está disponible en forma de pastilla, cápsula o líquido.

## Cuatro beneficios del ESU para la mente

**Detiene la presión arterial alta.** En un estudio de un mes de duración realizado por la Universidad de California-Davis se encontró que el extracto de semilla de uva (ESU) reduce la presión arterial. Los participantes del estudio tenían niveles preocupantes de colesterol, resistencia a la insulina, grasa abdominal y presión arterial alta, entre otros factores de riesgo característicos del síndrome metabólico. Quienes tomaron ESU en dosis de 150 o 300 miligramos (mg) al día redujeron de manera significativa sus valores de presión arterial.

El ESU funciona al hacer que las células de las paredes internas de los vasos sanguíneos produzcan más óxido nítrico, que es un mensajero químico que mantiene los vasos sanguíneos relajados y dilatados. La sangre fluye más rápida y fácilmente a través de vasos sanguíneos flexibles y abiertos lo que, a su vez, reduce el riesgo de enfermedades cardíacas y asegura que la sangre rica en oxígeno llegue al cerebro.

Si usted tiene la presión arterial alta hable con su médico antes de empezar a tomar este extracto, para evitar que interactúe con otros medicamentos o que reduzca demasiado su presión arterial.

**Previene el daño a las células cerebrales.** Debido al éxito del ESU en estudios en animales y en estudios de laboratorio para combatir una característica distintiva de la enfermedad de Alzheimer (EA), los científicos tienen la esperanza de que algún día pueda ser un arma importante contra este trágico mal.

Todo comienza con la proteína. Las proteínas están presentes en todas las células de los organismos vivos. Gracias a ellas el cuerpo puede llevar a cabo las funciones necesarias para mantenerse con vida, como descomponer los alimentos convirtiéndolos en fuente de energía para los músculos, enviar señales a través del cerebro y llevar nutrientes a través de la sangre.

Las proteínas consisten en una larga cadena de aminoácidos unidos entre sí como un collar de perlas. Para funcionar adecuadamente, las proteínas se pliegan y adoptan una estructura tridimensional, en la que los distintos aminoácidos dentro de la cadena se unen entre sí. Hay miles de proteínas diferentes, cada una con su propia función y forma. A veces, por razones que aún no se entienden claramente, las proteínas en las células sanas del cerebro no se pliegan adecuadamente. Este "mal plegamiento" causa la acumulación y la aglutinación de las proteínas en el tejido que se encuentra entre las neuronas del cerebro. Las neuronas pierden su capacidad para establecer conexiones entre ellas y mueren, lo que hace que el tejido cerebral se encoja. Este daño es un indicador clave de la enfermedad de Alzheimer (EA).

Ciertos componentes químicos naturales del extracto de semilla de uva (ESU) pueden impedir el mal plegamiento de las proteínas. En un estudio realizado con ratones con alzhéimer se observó una reducción significativa en la acumulación de proteínas en aquellos ratones que recibieron ESU durante cinco meses. Los resultados mejoraron con dosis más bajas de ESU durante un período de tiempo más largo. Aún no se han efectuado pruebas en humanos.

**Promueve un mejor flujo sanguíneo.** Según investigaciones sólidas, el ESU ayuda a aliviar los síntomas de una enfermedad dolorosa llamada insuficiencia venosa crónica, en la que las venas de las piernas tienen dificultades para asegurar el retorno de la sangre al corazón. La sangre se estanca en las piernas provocando hinchazón y fatiga. En varios estudios, el ESU combatió la hinchazón de las piernas, entre otros síntomas, y promovió una mejor circulación. Este remedio natural actuó más rápidamente y proporcionó un alivio más duradero que otros tratamientos.

**Disminuye el riesgo de sufrir males cardíacos.** Un estudio de cuatro semanas de duración, realizado con personas con diabetes tipo 2, mostró que el ESU reduce el riesgo de desarrollar enfermedades del corazón. Después de recibir 600 mg diarios de ESU, los participantes mejoraron tres indicadores de peligro cardíaco: mostraron menos marcadores de inflamación en todo el cuerpo, menor daño celular por los radicales libres y niveles más bajos de azúcar en la sangre.

## El aceite de semilla de uva es una opción saludable

El aceite de semilla de uva también es bueno en la cocina, ya que ofrece una dosis rebosante de nutrientes saludables y un sabor ligero y afrutado. Extraído de las semillas de uva, este aceite es por lo general un subproducto del proceso de elaboración del vino.

Se importa principalmente de Francia, Suiza e Italia.

El aceite de semilla de uva combina bien con otros ingredientes y se puede agregar a los aliños, los adobos y otras recetas. Este aceite es una excelente fuente de vitamina E y de grasas no saturadas. Pero tenga cuidado: el aceite de semilla de uva también tiene

| | |
|---|---|
| 1.3 g | grasas saturadas |
| 9.4 g | grasas poliinsaturadas |
| 2.2 g | grasas monoinsaturadas |
| 13.5 mg | ácidos grasos omega-3 |
| 9,395 mg | ácidos grasos omega-6 |
| 3.9 mg | vitamina E |

**Aceite de semilla de uva
1 cucharada = 119 calorías**

un alto contenido de ácidos grasos omega-6. Así que inclúyalo en pequeñas cantidades como parte de una dieta nutritiva.

No hay muchos estudios científicos sobre el tema, pero debido a sus propiedades antioxidantes el aceite de semilla de uva también se utiliza en los masajes o como ingrediente en algunos productos para la piel.

## Infórmese acerca del riesgo de sangrado

El extracto de semilla de uva (ESU), al igual que los demás suplementos dietéticos, no está regulado, por lo que se aconseja adquirirlo de una marca reconocida. Incluso así, no hay garantía de que cada lote contenga la misma cantidad de ingredientes activos.

Sin embargo, según los informes el ESU es un suplemento bastante seguro para la mayoría de las personas. En los ensayos clínicos no se han presentado muchos efectos secundarios. Los expertos recomiendan una dosis de hasta 450 miligramos al día durante hasta 12 semanas.

El ESU podría ser peligroso si usted padece un trastorno hemorrágico o está actualmente tomando medicamentos para diluir la sangre, como la warfarina (*Coumadin*), o antiinflamatorios no esteroideos, como la aspirina. Debido a que afecta la capacidad de coagulación de la sangre, deje de tomar este extracto unas semanas antes de cualquier tipo de cirugía o procedimiento dental.

# Enfermedad de las encías

encías enrojecidas, hinchadas o sensibles • sangrado al cepillarse los dientes o usar hilo dental • encías retraídas • dientes flojos • llagas en la boca • mal aliento crónico

La enfermedad de las encías o enfermedad periodontal (EP) es una infección crónica causada por las bacterias en la boca que se asientan y crecen entre los dientes y las encías. La gingivitis es la forma más leve. Sus únicos síntomas pueden ser las encías enrojecidas e hinchadas que sangran fácilmente. En esta etapa es bastante fácil revertir el daño con algo de cuidado por parte suya y de su dentista.

Si no es tratada, la infección puede avanzar y extenderse por debajo de las encías hasta llegar a los huesos que sostienen los dientes. Esta afección más grave se llama periodontitis, que es cuando las encías se retraen y se separan de los dientes formando pequeños espacios o "bolsas" que se infectan. Pueden aparecer llagas en la boca y los dientes se aflojan o no encajan como solían hacerlo.

Las bacterias son la chispa inicial de la enfermedad periodontal (EP), pero hay otros factores que determinan la gravedad y extensión de la infección:

- Genética. Usted puede estar entre el 30 por ciento de personas que tienen un determinado gen que las hace más propensas a desarrollar EP, incluso si cuidan sus dientes.

- Hormonas. Cambios como los experimentados durante la menopausia pueden afectar las encías, haciéndolas más sensibles y vulnerables a las enfermedades.

- Fumar. Una de las numerosas consecuencias no saludables de fumar es que las sustancias químicas en el tabaco hacen más lento el proceso de cicatrización, prolongando así el ciclo de inflamación. Estas sustancias también interfieren con el éxito de muchos tratamientos para la EP.

Tal vez lo primero que hay que entender sobre la enfermedad de las encías es la forma en la que puede afectar la salud en general. Una vez que las bacterias de la cavidad oral ingresan al torrente sanguíneo pueden circular por todo el organismo. Además, la inflamación continua de las encías desencadena una respuesta inflamatoria en todo el cuerpo. Aunque la inflamación es una manera natural de combatir las infecciones y sanar las lesiones, si se prolonga demasiado deja de ser algo positivo. A continuación se describe cómo la enfermedad de las encías está asociada a la aparición de dos enfermedades crónicas muy graves.

**Enfermedades del corazón.**

Las personas con enfermedad de las encías son casi dos veces más propensas a padecer una enfermedad cardíaca que las personas que no la tienen. La enfermedad de las encías también puede empeorar una afección cardíaca existente. Hay más de 50 estudios clínicos que vinculan estas dos enfermedades y numerosas teorías que explican lo que puede estar ocurriendo:

- Las células "asesinas" naturales del cuerpo no pueden diferenciar entre las proteínas de las bacterias que causan la enfermedad de las encías y otras proteínas similares, pero benéficas, que el cuerpo produce y utiliza. Cuando atacan este segundo tipo de proteínas, causan daño en las arterias.

¿Ha perdido peso? Sonría, porque ahora sus dientes y encías están más saludables. Los estudios muestran que las personas obesas —con un Índice de Masa Corporal (IMC) superior a 30— son dos veces más propensas a desarrollar enfermedad de las encías. Esto tal vez se deba a la inflamación generalizada y a la resistencia a la insulina, lo que significa que la insulina no puede mover la glucosa hacia las células receptoras donde puede ser utilizada.

Para calcular su IMC visite la página en español del Instituto Nacional del Corazón, Pulmón y Sangre en *www.nhlbi.nih.gov /health/educational/lose_wt/ BMI/bmicalc_sp.htm*. Si está en la zona de peligro, baje de peso y cuide sus dientes.

- Las bacterias de la boca ingresan en el torrente sanguíneo y se adhieren a las placas de grasa en el interior de los vasos sanguíneos del corazón. Esto aumenta el grosor de las paredes de los vasos sanguíneos y provoca la formación de coágulos.

- La inflamación causada por la enfermedad de las encías se extiende por todo el cuerpo y afecta las arterias. Esto da lugar a una reducción del flujo sanguíneo y puede provocar aún más daño.

La buena noticia es que el tratamiento de la enfermedad de las encías y la eliminación de las bacterias periodontales reducen la acumulación de placa en las arterias y, por lo tanto, disminuyen el riesgo de padecer aterosclerosis.

**Enfermedad de Alzheimer.** La inflamación en el cerebro es un elemento clave de la enfermedad de Alzheimer (EA). Muchos expertos creen que una inflamación que se extiende por todo el cuerpo, como la que caracteriza a la enfermedad periodontal, también llega a afectar el cerebro. Un estudio realizado con gemelos apoya esta teoría. Aquéllos que padecieron una inflamación sistémica a una edad mediana cuadruplicaron su riesgo de desarrollar EA a una edad avanzada. Otros consideran que las bacterias que desencadenan la enfermedad de las encías pueden llegar a propagarse al cerebro, provocando una respuesta inflamatoria cerebral.

Cada vez más investigaciones demuestran el vínculo que existe entre la enfermedad de las encías y otras enfermedades peligrosas. Esto significa que mantener la salud de sus dientes y de sus encías es ahora más importante que nunca. Según la Academia de Periodontología de Estados Unidos alrededor de tres de cada cuatro estadounidenses sufren de algún tipo de enfermedad de las encías y, sin embargo, sólo el tres por ciento obtiene tratamiento.

Ya que se trata de una infección, cabría pensar que los antibióticos son la mejor opción de tratamiento. Pero el uso excesivo de antibióticos aumenta el riesgo de desarrollar

> La enfermedad periodontal es la causa principal de la caída de los dientes.

cepas de bacterias resistentes a los antibióticos. Su periodoncista puede sugerirle varios procedimientos quirúrgicos y no quirúrgicos. Sin embargo, usted debe empezar a tomar decisiones saludables desde ahora para mantener a raya la enfermedad de las encías.

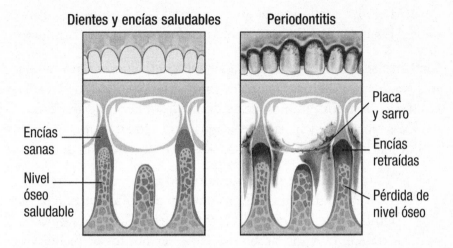

Dientes y encías saludables

Periodontitis

Encías sanas

Nivel óseo saludable

Placa y sarro

Encías retraídas

Pérdida de nivel óseo

## Tres tácticas contra la enfermedad de las encías

**Practique buenos hábitos de higiene dental.** La mejor manera de prevenir la enfermedad de las encías es manteniendo la boca limpia y libre de las bacterias que causan caries con una rutina diaria de cuidado bucal y dos visitas anuales al dentista. Éstos son algunos consejos de la Asociación Dental Estadounidense (ADA, en inglés):

- Cepíllese los dientes dos veces al día con un cepillo dental de cerdas suaves. Elija un cepillo que se adecúe a su boca y que le permita llegar a todas las áreas. Cepíllese las superficies interiores de los dientes delanteros.

- No olvide la lengua. Cepíllela suavemente para eliminar las bacterias y refrescar el aliento.

- Elija una pasta dental con flúor para proteger sus dientes.

- Utilice hilo dental una vez al día para eliminar la placa en aquellos lugares donde el cepillo de dientes no puede llegar.

- Use enjuague bucal un par de veces al día. Los enjuagues bucales antimicrobianos ayudan a eliminar las bacterias, mientras que los enjuagues con flúor previenen las caries.

Cuando compre un producto dental, busque el sello de aceptación de la ADA. Este sello indica que el Consejo de Asuntos Científicos de la ADA ha evaluado la seguridad y eficacia de dicho producto.

**Tome decisiones inteligentes para su nutrición.** Comer sano es una manera de crear defensas naturales contra la enfermedad de las encías. Comience con dos cambios fáciles: limite los dulces que alimentan las bacterias en la boca y beba mucha agua para ayudar a crear más saliva y eliminar la placa. Éstos son otros consejos a tener en cuenta:

- Vitamina C. Este poderoso antioxidante ayuda a restaurar el colágeno, la principal proteína en el tejido conectivo. Eso significa que la vitamina C ayuda a sanar las llagas bucales, a fortalecer el tejido de las encías y a reparar los pequeños vasos sanguíneos. Un par de toronjas al día proporcionan alrededor de 180 miligramos de vitamina C. Se ha comprobado en investigaciones que esta cantidad reduce el riesgo de desarrollar la enfermedad periodontal (EP) y disminuye el sangrado de las encías cuando ya se sufre de EP.

- Arándanos rojos. Ciertos componentes de esta baya de sabor ácido impiden que las bacterias se adhieran a la superficie de los dientes, por lo que les es más difícil propagarse y causar problemas. Además, el jugo de arándano rojo sin endulzar contiene mucha vitamina C.

- Té verde. Las catequinas son sustancias químicas naturales presentes en

De acuerdo con la Academia de Periodontología de Estados Unidos, la cantidad de tejido de las encías en la boca es equivalente a la cantidad de piel del antebrazo, entre la muñeca y el codo. Si tuviera la piel del brazo enrojecida e inflamada, usted iría a ver a un médico. De la misma manera, tome la enfermedad de las encías con la seriedad debida.

las hojas de té verde que, al igual que los antioxidantes, combaten la inflamación y reducen los síntomas de la EP. Beba té verde con regularidad para la salud de sus encías.

> Vaya al sitio de la Academia de Periodontología de Estados Unidos *www.perio.org/consumer/4a.html#* (en inglés) para conocer cuáles son los signos de alerta de la enfermedad de las encías.

- Ácidos grasos omega-3. En un estudio de cinco años de duración realizado en Japón se encontró que debido a sus propiedades antiinflamatorias el aceite de pescado desacelera el desarrollo de la enfermedad periodontal.

- Productos lácteos. Las propiedades beneficiosas para la salud de alimentos como la leche, el queso y el yogur se deben tal vez al ácido láctico o al calcio que contienen. Cualquiera que sea la razón, los estudios muestran que consumir abundantes productos lácteos todos los días protege contra la enfermedad de las encías.

- Granos enteros. Estos alimentos ricos en fibra ayudan a controlar la inflamación, probablemente al reducir los niveles de azúcar en la sangre, y a mejorar la sensibilidad a la insulina. Al menos cuatro porciones diarias de pan integral, arroz integral, salvado y otros granos enteros pueden ayudar a prevenir la EP.

**Mejore su estado de ánimo.** Un estado de ánimo negativo puede afectar su salud y aumentar su riesgo de enfermedad de las encías:

- Sentimientos de ansiedad, soledad y depresión crean estrés en el cuerpo y afectan su capacidad para combatir las infecciones, como la asociada con la enfermedad de las encías.

- La depresión y la tensión pueden llevar a comer más dulces de lo normal o a dejar de cuidarse de otras maneras. En un estudio, más de la mitad de las personas dijeron descuidar su rutina de cepillado y uso de hilo dental cuando tenían estrés.

- El estrés crónico significa que una cantidad mayor de la hormona cortisol circula en el torrente sanguíneo. Esta situación ha sido relacionada con la forma más perjudicial de la enfermedad periodontal (EP).

Haga todo lo que sea necesario para sentirse mejor emocionalmente: reúnase con sus amigos, hable con un profesional, haga ejercicio, trate de dormir bien por las noches o pruebe una terapia antiestrés.

## El uso del hilo dental se vuelve fácil

El uso de hilo dental ayuda a reducir el riesgo de la enfermedad de las encías o de una afección cardíaca, a que su sonrisa sea más blanca y a mejorar el aliento. Pero, ¿sabía usted que el uso de hilo dental también podía ser divertido con uno de estos dispositivos novedosos?

- Palillos con hilo dental. Se trata de un pedazo de hilo dental ensartado en un sujetador de plástico. Se llaman "*flossers*" en inglés. Algunos acaban en punta por un extremo, como un mondadientes o palillo para la limpieza interdental, y se les llama "*floss picks*" en inglés. Elija el estilo que le sea más cómodo y que se adapte a su boca. Algunos son desechables, otros tienen un cabezal que se debe cambiar o rellenar.

- Palillos eléctricos con hilo dental. Si usted es como la mayoría de las personas que se cepillan los dientes regularmente pero que no usan el hilo dental, opte por estos palillos eléctricos en lugar de comprar un cepillo de

La goma de mascar de canela es una buena manera de acabar con las bacterias que causan el mal aliento. El aldehído cinámico es un compuesto natural de la corteza del árbol de la canela que se utiliza para dar sabor a las gomas de mascar, los dulces y otros alimentos. Los investigadores han comprobado que puede matar hasta el 40 por ciento de las bacterias que producen el mal olor en la boca. Elija una goma de mascar de canela sin azúcar, como *Dentyne Fire*, para refrescar el aliento sin calorías adicionales.

dientes eléctrico. Las investigaciones han demostrado que con ellos se logra el mismo resultado que con el uso manual del hilo dental.

- Irrigadores dentales. Éstos disparan un chorro de agua, constante o pulsante, directamente a los espacios entre los dientes. En un estudio de un mes de duración se comprobó que el uso de estos dispositivos de irrigación bucal lograba eliminar la placa y reducir el sangrado de las encías tan bien como el uso de hilo dental. Ésta tal vez sea la opción más costosa, pero hay menos piezas para cambiar.

## Vínculo sorprendente supone un doble problema

Existe una peligrosa conexión entre la diabetes y la enfermedad periodontal (EP). Cualquiera de las dos afecciones lo pone en riesgo de desarrollar la otra.

La diabetes aumenta la probabilidad de prácticamente cualquier infección, incluida la infección del tipo que puede llevar a la enfermedad de las encías. De hecho, la EP es tan común en las personas con diabetes que se considera una complicación normal.

A su vez, las personas que sufren de EP tienen una infección inflamatoria, por lo que la diabetes es una amenaza real para ellos. En un estudio se observó que más del 90 por ciento de las personas con EP cumplían con los criterios para el diagnóstico establecidos por la Asociación Estadounidense de Diabetes.

Protéjase en ambos frentes. Combata la enfermedad de las encías haciendo uso de todas las tácticas presentadas en este capítulo y lea acerca de las formas de controlar su nivel de azúcar en la sangre en el capítulo *Diabetes*.

> La enfermedad de las encías no sólo es perjudicial para la salud física, también afecta la salud emocional. Las personas a las que les falta uno o más dientes o que tienen llagas en la boca, a menudo dejan de sonreír y de interactuar socialmente.

# Pérdida de la audición

tiene problemas para hablar por teléfono
* le cuesta entender lo que se dice
* constantemente sube el volumen de la televisión
* le es difícil escuchar en ambientes ruidosos

Escuche bien. Cuide sus oídos desde ahora y evite convertirse en uno de los 36 millones de adultos en Estados Unidos que sufren algún grado de pérdida auditiva.

La audición es un proceso puramente mecánico —es decir, se produce sin la intervención de reacciones químicas— y es un mecanismo asombroso y sofisticado. El oído es un órgano muy sensible, formado por pequeños huesos delicados, pelos diminutos y nervios. Las ondas sonoras se desplazan a través del conducto auditivo y hacen vibrar el tímpano. Las vibraciones viajan a través de los huesecillos del oído medio hasta llegar al nervio auditivo en el oído interno. Aquí las vibraciones se convierten en impulsos nerviosos que son enviados al cerebro donde se interpretan como sonido.

> Menos de un tercio de los adultos menores de 70 años se han hecho un examen de audición en los últimos cinco años. Si se ignora, la pérdida de audición puede empeorar.

Entonces, ¿qué sucede exactamente cuando se pierde la audición? Eso depende del tipo de pérdida auditiva que se presente:

* Permanente. La pérdida auditiva neurosensorial significa que se ha producido un daño irreversible en el oído interno o en el nervio auditivo. Los efectos secundarios de los fármacos, el traumatismo craneal y la exposición a ruidos fuertes son algunas de las muchas causas potenciales. Sin embargo, en algunos casos los médicos no pueden determinar la causa con exactitud.

- Temporal. La pérdida de audición conductiva se produce cuando las ondas sonoras no pueden llegar al oído interno debido a la presencia de un fluido en el oído, la perforación del tímpano o el exceso de cerumen, entre otras causas. Por lo general un médico puede revertir este tipo de pérdida auditiva.

- Gradual. La presbiacusia es la pérdida progresiva de la audición que muchas personas sufren a medida que envejecen. Son muchas las causas e incluyen los cambios en el oído interno, los ruidos fuertes, las lesiones en la cabeza, ciertas enfermedades y los problemas de circulación. Por lo general afecta a ambos oídos por igual y es tan gradual que muchos ni se dan cuenta que tienen un problema. Dependiendo de la causa, esta pérdida puede ser temporal o permanente.

**Proteja sus oídos.** La pérdida de la audición es mucho más que una molestia menor, ya que puede afectar su bienestar físico y emocional.

- Memoria. La pérdida de audición puede afectar la memoria y la capacidad intelectual de forma sutil. Recordar nueva información ocupa buena parte de los recursos del cerebro. Si utilizamos esos recursos para recoger e interpretar sonidos, serán menos los recursos dedicados a la memoria. Un estudio hecho con adultos mayores constató que las personas con pérdida de audición leve o moderada tenían más problemas para recordar palabras leídas de una lista que las que tenían audición normal.

- Equilibrio. Un estudio reciente con más de 400 mujeres encontró que las mujeres con pérdida auditiva tenían dos veces más problemas para caminar que las que no tenían problemas de audición. El cuidado de los oídos puede mejorar el equilibrio y reducir el riesgo de sufrir una caída seria.

- Derrame cerebral. El riesgo de sufrir un derrame cerebral es más de 1.5 veces mayor si se ha experimentado una pérdida repentina de la audición. Consulte a su médico de inmediato.

- Seguridad. Cuando sólo escucha voces y sonidos apagados y sin nitidez, es posible que no logre entender claramente lo que le dice su médico o escuchar una alarma o advertencia.

- Socialización. Es incómodo y frustrante no poder participar fluidamente en las conversaciones. Usted empieza a sentirse aislado y deprimido. Los demás creen que usted se encuentra en un estado de confusión o que se ha vuelto una persona poco cooperativa, cuando el único problema es que usted simplemente no escucha bien.

> Un otorrinolaringólogo se especializa en enfermedades de la cabeza y el cuello, sobre todo en los problemas de oído, nariz y garganta.
>
> Un audiólogo detecta y mide la pérdida de audición. No puede recetar medicamentos ni realizar cirugías, pero sí puede ayudarle a elegir un audífono o auxiliar auditivo.

**No haga oídos sordos a los problemas de audición.** Preste atención a la forma como interactúa con los demás últimamente. Observe la frecuencia con la que le deben repetir las preguntas, cuántas veces sube el volumen y las veces que no ha logrado entender información de vital importancia. No ignore las señales de advertencia que pueda estar recibiendo de amigos y seres queridos. Este tipo de pérdida auditiva progresiva es algo que usted debe tratar con su médico durante su próxima visita.

Si una mañana usted se despierta con un oído tapado, no entre en pánico. Podría ser algo tan sencillo como un catarro o un exceso de cerumen. Haga estas pruebas sencillas para determinar cuál es su problema:

- Tararee una canción. Si la escucha más fuerte en el oído bloqueado, usted probablemente está sufriendo una pérdida de audición conductiva, que es temporal y generalmente reversible. Relájese, espere unos días y vea si su audición mejora. Si escucha el canturreo sólo con el otro oído, eso podría significar un daño en el oído interno. Llame a su médico.

- Hable por teléfono cambiando el auricular de una oreja a la otra. Determine si la pérdida auditiva es la misma en los dos lados o no. ¿El sonido está apagado o totalmente ausente? Hable con su médico acerca de lo que descubra.

Dependiendo del tipo y de la gravedad de la pérdida auditiva, el médico puede recetarle un medicamento, como los corticosteroides orales, un audífono o un auxiliar auditivo, una cirugía o una terapia especial. Estos tipos de asistencia son ayudas que le pueden permitir escuchar con más claridad. No se resista a ellas.

Hay muchas medidas fáciles que usted puede tomar ahora mismo para mantener sus oídos en condiciones óptimas.

## Cinco tácticas para combatir la pérdida de audición

**Controle el uso de analgésicos.** El uso regular de paracetamol cuando se tiene menos de 50 años de edad suele provocar la pérdida de la audición. En una investigación de seguimiento a casi 27,000 hombres durante más de 20 años se encontró que aquéllos que tomaban medicamentos de venta libre para aliviar el dolor más de dos veces a la semana presentaban cambios dentro del oído que afectaban su capacidad para escuchar.

| Analgésico tomado más de dos veces por semana | Riesgo mayor de sufrir pérdida de audición | | |
|---|---|---|---|
| | Menores de 50 años | Entre 50 y 59 años | Mayores de 60 años |
| Aspirina | 33% | 33% | 2% |
| Otros AINE, como el ibuprofeno y el naproxeno | 61% | 32% | 16% |
| Paracetamol (acetaminofeno) | 99% | 38% | 16% |

Lamentablemente éstos no son los únicos medicamentos que pueden dañar los oídos. Según la Asociación del Habla, Lenguaje y Audición de Estados Unidos, hay cerca de 200 medicamentos con o sin receta médica que podrían causar pérdida auditiva temporal o permanente:

- Se sabe que todos los antibióticos aminoglucósidos causan la pérdida permanente de la audición. Algunos nombres que usted tal vez conozca son la estreptomicina, la neomicina y la gentamicina.

- La vancomicina es otro antibiótico que se ha venido recetando con mayor frecuencia en los últimos 20 años —y en dosis cada vez más altas— contra una bacteria particularmente dañina: el *Staphylococcus aureus* resistente a la meticilina (SARM). La vancomicina puede causar pérdida de la audición, especialmente en personas mayores de 52 años de edad.

- Los diuréticos de asa para la presión arterial alta pueden provocar la pérdida de audición y el zumbido en los oídos. Estos efectos secundarios desaparecen cuando se deja de tomar el medicamento.

- La terapia de reemplazo hormonal (TRH) más comúnmente recetada es una combinación de estrógeno y progestina, que es una forma sintética de la hormona progesterona. Durante años, los científicos creían que el estrógeno ayudaba a las células nerviosas y protegía la audición de las mujeres. En un estudio realizado con 124 mujeres posmenopáusicas se sorprendieron al constatar que el estrógeno no brindaba dicha protección. De hecho, las mujeres que tomaban progestina experimentaron una pérdida auditiva entre 10 y 30 por ciento mayor que las mujeres que tomaban el estrógeno solo o que no se habían sometido a una TRH. Se está estudiando si esta pérdida auditiva es reversible o no.

Infórmese acerca de los posibles efectos secundarios de cualquier fármaco que piense tomar. Nunca deje de tomar un medicamento recetado sólo porque crea que podría estar afectando su audición. Hable primero con su médico.

**Tenga cuidado con los ruidos.** El oído interno contiene pequeñas células ciliadas que convierten las vibraciones sonoras en señales eléctricas. Estas señales viajan al cerebro donde se interpretan como sonidos. Usted sólo tiene un número determinado de células ciliadas: cuando una se daña o muere, no crecerá una nueva en su lugar.

Llegará el día en que los científicos descubran cómo generar nuevas células ciliadas. Hasta que llegue ese día, es muy importante que usted proteja las que ya tiene.

Una de las principales causas de daño de las células ciliadas es la exposición a ruidos perjudiciales: un ruido repentino y fuerte o ruidos continuos y por encima de cierto nivel. Según los Institutos Nacionales de la Salud (NIH), 26 millones de estadounidenses entre 20 y 69 años tienen pérdida auditiva permanente debido a la exposición a ruidos fuertes. La buena noticia es que la pérdida auditiva inducida por ruido es cien por ciento prevenible.

Los audífonos para la sordera se pueden comprar en Internet por unos $10, con baterías incluidas. Pero, ¿es recomendable hacerlo? Recuerde, nadie evaluará su capacidad auditiva, nadie adaptará los audífonos a sus necesidades y nadie controlará los ajustes para evitar daños potenciales.

- Sepa cuándo un sonido es demasiado fuerte. Cualquier ruido por encima de los 85 decibeles puede dañar el oído interno. Esto incluye el ruido de las motocicletas, las cortadoras de césped a gas, los sopladores de nieve y los petardos.

- Proteja sus oídos. Utilice tapones para los oídos o auriculares protectores cuando realice actividades con ruidos elevados.

- Controle el volumen. Ajuste la configuración de su reproductor de música personal a un nivel más bajo. Procure hablar a un nivel de conversación normal mientras tenga puestos los auriculares y esté escuchando música. Si usted no puede escucharse de manera clara, entonces el volumen está demasiado alto.

- Utilice audífonos intrauriculares. Le permiten mantener el volumen bajo incluso en ambientes ruidosos.

- Limite el uso del celular. Una sensación poco común de calor o llenura en la oreja que normalmente utiliza con su teléfono celular, puede ser una señal de advertencia. Un pequeño estudio encontró que las personas que durante más de cuatro años habían hablado en sus teléfonos celulares más de una hora al día eran más propensas a sufrir una pérdida auditiva de alta frecuencia.

**Elimine el tapón de cerumen.** El cerumen o cera del oído cumple una función importante: impide que el polvo y la suciedad ingresen al canal auditivo. El exceso de cerumen, sin embargo, impide que las ondas sonoras lleguen al oído interno. Un médico puede examinarle, determinar si usted necesita una limpieza profunda de oído y darle consejos para mantener el cerumen bajo control.

**Evite las infecciones de oído.** Estas infecciones son comunes en los niños, pero también ocurren en los adultos cuando contraen una infección en las vías respiratorias superiores que acaba afectando el oído. Debido a la infección e inflamación se puede padecer una sordera temporal, pero si ésta se prolonga demasiado, el daño puede ser permanente. Prevenga estas infecciones lavándose las manos con frecuencia, vacunándose contra la gripe todos los años y viendo a su médico antes que un dolor de oído se convierta en algo más serio.

**Inicie el día con un suplemento.** Proteja su cuerpo de los peligros de este mundo ruidoso con los siguientes suplementos:

- Folato. Un estudio reciente mostró que los hombres mayores de 60 años con un consumo alto de folato proveniente de los alimentos y suplementos eran 20 por ciento menos propensos a sufrir pérdida de la audición. Las propiedades antioxidantes del folato pueden proteger los delicados mecanismos internos del oído. Estudios anteriores indican que los suplementos de ácido fólico brindan una mayor protección contra la pérdida auditiva de baja frecuencia.

- Ácido alfa-lipoico (ALA, en inglés) y coenzima Q10 (CoQ10). En forma individual, estos dos suplementos son claves para la salud. El ALA ayuda a convertir el azúcar en energía y actúa como un antioxidante al neutralizar los dañinos radicales libres. La CoQ10 también transforma el azúcar y asimismo la grasa en energía y es necesaria para mantener el normal funcionamiento de las células. Lo nuevo y asombroso es que ambos protegen contra la muerte celular y el daño celular detrás de la pérdida auditiva asociada a la edad.

- Cóctel antioxidante. Un suplemento combinado que contiene magnesio, betacaroteno (que el cuerpo convierte en vitamina A) y las vitaminas C y E, puede prevenir el daño auditivo ya sea temporal o permanente relacionado con el ruido, siempre y cuando se tome antes de la exposición a ruidos fuertes. Varios estudios han hecho pruebas con esta mezcla de nutrientes tomada entre un mes y una sola hora antes de la exposición a ruidos fuertes. En todos los casos, los componentes por sí solos no funcionaron, pero la combinación sí redujo la pérdida auditiva y la muerte celular. Este cuadro indica los niveles máximos seguros de cada nutriente que un adulto puede consumir según la Administración de Alimentos y Fármacos de Estados Unidos.

| Nivel de consumo máximo tolerable | |
|---|---|
| Vitamina A | 3,000 microgramos |
| Vitamina E | 1,000 miligramos (mg) |
| Vitamina C | 2,000 mg |
| Magnesio | 350 mg |

## Tres amenazas sorprendentes para la audición

La vida puede no parecer ruidosa y, sin embargo, sus oídos pueden estar en riesgo de maneras inesperadas.

- Un día tranquilo en un campo de golf podría causar problemas de audición. Los palos de golf de titanio de última generación son ligeros, pero producen una ráfaga de sonido que puede alcanzar los 120 decibeles. Lleve siempre tapones para los oídos.

- Ir por la carretera en un auto convertible con la capota abajo parece un sueño, hasta que se mide el silbido del viento y el ruido del tráfico. Los expertos recomiendan subir las ventanas para mitigar el daño.

- El ruido del metro de Nueva York está consistentemente por encima del nivel seguro, según los estudios de salud pública. Los pasajeros que esperan en las plataformas corren el mayor riesgo. Cuando escuche música en el metro, utilice audífonos intrauriculares y baje el volumen.

# Lo último en tecnología auditiva

**Audífonos para la sordera habilitados para Bluetooth.** Funcionan como un auxiliar auditivo, más un dispositivo de manos libres, que le da acceso a teléfonos celulares, computadoras y otros aparatos electrónicos que utilizan la tecnología inalámbrica. Hay adaptadores que le permiten conectarse a televisores o reproductores de música personales, así como actualizar un audífono para la sordera que usted ya tenga y que no esté equipado con un receptor Bluetooth.

**Sistema auditivo implantable.** Se trata de un dispositivo de alrededor de una pulgada y media de contorno y un cuarto de pulgada de espesor, que se inserta quirúrgicamente en el cráneo detrás de la oreja. Una vez que el dispositivo es activado, mejora la pérdida auditiva moderada y grave causada por daño a las células nerviosas. Este sistema distingue entre diferentes tipos de sonido y filtra el ruido de fondo. La batería, del tipo de la del marcapasos, puede durar hasta nueve años. El dispositivo *Envoy Esteem* cuesta alrededor de $30,000 y está aprobado por la FDA. Para obtener más información en inglés vaya a *www.envoymedical.com*.

**Software de reconocimiento de voz.** Un programa llamado *ClearCall* y desarrollado para los audífonos digitales y los implantes cocleares mejora el reconocimiento de voz en hasta un 50 por ciento, según las investigaciones.

**Auxiliares auditivos invisibles.** *Lyric* es un dispositivo revolucionario que se coloca dentro del canal auditivo y que utiliza el oído externo para llevar los sonidos directamente al oído interno. La inserción se produce sin cirugía y se puede usar durante varios meses consecutivos. Cuando se agota la batería, el médico extrae el dispositivo con un imán e inserta

La FDA recomienda evitar las velas de oído. Se dice que estas velas eliminan las impurezas del canal auditivo y alivian la sinusitis, el dolor de oídos, los dolores de cabeza, la pérdida auditiva e incluso el cáncer. Lo cierto es que sólo presentan riesgo de quemaduras y de tímpanos perforados.

uno nuevo. Se vende por suscripción. Obtenga más información en el sitio web de la compañía (en inglés) en *www.phonak.com*.

## Tratamientos no convencionales para el acúfeno

Puede que aún no haya una cura para el acúfeno o zumbido en los oídos (*tinnitus*), pero ciertamente hay medidas que usted puede tomar para aliviar los síntomas y mejorar su calidad de vida. El zumbido en los oídos es provocado generalmente por la exposición a ruidos perjudiciales y afecta a unos 50 millones de estadounidenses. Hable con su médico acerca de estas opciones de tratamiento.

**Terapia musical.** En Alemania, un grupo de investigadores eliminaron de la música favorita de los pacientes con acúfeno únicamente aquellas notas que correspondían a la frecuencia del zumbido en sus oídos. Después de escuchar esta música modificada durante un año, los pacientes dijeron que el zumbido era menor.

**Estimulación magnética transcraneal repetitiva.** El acúfeno puede ser causado por algo que marcha mal en el sistema nervioso central. Este tratamiento utiliza una bobina de estimulación para generar un campo magnético alrededor del cerebro, lo que a su vez genera una corriente eléctrica que afecta las neuronas hiperestimuladas. En una investigación reciente, bastaron cinco días de tratamiento para mejorar significativamente los síntomas del acúfeno hasta por seis meses.

**Acupuntura.** En un estudio realizado por la Universidad Federal de Sao Paulo se mostró que una sesión de acupuntura bajó el volumen del zumbido en los oídos para un grupo de personas con acúfeno de entre 36 y 76 años de edad.

**Tratamiento para el trastorno temporomandibular (TTM).** A veces dos enfermedades están relacionadas entre sí. Las personas con TTM tienen problemas con la mandíbula, la articulación mandibular y los músculos faciales que rodean la articulación. Cuando un grupo de personas recibieron tratamiento para el TTM, el 83 por ciento reportó que el zumbido en sus oídos también había mejorado bastante.

**Auxiliares auditivos.** No desestime este remedio de larga tradición. Una encuesta reciente encontró que seis de cada 10 personas que sufren de zumbido en los oídos experimentaron alivio, de leve a intenso, después de usar audífonos o auxiliares auditivos.

# Presión arterial alta

a menudo se presenta sin síntomas • mini derrame o AIT • problemas cardíacos • enfermedad renal • demencia • problemas de la visión • derrame cerebral

Una de las mayores amenazas para el cerebro es la presión arterial alta. Este mal que es prevenible y tratable, afecta a unos 65 millones de estadounidenses y los hace 600 veces más propensos a desarrollar demencia.

La presión arterial se refiere a la presión que ejerce la sangre contra la pared de las arterias. Una lectura de la presión arterial tiene dos valores: la presión arterial sistólica, el número superior, mide esta presión cuando el corazón late. La presión arterial diastólica, el número inferior, mide la presión entre los latidos.

Lo que resulta preocupante de la presión arterial es que usted puede tenerla alta sin saberlo. Esto se debe a que a menudo no presenta síntoma alguno. Al menos no hasta que ocurra un ataque isquémico transitorio (AIT) o mini derrame cerebral, o hasta que empiece a tener problemas de corazón, de riñón o de la visión. Es por eso que es importante medirse la presión arterial con regularidad.

La presión arterial alta puede afectar el cerebro de varias maneras. Es el principal factor de riesgo de los derrames o ataques cerebrales. En un derrame cerebral se produce ya sea una obstrucción o una ruptura en un vaso sanguíneo en el cerebro, lo que interrumpe el flujo de sangre hacia una parte del cerebro.

Numerosos estudios han vinculado la presión arterial alta con el deterioro mental y los problemas de memoria. Debido a que la presión arterial alta restringe el suministro de oxígeno al cerebro, también contribuye a la demencia.

Otra posible explicación es que la presión arterial alta puede dañar los pequeños vasos sanguíneos que nutren la materia blanca del cerebro, la red de fibras nerviosas que permite a las células del cerebro comunicarse entre sí. Esto provocaría las cicatrices o lesiones de la materia blanca asociadas a la enfermedad de Alzheimer y otras formas de demencia. Cuanto mayor es la presión arterial y cuanto más tiempo pase sin controlarse, mayores son los daños en la materia blanca.

Para controlar la presión arterial alta puede que se necesite tomar un medicamento (o una combinación de medicamentos). Pero los cambios de estilo de vida también ayudan a mantener la presión arterial bajo control y el cerebro saludable para toda la vida.

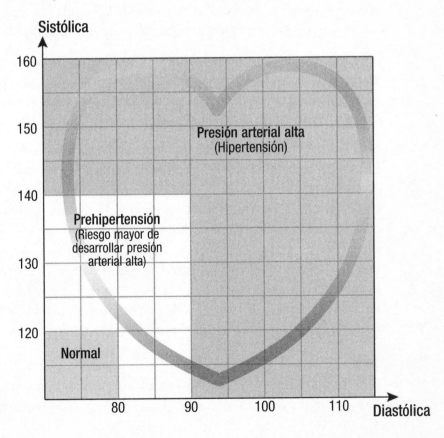

# Cuatro tácticas para controlar la presión arterial alta

**Haga pequeños cambios en su dieta.** Cambie su manera de comer y cambiarán para mejor los valores de su presión arterial. Éstas son tres medidas sencillas para lograrlo:

- Menos sodio. Reducir su consumo de sodio a menos de 2,300 miligramos al día es una primera medida de gran ayuda. El sodio hace que el cuerpo retenga agua, aumentando el volumen de la sangre. También constriñe las arterias pequeñas, lo que dificulta el flujo sanguíneo. Estos dos hechos pueden provocar un aumento de la presión arterial. Para empeorar las cosas, una dieta con alto contenido de sal puede hacer que los medicamentos para bajar la presión arterial sean menos efectivos. Guarde el salero y lea las etiquetas de los alimentos atentamente para buscar opciones con bajo contenido de sodio. Tenga cuidado con los alimentos procesados, como las carnes frías, los alimentos enlatados, las comidas congeladas, los aderezos para ensaladas, las meriendas y las comidas rápidas.

- Más potasio. Este mineral ayuda a bajar la presión arterial y mitiga los efectos nocivos del sodio. Los expertos recomiendan al menos 4.7 gramos de potasio al día. Buenas fuentes son las frutas y verduras frescas, las legumbres y los productos lácteos.

- Siga la dieta DASH para reducir la hipertensión arterial. DASH es la sigla en inglés de *Dietary Approaches to Stop Hypertension*. Es un plan de alimentación que hace hincapié en las frutas, las verduras y los productos lácteos sin grasa o bajos en grasa. También incluye granos enteros, pescado, aves y frutos secos, y, en menor medida, carnes rojas magras, dulces y bebidas azucaradas. Estudios realizados por el gobierno muestran que esta dieta es una forma efectiva de reducir la presión arterial. Obtenga más información en *www.dashdiet.org* (en inglés) y en sitios web del gobierno.

**Baje de peso.** El cuerpo de las personas con sobrepeso o que son obesas necesita más sangre, y este volumen mayor de sangre significa más presión sobre las paredes arteriales. Una investigación reciente encontró que aproximadamente por cada dos libras de peso que se pierden, la presión arterial cae un punto. Aléjese de las dietas de moda y los trucos para bajar de peso. La forma más efectiva y segura de adelgazar es reducir las calorías y, a la vez, aumentar la actividad física.

**Manténgase activo.** El ejercicio regular ayuda a bajar de peso y también a bajar la presión arterial. Llevar una vida sedentaria, por el contrario, hace que las arterias pierdan su elasticidad y capacidad para dilatarse. No es necesario correr un triatlón para obtener los beneficios del ejercicio. Actividades físicas tan sencillas como caminar, subir las escaleras o hacer *tai chi* pueden ser suficientes para bajar los valores de su presión arterial. Una revisión de más de 50 estudios concluyó que la actividad física regular moderada reduce la presión arterial en un promedio de 4 mm Hg (diastólica) y 3 mm Hg (sistólica). Trate de hacer 30 minutos de ejercicio cada día.

El tiempo lo es todo. Si el bloqueador de los canales de calcio llamado nifedipina le provoca efectos secundarios como inflamación en las piernas, dolores de cabeza o sarpullido, es posible que no tenga que dejar de tomarlo, sino que sencillamente deba cambiar el momento del día en que lo toma. Un estudio reciente encontró que tomar nifedipina antes de acostarse —en lugar de hacerlo por las mañanas— reduce los efectos secundarios. Mencione esto a su médico si experimenta efectos secundarios al tomar este medicamento.

**Reduzca el estrés.** Cuando una persona está bajo estrés, su cuerpo libera hormonas que elevan la presión arterial y aceleran su ritmo cardíaco. El estrés crónico afecta las arterias y provoca que se contraigan, se vuelvan rígidas y pierdan su flexibilidad normal. Aprender a lidiar con el estrés favorece tanto al corazón como al cerebro.

Entre los calmantes efectivos del estrés están el ejercicio, las técnicas de relajación y escuchar música. Aligerar la carga de trabajo o la agenda personal también puede ayudar. Trabajar arduamente a pesar de sentir cansancio puede elevar la presión arterial.

# Supere estos hábitos y controle su presión arterial

Ya sabe lo que debe hacer para mantener su presión arterial bajo control. Estos seis "NO" le recordarán lo que no debe hacer si además desea mantener su cerebro en la mejor forma:

- NO fume. Los cigarrillos contienen sustancias químicas que contraen los vasos sanguíneos y aumentan la presión arterial. Si usted es fumador, deje ese hábito peligroso.

- NO beba demasiado. Limite su consumo de alcohol a una o dos copas al día. Beber más puede elevar la presión arterial.

- NO permanezca enojado. La ira constriñe los vasos sanguíneos y reduce el flujo de sangre. La risa, sin embargo, tiene el efecto contrario. Tener una actitud positiva puede ayudar a mantener la presión arterial bajo control.

- NO se aísle. La soledad puede aumentar el riesgo de sufrir presión arterial alta. Manténgase en contacto con amigos, familiares o grupos de la comunidad.

- NO consuma bebidas energizantes. Estas bebidas tal vez le den una gran dosis de energía, pero también le darán una gran dosis de cafeína, que podría elevar su presión arterial.

- NO ceda a los antojos de dulce. Un estudio reciente encontró que el consumo elevado de fructosa, que se encuentra en los refrescos, los productos horneados y los dulces, puede elevar la presión arterial.

Una noticia amarga para los amantes de la toronja: el jugo de toronja interactúa con algunos fármacos para la presión arterial, como los bloqueadores de los canales de calcio. Una sustancia en el jugo de toronja bloquea la capacidad del hígado para descomponer estos fármacos, que así permanecen en niveles peligrosamente altos en el torrente sanguíneo. Pregúntele a su médico o farmacéutico acerca de otras posibles interacciones entre alimentos y fármacos.

# Colesterol alto

colesterol total por encima de 240 • colesterol LDL por encima de 160 • colesterol HDL por debajo de 40 • triglicéridos por encima de 200

La sola mención de colesterol alto puede hacer que una persona mayor se ponga a llorar. Es la sentencia de muerte para los antojos de papas fritas y pastelillos dulces. ¿Ha llegado usted a desear que tan sólo una vez alguien le diga algo bueno sobre el colesterol? Eso es lo que haremos a continuación.

El colesterol es parte natural de un cuerpo sano. Aunque usted obtiene algo de colesterol de los alimentos, lo cierto es que su propio organismo produce alrededor del 75 por ciento del colesterol que circula en la sangre. Y no todo es malo. El colesterol se utiliza, entre otras cosas, para producir las membranas celulares y ciertas hormonas. También es la materia prima para la bilis, tan importante para una digestión saludable. Entonces, ¿por qué tiene el colesterol tan mala reputación?

El colesterol no se disuelve en la sangre, por lo que debe ser transportado hacia y desde las células por portadores llamados lipoproteínas. Estos portadores son de dos tipos: las lipoproteínas de alta densidad o HDL por su sigla en inglés, que se consideran "buenas" porque se encargan de transportar el colesterol desde las células hacia el hígado, donde es eliminado, y las lipoproteínas de baja densidad o LDL por su sigla en inglés, consideradas "malas", porque llevan el colesterol hacia

Consumir alimentos con alto contenido de grasas saturadas, grasas trans y colesterol puede aumentar sus niveles de colesterol. Eso no es todo. Algunas personas heredan genes que hacen que su organismo produzca colesterol en exceso. Si usted tiene antecedentes familiares de colesterol alto, cambiar su estilo de vida puede no ser suficiente para controlar su colesterol.

los tejidos del cuerpo. El exceso de LDL en la sangre se acumula gradualmente en las paredes internas de las arterias que suministran sangre al corazón y al cerebro. Las LDL contribuyen a la formación de placa, unos depósitos gruesos y duros que obstruyen las arterias y las hacen menos flexibles. Esto se conoce como aterosclerosis y significa que el corazón tiene que trabajar más para bombear la sangre a través de estas arterias rígidas y estrechas; que menos sangre rica en nutrientes y oxígeno podrá circular a través de este atasco; y que si se forma un coágulo que bloquee el flujo por completo, se puede sufrir un ataque cardíaco o un accidente cerebrovascular (ACV).

Éstas son malas noticias para el cerebro. Primero, porque cuando las células del cerebro mueren debido a la falta de oxígeno o a un ACV causado por un coágulo de sangre, se puede desarrollar demencia vascular. La demencia vascular es la segunda forma más común de demencia después del alzhéimer. Segundo, porque según una nueva y sorprendente investigación, los ACV pueden hacer que el cerebro produzca proteínas beta-amiloide, que son un componente clave de la placa que se encuentra en el cerebro de las personas con alzhéimer.

Un estudio realizado con casi 10,000 personas mostró que quienes tenían el colesterol alto después de cumplir los 40 años (es decir,

| | Colesterol total | Colesterol LDL (malo) | Colesterol HDL (bueno) |
|---|---|---|---|
| Nivel peligroso | >240 | >160 | <40 |
| Nivel límite | 200-239 | 100-160 | |
| Nivel saludable | <200 | <100 | >60 |

un valor de más de 240 mg/dl), presentaban un riesgo 66 por ciento mayor de desarrollar alzhéimer más adelante. Lo más preocupante fue comprobar que aun si sus niveles de colesterol se encontraban en el límite superior normal, su riesgo era 52 por ciento mayor. Lo que se busca, obviamente, es tener más colesterol HDL y menos colesterol LDL para disminuir así el riesgo de sufrir un ACV.

## Seis tácticas para combatir el colesterol alto

**Fíjese en la fibra soluble.** Incluya porciones adicionales de fruta, frijoles y granos de cereales en su dieta. La fibra soluble de estos alimentos se disuelve en el intestino, formando un gel que limita la absorción del colesterol y de las grasas en el torrente sanguíneo. Apenas 3 gramos de fibra soluble al día pueden reducir sus valores de LDL. Sin embargo, un consumo de 10 gramos al día podría provocar una caída del 5 por ciento en el colesterol LDL.

**Diga NO a las grasas malas.** Estos tres villanos que se ocultan en ciertos alimentos comunes harán que sus niveles de LDL aumenten:

- Grasas saturadas. Se encuentran principalmente en los productos de origen animal, como las carnes y los lácteos.

- Grasas trans. Van de la mano con las grasas y los aceites hidrogenados. Se encuentran en muchos productos horneados, en las comidas rápidas y en la margarina en barra.

- Colesterol dietético. No tiene que renunciar a todos los alimentos que contengan colesterol, simplemente no consuma más de 300 miligramos al día. Preste atención a la yema de huevo, a los camarones y a los productos con leche entera, como el queso, la crema y la mantequilla.

**Favorezca las grasas fabulosas.** Las grasas insaturadas son por lo general más saludables que las grasas saturadas. El aceite de oliva y el aceite de *canola* son buenos ejemplos de grasas monoinsaturadas y entre las grasas poliinsaturadas están el aceite de cártamo, el aceite de maíz y el pescado que contiene ácidos grasos omega-3. Sin embargo, las grasas saludables también tienen un alto contenido calórico. Consúmalas con moderación.

**Ármese con antioxidantes.** Ciertos compuestos naturales en los alimentos inhiben la oxidación de las lipoproteínas de baja densidad (LDL) por efecto de los radicales libres. Esto frena la capacidad de las LDL para adherirse a las paredes de las arterias y formar placa. Son sobre todo los flavonoides, que se encuentran en una variedad de frutas y verduras, en el té negro, los frutos secos y las semillas, los que actúan como antioxidantes.

**Póngale ritmo a su corazón.** Según los expertos, elegir los alimentos adecuados sólo ayuda si usted además hace algún tipo de actividad aeróbica regular que aumente su ritmo cardíaco. Así no sólo elevará sus niveles de colesterol "bueno" HDL, sino que también bajará de peso. Ésta es además la manera más efectiva de reducir el nivel de triglicéridos, que es la forma que suele tomar la grasa almacenada en el cuerpo.

El licopeno es un ejemplo perfecto de un antioxidante que obstaculiza la formación del peligroso colesterol que obstruye las arterias. Beber sólo dos vasos diarios de jugo de tomate rico en licopeno aumenta la resistencia a la oxidación de las LDL.

El famoso "Estudio de las Monjas", financiado por el Instituto Nacional sobre el Envejecimiento, se centró en 678 monjas muy activas de la congregación religiosa de las Hermanas de Notre Dame, muchas de las cuales llegaron a vivir más de 100 años. Los científicos descubrieron que el licopeno contribuyó a que pudieran mantener una vida activa e independiente.

**Mejore sus niveles de colesterol con alimentos mejorados.** Los alimentos que contienen fitoesteroles, también llamados esteroles o estanoles vegetales, pueden ayudar a reducir los niveles de colesterol de forma natural. Los fitoesteroles o esteroles vegetales se encuentran en las frutas, las verduras, la soya, los panes y los cacahuates. También son agregados a ciertos alimentos como la margarina, la mayonesa, los aderezos para ensaladas, los productos lácteos bajos en grasa, el jugo de naranja, el chocolate y la carne.

Si los fitoesteroles son esencialmente colesterol vegetal, ¿cómo pueden ayudar a reducir el colesterol? Esto se debe a que los fitoesteroles interfieren con la capacidad del cuerpo para producir y absorber las LDL. Una importante revisión de numerosos estudios encontró que es posible reducir el nivel de colesterol LDL en alrededor del 9 por ciento si se cumple con la recomendación de consumir la cantidad de 2 gramos (o 2,000 miligramos) de fitoesteroles al día.

Antes de empezar a untar margarina en el pan e incluir otros alimentos mejorados en su dieta, fíjese en las calorías y en el precio de cada producto. Éstas son algunas opciones sabrosas y saludables.

| Contenido de fitoesteroles de ciertos alimentos | | |
|---|---|---|
| Alimento | Porción | Fitoesteroles (mg) |
| *Promise activ Light Spread* | 1 cucharada | 1,000 |
| Margarina para untar *Benecol* | 1 cucharada | 850 |
| Semillas de girasol | 1 onza (28 g) | 150 |
| Aceite de maíz | 1 cucharada | 131 |
| Aceite de sésamo | 1 cucharada | 117 |
| Cacahuates | 1 onza (28 g) | 62 |
| Pistachos | 1 onza (28 g) | 60 |
| Castañas de cajú | 1 onza (28 g) | 44 |
| Almendras | 1 onza (28 g) | 36 |
| Espárragos | 8 tallos medianos | 30 |
| Aceite de oliva | 1 cucharada | 30 |
| Margarina | 1 cucharadita | 12 |

## Otras armas para combatir la demencia

Las estatinas son una clase de fármacos para reducir el colesterol que también pueden ayudar a proteger el cerebro contra el alzhéimer y otras formas de demencia. De hecho, en un estudio de cinco años de duración se comprobó que las personas que tomaban estatinas tenían la mitad de probabilidades de desarrollar demencia comparadas con aquéllas que no lo hacían. Otras investigaciones mostraron resultados menos positivos, aunque algunos expertos creen que la diferencia estaría en el tipo de estatinas que se toma. Pregunte a su médico si las estatinas podrían ser beneficiosas para usted.

> Aun si usted es una persona delgada, controle sus niveles de colesterol periódicamente. Las personas que no suben de peso fácilmente suelen no prestar mucha atención a la cantidad de grasas saturadas y grasas trans que consumen.

# Hipotiroidismo

sensibilidad al frío • depresión • dolor muscular • fatiga • dolor en las articulaciones • piel reseca • uñas quebradizas • aumento de peso

Una pequeña glándula que parece insignificante produce una de las hormonas más importantes del cuerpo. Esta hormona es responsable de la forma como se utiliza la energía. También regula el calor del cuerpo y el buen funcionamiento del cerebro, el corazón y los músculos.

La glándula tiroides es parte del sistema endocrino y se encuentra en la parte frontal del cuello, justo debajo de la laringe. Una de las principales hormonas que produce es la tiroxina o T4, que llega a todas las células del cuerpo a través de la sangre.

Cuando no se obtiene suficiente tiroxina, muchos de los procesos corporales se hacen más lentos. El organismo produce menos calor y energía, la piel se reseca, las funciones cerebrales se vuelven más lentas y empiezan a aparecer los olvidos. La tiroides poco activa, que se conoce como hipotiroidismo, puede causar mayor lentitud en el pensamiento y el habla, depresión e incapacidad para prestar atención y concentrarse, lo que algunos llaman "lagunas mentales", entre otros síntomas mentales. Debido a que afectan la memoria, la percepción y el buen juicio, los expertos consideran que la hormona tiroidea es uno de los principales protagonistas en los trastornos de la neuroquímica cerebral. Si el hipotiroidismo no se trata, puede afectar seriamente las emociones y el comportamiento.

Aunque se puede tener hipotiroidismo a cualquier edad, cuanto mayor es la persona, mayor será el riesgo. Las mujeres mayores de 60 años presentan el mayor riesgo. Es muy común que el hipotiroidismo no se llegue a diagnosticar. Parte del problema es que sus síntomas son variados, pueden tomar años en desarrollarse y pueden parecer parte normal del proceso de envejecimiento.

Muchas personas asocian la tiroides con el yodo. Es cierto, la tiroides tiene que disponer de yodo para producir hormona tiroidea. Alimentos como el pollo, los mariscos y las carnes de res y de cerdo aportan abundante yodo. También se agrega yodo a los productos horneados, los productos lácteos y la sal yodada. Obtener demasiado yodo, sin embargo, puede causar hipotiroidismo o empeorarlo, así que lea las etiquetas de los alimentos con cuidado. La cantidad recomendada de yodo es de 150 microgramos (mcg) al día. La mayoría de las personas obtienen mucho más debido a una dieta alta en sal. Los expertos recomiendan no excederse de los 1,100 mcg de yodo al día.

Un examen físico de la tiroides no le dará un diagnóstico preciso. Solicite a su médico un análisis de sangre sencillo que mida la hormona estimulante de la tiroides (THS, en inglés).

## Cuatro tácticas para combatir el hipotiroidismo

**Restituya las hormonas faltantes.** No hay cura para el hipotiroidismo, pero se puede controlar mediante la restitución de las hormonas que la tiroides ya no produce. Salvo en casos graves, el paciente recibe tratamiento ambulatorio y una pastilla diaria durante el resto de su vida. La tiroxina sintética corresponde exactamente a la hormona T4 que su cuerpo produciría. La dosis se determina según la edad y el peso del paciente, las causas del hipotiroidismo, las afecciones subyacentes y los medicamentos que esté tomando.

> Más de 30 millones de personas en Estados Unidos padecen un trastorno tiroideo y 10 millones adicionales no han sido diagnosticadas.

**Aumente su consumo de antioxidantes.** Ridha Arem, médico y autor de *"La solución tiroidea"*, sostiene que ciertos antioxidantes son vitales para la salud de la tiroides pues ayudan a mantener un suministro adecuado de hormona tiroidea y pueden eliminar subproductos tóxicos del organismo. Cuando la tiroides está en desequilibrio, el cuerpo no cuenta con suficientes antioxidantes naturales. Sin ellos, los radicales libres se descontrolan y abruman a las células, lo que allana el camino para el deterioro y las enfermedades. El remedio es sencillo. Para mantener la tiroides sana y la mente clara se debe agregar a la dieta abundante vitamina C, vitamina E y betacaroteno. Buenas opciones para una dieta equilibrada son los cítricos, los pimientos rojos, las verduras de hoja verde, las frutas y verduras de color naranja profundo y los granos enteros.

**Cuide su corazón.** Las personas que tienen una tiroides poco activa, corren un riesgo mucho mayor de desarrollar una enfermedad cardiovascular. Protéjase siguiendo una dieta que sea saludable para el corazón y haga mucho ejercicio.

**Derrote la depresión.** Además de las "lagunas mentales" o las fallas de memoria típicas del hipotiroidismo, las personas que tienen una tiroides poco activa también pueden experimentar depresión y fatiga. Para volver a pensar con claridad y sentirse mejor, siga una dieta saludable, beba suficiente agua, haga ejercicio regularmente, mejore sus hábitos para dormir y manténgase en contacto con sus amigos y familiares.

## Una prueba sencilla para cuidar su corazón

Hágase revisar la tiroides. Esto es especialmente importante para las mujeres mayores de 40 años. Incluso sin síntomas de hipotiroidismo, su corazón podría estar en peligro. En un estudio realizado en Noruega con más de 25,000 personas se observó que la probabilidad de morir de una enfermedad cardíaca era 69 por ciento mayor en las mujeres con tiroides menos activas que en las mujeres con tiroides normal. En estudios anteriores se vio que la probabilidad de tener una obstrucción en la aorta era dos veces mayor en las mujeres con hipotiroidismo leve que en las mujeres sin este mal. También eran dos veces más propensas a tener un historial de ataques cardíacos. Una revisión de miles de casos de personas con una tiroides poco activa y sin síntomas mostró que el 65 por ciento tenían un riesgo mayor de sufrir un mal cardíaco. Nuevas pruebas sugieren que a medida que el funcionamiento de la tiroides se vuelve más lento, aumentan los niveles de presión arterial y de colesterol.

> Existe un vínculo significativo entre los niveles bajos de la hormona tiroidea y el paso de la demencia leve a la enfermedad de Alzheimer.

# Alimentos que combaten la inflamación

salmón • sardinas • nueces • aceite de *canola*
• aceite de oliva • frutas • verduras • granos integrales
• legumbres • *curry* en polvo • jengibre • ajo
• clavo de olor • chocolate oscuro

Por lo general, la inflamación es algo bueno. El enrojecimiento que se ve alrededor de una cortada o la hinchazón que se siente en los senos nasales significa que el sistema inmunitario está concentrado en combatir las bacterias o los virus. Este tipo de inflamación se llama "aguda" porque es severa, pero no dura mucho tiempo. Una vez que el peligro pasa, el cuerpo desactiva la respuesta de emergencia y vuelve a la normalidad. La inflamación aguda es necesaria para mantenerse saludable.

En la inflamación llamada "crónica", por otro lado, el sistema inmunitario no baja la guardia: se mantiene en pie de guerra produciendo glóbulos blancos destinados a luchar contra las infecciones, además de sustancias químicas que provocan aun más inflamaciones. Es un ciclo que puede durar meses, incluso años.

Las infecciones crónicas a menudo desencadenan procesos inflamatorios. Haga lo que pueda para eliminar de su vida estos agentes que causan infecciones:

- Estrés
- Obesidad
- Polución
- Virus
- Humo de cigarrillo

Puede que usted no experimente síntoma alguno al principio, pero no hay duda alguna sobre el daño que esta inflamación silenciosa e incesante puede causar. Para empezar, interfiere con ciertos procesos dentro del organismo y destruye tejidos. Con el tiempo, el daño aumenta el riesgo de desarrollar algunas enfermedades muy graves, como la diabetes, las enfermedades cardíacas, la enfermedad de Alzheimer, la artritis e, incluso, el cáncer.

Aunque los científicos no pueden determinar exactamente la causa de este mal funcionamiento del sistema inmunitario, la mayoría coincide en que se puede combatir con una dieta saludable, que incluya alimentos variados y una cantidad controlada de calorías.

**Acabe con la inflamación comiendo.** Ponga fin al ciclo destructivo de la inflamación disfrutando de estas sabrosas soluciones:

- El pescado de agua fría es una buena fuente de ácidos grasos omega-3, que limitan la producción de sustancias químicas inflamatorias en el cuerpo. Además, el cuerpo convierte un compuesto del aceite de pescado en resolvina D2, una sustancia que reduce la inflamación. Algunas buenas opciones son el salmón, las sardinas y la caballa, pero también se pueden obtener ácidos grasos omega-3 de las nueces y de los aceites vegetales, como los de *canola*, soya o linaza.

- Las frutas y verduras están repletas de antioxidantes y de otras sustancias químicas naturales que combaten los radicales libres concentrados en hacer daño en los lugares de inflamación. Sírvase porciones generosas y frecuentes.

- Los granos enteros y las legumbres brindan una saludable dosis de fibra soluble, el tipo de fibra que según un nuevo estudio realizado por la Universidad de Illinois puede transformar a las iracundas células proinflamatorias en células sanadoras y antiinflamatorias.

- Las hierbas y las especias, como el *curry* en polvo, el jengibre, el ajo y el clavo de olor, pueden reforzar una dieta antiinflamatoria. Agréguele algo de sabor a sus recetas para protegerse de una variedad de enfermedades.

- Disfrute del chocolate oscuro. Las semillas de cacao contienen sustancias de origen vegetal que actúan como antioxidantes para combatir las inflamaciones. Los investigadores han constatado que pequeñas cantidades de chocolate oscuro pueden reducir los niveles de proteína C reactiva (PCR) en la sangre. La PCR se usa como un marcador inflamatorio. La moderación es la clave: no más de una onza o un pequeño trozo de chocolate, dos o tres veces a la semana.

**Evite los alimentos problemáticos.** No invite a estos alimentos poco saludables y proinflamatorios a su mesa. Algunos producen radicales libres dañinos, otros suelen provocar reacciones alérgicas y otros hacen que se disparen los niveles de azúcar en la sangre. Los siguientes alimentos pueden causar inflamación:

- Las grasas trans de los alimentos hechos con aceites parcialmente hidrogenados o fritos en ellos

- Las grasas saturadas en las carnes rojas y los productos lácteos

- Los alimentos procesados

- Los carbohidratos refinados, como el azúcar y el pan blanco

## Una prueba sencilla determina el riesgo cardíaco

La inflamación está tan estrechamente vinculada con enfermedades
como las del corazón, que los médicos muchas veces solicitan un
análisis de sangre para determinar los niveles de proteína C reactiva
(PCR). El cuerpo libera esta sustancia en respuesta a la inflamación,
de modo que cuanto más altos son los niveles de PCR en la sangre,
mayor es la inflamación. Según la Asociación Estadounidense del
Corazón y los Centros para el Control y Prevención de Enfermedades
los siguientes niveles de PCR son indicadores de riesgo cardíaco:

| | |
|---|---|
| Valores inferiores a 1.0 mg/L | = Riesgo bajo |
| 1.0-3.0 mg/L | = Riesgo promedio |
| Valores superiores a 3.0 mg/L | = Riesgo alto |

Si existen otros signos de riesgo moderado de ataques cardíacos y
accidentes cerebrovasculares hacer una prueba de PCR será de gran
utilidad. En caso de que haya un nivel elevado de PCR el médico
puede tomar medidas más agresivas, como recetar medicamentos
para bajar el colesterol o iniciar un tratamiento de aspirina para
reducir la posibilidad de que se formen coágulos de sangre.

## Alimentos que fortalecen la mente de tres maneras

**Protegen su corazón.** Puede parecer extraño hablar de inflamación
de las arterias. A diferencia de un esguince de tobillo, las arterias
no se vuelven sensibles al tacto ni se siente su calor y, sin embargo,
la inflamación las afecta en lo más profundo del cuerpo.

El proceso a menudo empieza con una pequeña lesión en las células
que recubren las arterias, debido a una infección o a la exposición a

una toxina, como el humo del cigarrillo. Este daño activa la respuesta inmunitaria con la que se convoca al ejército de glóbulos blancos. Ellos acuden al lugar de la lesión y hacen que los vasos sanguíneos dejen escapar un fluido hacia el tejido circundante, lo que provoca la hinchazón y la muerte celular que da lugar a la formación de una cicatriz. Esto atrae al colesterol de lipoproteínas de baja densidad (LDL) que flota cerca y que empezará a asentarse y a acumularse en el lugar de la lesión, formando una placa. Al aumentar de tamaño, estas placas irán obstruyendo parcialmente las arterias haciendo más difícil el flujo de la sangre, de la misma manera en que la basura flotante puede obstruir el cauce de un río.

Con el paso de los años, las placas se vuelven cada vez más grandes y numerosas hasta que llegan a impedir el flujo de sangre y oxígeno al corazón, provocando un dolor que se conoce como angina de pecho. También pueden causar la formación de un coágulo de sangre. Los coágulos pueden obstruir por completo las arterias o pueden desprenderse y moverse a otros lugares del cuerpo causando aun más problemas, como un ataque cerebral o un ataque al corazón.

La aterosclerosis, como se conoce a esta enfermedad, tarda muchos años en manifestarse, pero se inicia con una inflamación en apariencia insignificante.

**Nutren las defensas del cerebro.** Los expertos pensaban que el cerebro estaba protegido de los efectos dañinos de la inflamación causada por el sistema inmunitario debido, principalmente, a la barrera hematoencefálica. Esta barrera es una densa capa de células que separa el cerebro del resto del cuerpo y lo defiende de las sustancias potencialmente nocivas, como las hormonas y las toxinas. Pero estos tres descubrimientos plantean la necesidad de un nuevo enfoque:

- Se ha determinado que la inflamación cerebral es una característica de la enfermedad de Alzheimer (EA).

- Se ha demostrado que los fármacos antiinflamatorios comunes a veces protegen contra el desarrollo de la EA.

- Ahora se sabe que un nivel alto en la sangre de la proteína C reactiva (PCR), un marcador natural de inflamación, indica un riesgo mayor de enfermedad de Alzheimer (EA). De hecho, parece ocurrir antes de que aparezca algún síntoma externo de EA o de demencia vascular. Debido a que la PCR es en realidad tóxica para los nervios y el tejido nervioso, puede que sea directamente responsable de la muerte celular en el hipocampo, la parte del cerebro encargada de formar y almacenar recuerdos.

El cerebro a medida que envejece se vuelve más sensible a la inflamación y al daño oxidativo de los radicales libres. Usted puede protegerse consumiendo alimentos que sofoquen la inflamación y combatan la oxidación.

**Derrotan la diabetes.** La inflamación causa resistencia a la insulina, y la resistencia a la insulina puede llevar a la diabetes. La diabetes, a su vez, causa más inflamación. Es un ciclo inquietante, pero se puede romper con algo de conocimiento y un buen plan.

La inflamación le dice al cuerpo que debe producir cantidades crecientes de proteínas específicas que reducen la sensibilidad a la insulina. En otras palabras, la insulina no podrá movilizar glucosa hacia el interior de las células. El páncreas trata de contrarrestar esta situación produciendo aun más insulina, lo que sólo logra aumentar la cantidad de insulina y glucosa que circula por el torrente sanguíneo. Esta resistencia a la insulina es un importante factor de riesgo para la diabetes tipo 2.

En las personas con diabetes, el sistema inmunitario se vuelve demasiado activo y las células inmunitarias generan sustancias químicas inflamatorias en cantidades superiores a las habituales. Esto provoca que cada vez más proteínas afecten la respuesta a la insulina.

Las personas con resistencia a la insulina y cuyo páncreas ya no puede producir suficiente insulina para superar esta resistencia, enfrentan además otro problema. La insulina normalmente controla una proteína especial llamada FoxO1, que es la que regula la interferencia de ciertas sustancias químicas inflamatorias con la señalización de la insulina. Sin suficiente insulina, la FoxO1 puede descontrolarse dando paso a más sustancias químicas inflamatorias.

Para poder controlar la cantidad de azúcar o glucosa que hay en la sangre, el organismo debe tener suficiente insulina y ser capaz de utilizarla adecuadamente. Niveles cambiantes de azúcar en la sangre afectan las capacidades mentales al restringir la cantidad de glucosa que llega al cerebro como combustible y al dañar el interior de las paredes de las arterias, lo que con el tiempo puede reducir el flujo de sangre.

La pregunta fundamental tal vez sea: ¿qué es primero, la resistencia a la insulina o la inflamación? Los expertos aún no tienen la respuesta. Lo que recomiendan es adoptar una dieta antiinflamatoria y un estilo de vida saludable para prevenir tanto la inflamación como la diabetes.

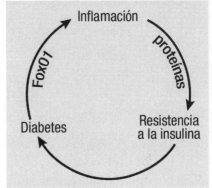

## Cuidado con los desencadenantes de inflamación

Supongamos que usted se golpea fuertemente la cabeza. Este tipo de traumatismo craneal puede matar cientos de miles de neuronas o células cerebrales. Eso no es bueno, pero puede que no tenga consecuencias devastadoras. Inmediatamente después se pone en marcha la respuesta inflamatoria y un torrente de células asesinas inunda el lugar de la lesión, partes del tejido cerebral empiezan a inflamarse y así sucesivamente. Esta respuesta podría potencialmente matar millones de neuronas, lo que sí podría tener consecuencias devastadoras para usted.

Este ejemplo muestra que es la respuesta del cuerpo a una lesión —lo que se conoce como inflamación secundaria— y no la lesión en sí misma, la que podría estar detrás de muchos trastornos cerebrales crónicos. Protéjase de los traumatismos físicos como las lesiones en la cabeza y de las enfermedades como la aterosclerosis, que puedan desencadenar procesos inflamatorios silenciosos.

*La sopa de repollo es un plato sustancioso ideal para un frío día de invierno. Debido a las verduras y especias antiinflamatorias que lleva es también una sopa calmante.* [Para 4 a 6 porciones]

## Sopa de repollo en olla de cocción lenta

1 cabeza de repollo, troceado en trozos de 2 pulgadas

1/2 libra (227 g) de carne de res para guisar cortada en cubitos

aceite de *canola*

2 latas de 10 onzas de caldo de carne

1 lata de 12 onzas de jugo de zanahoria

1/2 cucharadita de azúcar

1 cucharadita de canela

1 cucharadita de clavo de olor molido

1/2 cucharadita de jengibre molido

1 taza de zanahorias, cortadas en rodajas finas

1 taza de apio picado

1 cucharadita de semillas de apio

1 taza de cebolla, picada en trozos grandes

sal y pimienta al gusto

Dore los cubos de carne a fuego lento en una sartén con un poco de aceite de *canola*. Se puede sustituir la carne por jamón o salchichas en trozos.

Vierta el caldo de carne en una olla grande de cocción lenta y agregue el jugo de zanahoria, el azúcar, la canela, el clavo molido, el jengibre molido, las rodajas de zanahoria, el apio picado, las semillas de apio y las cebollas picadas. Añada sal y pimienta.

Agregue el repollo troceado y la carne dorada. Cocine todo en la olla de cocción lenta en la configuración alta durante tres horas, revolviendo ocasionalmente.

# Fibra insoluble

pan integral • cereales integrales para desayuno • salvado de trigo • arroz integral • semillas • verduras • cáscaras de fruta

Como el pistolero solitario y misterioso de las películas del Viejo Oeste, la fibra sólo está de paso. Es el héroe que entra al pueblo montado en su caballo disparando contra los malos, para luego irse cabalgando hacia la puesta del sol. La fibra alimentaria hace algo parecido. Está compuesta por aquellas partes de las plantas que el cuerpo no puede digerir o absorber y que, por lo tanto, no pueden quedarse en el cuerpo. La fibra, como el pistolero, llega, hace su trabajo y sigue su camino.

La fibra es de dos tipos: soluble e insoluble. La fibra soluble se disuelve en agua, mientras que la fibra insoluble no puede hacerlo. Muchos alimentos contienen ambos tipos de fibra, pero puede que un tipo predomine sobre el otro. La avena y las legumbres, por ejemplo, son buenas fuentes de fibra soluble, mientras que el salvado de trigo y los cereales integrales aportan fibra insoluble. Ambos tipos de fibra protegen la salud, pero tienen diferentes mecanismos de acción.

La fibra soluble hace más lento el vaciado del estómago, retrasando así la absorción de ciertos nutrientes y del colesterol LDL. Obtenga más información sobre los beneficios y las fuentes de fibra soluble en el capítulo *Fibra soluble*.

| | |
|---|---|
| 1/2 taza de salvado de trigo | 11.3 g* |
| 1/2 taza de cereal para desayuno *Fiber One* | 11.1 g |
| 1/3 de taza de cereal para desayuno *All Bran* | 7.2 g |
| 1/2 taza de frijoles rojos | 5.9 g |
| 1/2 taza de chícharos congelados | 3.0 g |
| 1 taza de frambuesas | 2.4 g |
| 1 cucharada de semillas de lino | 2.2 g |
| 1 rebanada de pan integral de centeno tipo Pumpernickel | 1.5 g |

\* gramos

La fibra insoluble agrega volumen a las heces y acelera su paso a través del intestino para mantener la regularidad y prevenir el estreñimiento. Puede, además, ser útil para controlar el peso y protegerse de las enfermedades del corazón, la diabetes, los accidentes cerebrovasculares, el cáncer y la diverticulosis.

Es posible que usted no esté obteniendo suficiente fibra de los alimentos. A partir de los 50 años, los hombres deben tratar de consumir 30 gramos de fibra al día y las mujeres deben esforzarse por consumir 21 gramos al día.

La fibra insoluble se encuentra en los panes integrales y los cereales para desayuno, en el arroz integral, la coliflor, las habichuelas verdes, la papa, el brócoli, los espárragos, la zanahoria, el calabacín, el pepino, el tomate, las semillas y la cáscara de las frutas. Consumir más fibra insoluble no sólo ayuda al sistema digestivo, también beneficia directa e indirectamente el cerebro.

## Cinco beneficios de la fibra insoluble para la mente

**Mejora el estado de ánimo.** Si bien la opinión generalmente aceptada es que el estrés psicológico puede causar problemas intestinales, como el síndrome del intestino irritable (SII), también puede ocurrir lo contrario. Es decir, que problemas intestinales afecten la salud mental.

Eso se debe a que el intestino y el cerebro muestran algunas similitudes sorprendentes. Al igual que el cerebro, el intestino cuenta con una amplia red de neuronas. Conocida como el sistema nervioso entérico, esta red de neuronas se comunica con el cerebro y la médula

¿Quisiera agregar más fibra a su dieta? Buena idea, pero no exagere. Agregar demasiada fibra demasiado rápido puede tener efectos secundarios desagradables, como gases, distensión abdominal, retortijones y diarrea. Agregue fibra a su dieta de manera gradual y asegúrese de beber suficiente líquido para que la fibra adicional no le cause estreñimiento.

espinal. Tanto el cerebro como el intestino dependen de la serotonina, el neurotransmisor encargado de hacer que las personas "se sientan bien" y que desempeña una función en la digestión y la percepción del dolor. En un estudio se encontró que las personas con síndrome del intestino irritable (SII) tenían niveles significativamente más bajos de serotonina en el revestimiento de los intestinos.

Algunos fármacos para levantar el estado de ánimo, como los antidepresivos, también pueden ayudar a aliviar los síntomas de ciertos trastornos digestivos, como la enfermedad de Crohn o el SII, que incluyen la diarrea y el estreñimiento.

Con frecuencia el estreñimiento va de la mano con un estado de ánimo deprimido: el estreñimiento puede ser tanto un síntoma como una causa de la depresión. Cuando se tienen evacuaciones más pequeñas y menos frecuentes, las toxinas de las heces permanecen más tiempo dentro del organismo y aumenta la probabilidad de que puedan ser reabsorbidas por el cuerpo.

Aumentar el consumo de fibra insoluble —una conocida cura para el estreñimiento— puede tener un efecto beneficioso para el cerebro. En un estudio se comprobó que las personas que consumían cereales ricos en fibra gozaban de un estado de ánimo más positivo y tenían menos fatiga y angustia emocional que las que seguían una dieta con bajo contenido de fibra. También tenían menos problemas mentales.

**Protege de los accidentes cerebrovasculares.** Un accidente cerebrovascular (ACV) ocurre cuando un vaso sanguíneo en el cerebro se obstruye (isquémico) o se rompe (hemorrágico). En ambos casos, los resultados pueden ser devastadores. Afortunadamente, la fibra insoluble puede proporcionar cierta protección.

Los estudios parecen indicar que una dieta rica en fibra, sobre todo en fibra de cereales, reduce el riesgo de sufrir un ACV. En un estudio, los hombres con presión arterial alta que aumentaron su consumo de fibra en 10 gramos redujeron su riesgo de sufrir un ACV en un 41 por ciento, pero si los 10 gramos de fibra provenían de cereales entonces su riesgo se reducía en un 67 por ciento. En otro estudio se vio que las mujeres que consumían la mayor cantidad de fibra de cereales eran menos propensas a sufrir un ACV, sea isquémico o hemorrágico, en comparación con las mujeres cuyo consumo era el mínimo.

En el caso de ocurrir un accidente cerebrovascular, una dieta rica en fibra podría mitigar los daños. En un estudio reciente realizado con 50 víctimas de ACV, se observó que aquéllas con el mayor consumo habitual de fibra insoluble tuvieron ACV menos graves y presentaban mejores probabilidades de recuperación. La presión arterial alta y la obesidad son importantes factores de riesgo de los ACV y estudios han demostrado que quienes consumen grandes cantidades de fibra insoluble tienen una menor presión arterial y un menor peso corporal.

**Previene los males cardíacos.** Los ACV atacan el cerebro directamente; las enfermedades cardíacas, en cambio, representan una amenaza indirecta, aunque bastante grave, para el cerebro. Mantener la salud del corazón ayuda a mantener la salud del cerebro.

En varios estudios se ha observado que existe una relación entre la fibra insoluble y un riesgo menor de sufrir enfermedades cardíacas o insuficiencia cardíaca. En Francia, investigadores comprobaron que quienes consumían la mayor cantidad de fibra total o de fibra insoluble mejoraban varios factores de riesgo cardíaco y presentaban niveles más bajos de presión arterial, colesterol, triglicéridos y homocisteína. También eran menos propensos a tener sobrepeso. Para lograr estos resultados, los investigadores recomiendan consumir por lo menos 25 gramos de fibra al día, teniendo como objetivo llegar a consumir entre 30 y 35 gramos para obtener aún mayores beneficios.

Parte del éxito de la fibra provendría de sus poderes antiinflamatorios. Según un estudio reciente de la Universidad de Massachusetts, las personas que consumen la mayor cantidad de fibra presentan un riesgo 63 por ciento menor de tener un nivel elevado de proteína C reactiva (PCR), un marcador de inflamación que indica un riesgo futuro de desarrollar alguna enfermedad cardíaca o diabetes. Con la fibra insoluble, la reducción en el riesgo de tener un nivel elevado de PCR es del 75 por ciento, lo que representa un beneficio aún mayor.

**Detiene la diabetes.** La diabetes no sólo afecta el nivel de azúcar en la sangre. También puede afectar el cerebro. Las investigaciones indican que consumir más fibra insoluble puede ser una manera fácil de detener la diabetes antes de que comience.

Un estudio concluyó que el consumo elevado de fibra de cereales reduce el riesgo de desarrollar diabetes en un 28 por ciento, mientras que un análisis de nueve estudios determinó que la reducción del riesgo era del 33 por ciento. No está claro cómo exactamente ayuda la fibra insoluble, pero se tienen algunos indicios. En un pequeño estudio realizado en Alemania, las mujeres con sobrepeso u obesidad que aumentaron su consumo de fibra insoluble mejoraron su sensibilidad a la insulina en un 13 por ciento. Los expertos recomiendan comer más cereales, frutas y verduras ricas en fibra insoluble como una manera de reducir la resistencia a la insulina y disminuir el riesgo de desarrollar diabetes.

Respire mejor con un tazón de cereales. En un estudio reciente se comprobó que la fibra —específicamente la fibra proveniente de cereales integrales— ayuda a reducir el riesgo de desarrollar la enfermedad pulmonar obstructiva crónica (EPOC), que es un conjunto de trastornos pulmonares que incluye la bronquitis crónica y el enfisema. Agregar más cereales integrales a su dieta puede tener efectos beneficiosos para sus pulmones.

La inflamación también es un factor determinante en el desarrollo de la diabetes y la fibra insoluble puede ayudar a frenarla. Un estudio británico encontró que los hombres mayores que comían muy poca fibra, ya fuera de cereales o de otras fuentes, eran más propensos a desarrollar diabetes. Por otro lado, aquéllos que comían más fibra tenían niveles más bajos de PCR y otros marcadores de inflamación.

**Controla el peso.** Las personas con sobrepeso tienen mayor riesgo de desarrollar demencia y son más propensas a sufrir enfermedades del corazón, ataques cerebrales y diabetes. En un estudio de seis años de duración realizado en Holanda con más de 89,000 europeos, el consumo mayor de fibra, sobre todo de fibra proveniente de cereales, fue relacionado con una ligera reducción en el peso corporal y en el tamaño de la cintura. En Canadá, investigadores establecieron que existe una relación entre la fibra insoluble y la sensación de saciedad. Los hombres que recibieron un tazón de cereal con 33 gramos de fibra insoluble para el desayuno tuvieron menos apetito y comieron menos durante la siguiente comida que aquéllos que recibieron pan blanco o un cereal bajo en fibra. El cereal rico en fibra también les ayudó a mantener el nivel de azúcar en la sangre bajo control.

En un estudio similar, las personas que recibieron cereal rico en fibra para el desayuno no necesitaron comer mucho más en el almuerzo. Consuma más fibra insoluble para frenar el apetito y reducir el riesgo de padecer un problema de salud más adelante.

## Maneras fáciles de aumentar el consumo de fibra

Agregar más fibra a su dieta no requiere demasiado esfuerzo:

- Comience el día con un tazón de cereal con alto contenido de fibra y que tenga al menos 5 gramos de fibra por porción.

- Prepare sus sándwiches con pan integral en lugar de pan blanco. Elija uno que tenga al menos 2 gramos de fibra por rebanada.

- Elija pastas integrales y evite las pastas comunes o procesadas.

- Prefiera el arroz integral, la cebada, el mijo, el *bulgur*, el trigo sarraceno y la quinua en lugar del arroz blanco.

- Coma la cáscara de la papa al horno.

- En lugar de servirse jugo de naranja pele una naranja.

- Dele un mordisco a una manzana en lugar de comer puré de manzana.

- Coma palomitas de maíz o galletas integrales en lugar de *pretzels*.

- Disfrute de porciones más grandes de verduras, y sírvase menos proteínas y almidones.

- Sustituya la carne por frijoles y lentejas cuando sea posible.

También se puede agregar un suplemento de fibra a los alimentos y bebidas. Los fabricantes ya agregan fibra a algunos productos, como los jugos de fruta, los yogures y las barras energizantes. Pero este tipo de fibra "aislada" no ofrece los mismos beneficios para la salud que ofrecen los alimentos que son naturalmente ricos en fibra, ya que no contienen los nutrientes que hacen que los alimentos de origen vegetal sean tan saludables.

## Panqueques de trigo integral

Para 2 porciones:

1 1/4 tazas de harina de trigo integral
1/4 de taza de germen de trigo
1 1/2 cucharaditas de polvo de hornear
1/2 cucharadita de canela
1/8 de cucharadita de sal
1 1/2 tazas de leche descremada
1/4 de taza de sustituto de huevo sin grasa
1 cucharada de mantequilla sin sal, derretida

Combine los ingredientes secos. Agregue la leche, el sustituto de huevo y la mantequilla derretida.

Caliente una sartén antiadherente a fuego medio-alto y vierta 1/4 de taza de la mezcla por cada panqueque. Cocine durante dos minutos, dele la vuelta y cocine durante un minuto más.

## Salsa de frambuesa

2 paquetes de 12 onzas de frambuesas congeladas, descongeladas
1/3 de taza de azúcar

En una licuadora o procesador de alimentos licue las frambuesas descongeladas hasta obtener un puré. Pase el puré por un tamiz o colador fino para eliminar las semillas de la frambuesa. Combine el puré con el azúcar y cocine la mezcla a fuego bajo hasta obtener una salsa de textura uniforme. Retire del fuego y deje enfriar ligeramente. Se puede servir fría o caliente sobre los panqueques.

## Sorprendente causa de inflamación cerebral

Hay algunas fuentes de fibra que presentan cierto riesgo, como el gluten. El gluten es una proteína que se encuentra en el trigo, la avena, el centeno y la cebada. Su consumo es peligroso para las personas con enfermedad celíaca o intolerantes al gluten. El gluten puede causar calambres, diarrea e incluso daño intestinal grave. Y también puede ser perjudicial para el cerebro. El gluten puede provocar inflamación cerebral y ha sido relacionado con la demencia, el daño a los nervios, la ansiedad, la depresión y las migrañas.

Para determinar si usted es sensible al gluten, elimínelo de su dieta durante unos meses. Esto puede ser difícil ya que se oculta en muchos alimentos, incluidos los cereales para desayuno, el pan, las galletas, la pasta, las sopas, los aderezos para ensaladas y la cerveza. Luego incluya en su dieta alimentos que contienen gluten durante varios días seguidos. Si su fatiga o depresión aumenta o nota cierta dificultad para concentrarse, puede que tenga que dejar el gluten para siempre.

# Hierro

carnes • pescado • aves • frijoles • verduras de hoja verde • frutos secos • cereales para desayuno • frutas

El hierro ayuda a producir hemoglobina, que permite que los glóbulos rojos transporten el oxígeno a los tejidos del cuerpo. El hierro, además, interviene en la producción de sustancias químicas cerebrales como la dopamina, la noradrenalina y la serotonina y es imprescindible para llevar a cabo varios procesos relacionados con el metabolismo. El cuerpo necesita este mineral esencial, pero no lo produce, por lo que es necesario obtenerlo de los alimentos y en cantidades suficientes. El hierro en los alimentos se presenta en dos formas:

- Hierro hemo. Se encuentra en las carnes, el pescado y las aves de corral y es el tipo más adecuado para mejorar los niveles de hierro del organismo.

- Hierro no hemo. Hierro de origen vegetal cuya absorción es prácticamente la mitad que la del hierro hemo. Obténgalo de las frutas deshidratadas, las verduras, los granos y los frutos secos.

Los adultos mayores de 50 años necesitan 8 miligramos (mg) de hierro al día, a menos que sean vegetarianos. En ese caso, deben aumentar su consumo a unos 14 mg al día, para compensar el problema de absorción de las fuentes de hierro de origen vegetal. La persona promedio obtiene al día entre 10 y 20 mg de hierro a través de la dieta.

**No ignore el exceso de hierro.** El hierro puede acumularse en la sangre y causar los siguientes problemas:

- Hemocromatosis. Es el trastorno genético más común en Estados Unidos y se caracteriza por la absorción y acumulación excesiva de hierro; entre cinco y 20 veces más de lo que el cuerpo necesita. Los síntomas pueden ser fatiga y dolor, niveles altos de azúcar en la sangre o una función tiroidea deficiente. Esta afección se puede diagnosticar temprano mediante pruebas genéticas y análisis de sangre sencillos. Una manera fácil de tratar la hemocromatosis es donar sangre.

- Sobredosis de hierro. Si no lee cuidadosamente las etiquetas de los multivitamínicos, puede acabar con demasiado

| | |
|---|---|
| 3 onzas (85 g) de almejas (en lata) | 23.77 mg* |
| 1 taza de cereal para desayuno *Total Raisin Bran*, de General Mills | 18.00 mg |
| 1 taza de frijoles con carne de cerdo (en lata) | 8.20 mg |
| 1 taza de lentejas cocidas | 6.59 mg |
| 1 taza de espinacas cocidas | 6.43 mg |
| 3 onzas (85 g) de hígado de res a la plancha | 5.24 mg |
| 1 hamburguesa de comida rápida | 4.93 mg |
| 1 taza de jugo ciruela pasa (en lata) | 3.02 mg |

* miligramos

hierro en el organismo. Según los expertos, consumir más de 45 mg de hierro al día puede no ser seguro.

**Evite los peligros de una deficiencia.** Según la Organización Mundial de la Salud, la deficiencia de hierro es el trastorno nutricional que afecta al mayor número de personas en el mundo. Para las personas mayores esto puede ser serio. Entre el 40 y el 50 por ciento de los adultos mayores admitidos en un hospital o que viven en un hogar de ancianos tienen deficiencia de hierro. Éstas son algunas de las posibles causas de la falta de hierro:

- La dieta no incluye buenas fuentes de hierro, especialmente si se consume muchos alimentos procesados.

- La capacidad para absorber nutrientes disminuye con la edad.

- Cualquier tipo de enfermedad inflamatoria crónica, como la diabetes, las afecciones cardíacas o la artritis reumatoide, aumenta el riesgo de padecer deficiencia de hierro.

- Afecciones que podrían causar hemorragias internas, como las úlceras, las hemorroides, los pólipos en el colon y todos los tipos de cáncer gastrointestinal, merman las reservas de hierro.

- La capacidad para absorber el hierro se deteriora cuando se tiene una infección o una enfermedad intestinal.

Un análisis de sangre puede determinar si su nivel de hierro está demasiado bajo. Hable con su médico para corregir el problema, ya que la carencia de hierro puede causar una serie de problemas de salud.

# Tres beneficios del hierro para la mente

**Combate la fatiga de la anemia.** Incluso los casos leves de anemia por deficiencia de hierro, también llamada anemia ferropénica, pueden causar una sensación de lentitud y agotamiento. El cansancio se debe a que no se está absorbiendo oxígeno como se debería. Esto puede afectar seriamente el corazón y reducir la capacidad de sobrevivir a una insuficiencia cardíaca o a un ataque al corazón.

La debilidad también se debe a que los músculos no cuentan con el combustible adecuado. Las personas con anemia tienden a no hacer ejercicio y son más propensas a sufrir una caída. Otros síntomas de la anemia incluyen:

- Dificultad para respirar

- Ritmo cardíaco acelerado

- Mareos

- Dolor de cabeza

- Zumbido en los oídos

- Irritabilidad

- Confusión mental

- Pérdida del deseo sexual

> Los hombres tienen un riesgo mayor de acumular niveles excesivos de hierro en el organismo que las mujeres. Esto tal vez se debe a que los hombres consumen más carne.

Por tratarse del déficit de un nutriente, la anemia por deficiencia de hierro tal vez sea el tipo de anemia más fácil de entender y curar. El médico le pedirá que se haga una prueba para medir el nivel de hierro en la sangre, le hará recomendaciones para mejorar su alimentación y le indicará qué suplementos debe tomar.

**Le declara la guerra a la pérdida de memoria.** Varios estudios muestran que la anemia por deficiencia de hierro aumenta el riesgo de sufrir demencia y hasta puede empeorar la demencia existente.

La deficiencia de hierro en la sangre puede afectar las capacidades intelectuales en más de una manera. Puede:

- Reducir los niveles de oxígeno en el cerebro.

- Aumentar la vulnerabilidad a los daños causados por un ataque isquémico transitorio (AIT) o mini derrame cerebral.

- Limitar la cantidad de dopamina que produce el organismo. La dopamina es una sustancia química cerebral necesaria para la memoria, el aprendizaje y la atención.

- Causar una disminución de los niveles de hormona tiroidea.

Quizás el mejor argumento que demuestra el vínculo entre el hierro y la capacidad intelectual es que tomar suplementos de hierro parece mejorar los problemas para pensar y aprender en las personas con niveles bajos de hierro.

> Un estudio concluyó que la enfermedad de Alzheimer era dos veces más común en las personas mayores que tenían anemia.

Bajo ningún motivo empiece a tomar hierro adicional por su cuenta. Recuerde, se pueden desarrollar graves problemas de salud si se consume en exceso. Los suplementos pueden ayudar pero sólo si usted tiene una deficiencia, así que hágase antes una prueba.

**Alivia el síndrome de las piernas inquietas.** Tener una buena noche de sueño es prácticamente imposible cuando se sufre del síndrome de las piernas inquietas (SPI). Esta dolencia se caracteriza por una incómoda sensación de jalones en las piernas y la irresistible necesidad de tener que moverlas. Se estima que afecta a entre el 3 y el 15 por ciento de la población. La deficiencia de hierro parece empeorar los síntomas del SPI, mientras que un tratamiento con hierro puede hacer que el paciente mejore.

El vínculo, nuevamente, es la dopamina. Entre sus muchas funciones, este neurotransmisor también ayuda a regular el movimiento muscular. Si no se tiene suficiente hierro, no se tiene suficiente dopamina.

## Aproveche al máximo el hierro

Agregar hierro a su dieta es fácil. Asegurar la absorción del hierro que consume es algo más complicado. Éstas son algunas recomendaciones:

- No tome antiácidos o suplementos de calcio al mismo tiempo que el suplemento de hierro.

- Tome el hierro entre las comidas con al menos 8 onzas de líquido, que no sea ni leche ni bebidas que contengan cafeína.

- Beba un vaso de jugo de naranja. Además de ser una adición saludable a cualquier comida, la vitamina C aumenta la absorción de hierro, en especial la absorción del hierro no hemo.

- Acompañe las carnes o el pescado, que son fuentes del hierro hemo, con frutas, verduras y otras fuentes de hierro no hemo. Esta combinación asegura que usted absorba la mayor cantidad posible de hierro no hemo.

- Alíese con la riboflavina. El hígado y los cereales fortificados para desayuno no sólo son una gran fuente de hierro, sino que la riboflavina que contienen puede mejorar la respuesta de la sangre al hierro.

## Medidas para un consumo seguro de suplementos

La cantidad de hierro en los diferentes suplementos multivitamínicos varía enormemente. Fíjese en cuántos miligramos diarios (mg) le ha recomendado su médico y lea atentamente las etiquetas. Por ejemplo, una tableta del multivitamínico *One-A-Day Women's* contiene 18 mg de hierro. Sin embargo, la fórmula *Women's 50+ Advantage*, también de One-A-Day, no contiene hierro alguno.

Si su médico cree que usted debe tomar un suplemento de hierro puro, puede que le recomiende el hierro ferroso, que es la forma de más fácil absorción. Es probable que en la etiqueta diga "fumarato ferroso", "sulfato ferroso" o "gluconato ferroso". Si este tipo de suplemento le causa malestares estomacales, pruebe el hierro quelado, los suplementos de hierro de liberación prolongada, el bisglicinato ferroso o el glicinato ferroso. Aunque son algo más caros, la probabilidad de que causen algún malestar estomacal es menor.

Las personas con diabetes deben hacerse un examen para determinar su nivel de hierro, ya que tienen un elevado riesgo de padecer anemia. Quienes tienen insuficiencia renal crónica o daños en los grandes vasos sanguíneos corren el mayor riesgo. Corregir el nivel de hierro puede mejorar la calidad de vida.

# L-carnitina

carne de res • cordero • aves • pescado • lácteos

Hay un pequeño secreto que podría quitarle años de encima, darle más energía y combatir esos agentes invisibles que pretenden acabar con su juventud y su buena salud. Se trata de la carnitina.

La carnitina es un término general para referirse a un aminoácido presente en casi todas las células del cuerpo. Se produce naturalmente en el hígado y en los riñones, pero también se puede obtener de los alimentos y los suplementos. Hay varias formas de carnitina que difieren ligeramente, entre ellas:

- L-carnitina. Éste es el único tipo que se encuentra en los alimentos. Si bien los suplementos de L-carnitina son de bajo costo y están ampliamente disponibles, este nutriente se absorbe mejor cuando proviene de los alimentos.

- Acetil-L-carnitina. Los investigadores utilizan esta forma con mayor frecuencia en sus estudios sobre la enfermedad de Alzheimer y otros trastornos cerebrales, ya que atraviesa fácilmente la barrera hematoencefálica hacia el tejido cerebral.

- Propionil-L-carnitina. Este tipo parece ser particularmente eficaz para tratar las enfermedades cardíacas y los trastornos que afectan los vasos sanguíneos de las piernas y los pies.

¿Por qué tanto alboroto en torno a la carnitina? Básicamente porque genera energía para todo el organismo. La carnitina lleva a los ácidos grasos a las mitocondrias de las células, que son las diminutas centrales eléctricas que queman grasa y otros nutrientes para facilitar prácticamente todas las funciones del cuerpo. La carnitina también:

- Ayuda en la producción de la acetilcolina, que es un importante neurotransmisor.

- Ayuda a eliminar los compuestos tóxicos de las células.

- Ayuda a transportar el exceso de energía de las células hacia el torrente sanguíneo, desde donde es llevado hacia los órganos más necesitados.

El Consejo de Alimentación y Nutrición de la Academia Nacional de Ciencias no ha fijado aún el requerimiento diario de carnitina, de modo que usted no encontrará recomendaciones nutricionales en ningún lugar, ya sea como "ingesta de referencia de nutrientes" (*Dietary Reference Intake* o DRI, en inglés) o como "consumo diario recomendado" (*Recommended Dietary Allowance* o RDA, en inglés).

Si usted consume una dieta típica que incluye carnes rojas y productos lácteos, es probable que obtenga entre 60 y 180 miligramos (mg) de carnitina al día. Aunque parezca mucho, no hay necesidad de preocuparse: el cuerpo cuenta con mecanismos de protección para evitar una sobredosis de carnitina. El exceso es sencillamente eliminado a través de la orina.

Los veganos estrictos, aquellas personas que no comen productos animales ni productos lácteos, obtienen sólo 10 o 12 mg de carnitina al día y no se consideran deficientes. Esto demuestra la eficiencia del cuerpo en producir y almacenar la carnitina. Hay casos, sin embargo, en los que una deficiencia de carnitina podría ser un problema:

- Cuando se tiene un trastorno metabólico que hace que el cuerpo simplemente no pueda producir suficiente carnitina o no pueda utilizarla adecuadamente.

- Cuando se toma un medicamento que interfiere con la producción de carnitina.

- Cuando se tienen 70 años o más y ya no se produce ni se almacena la misma cantidad de carnitina que se producía y almacenaba antes.

| | |
|---|---|
| 3.5 onzas (99 g) de cordero | 190 mg* |
| 3 onzas (85 g) de bistec | 82 mg |
| 3 onzas de carne molida de res | 70 mg |
| 3 onzas de carne de cerdo | 24 mg |
| 1 taza de leche entera | 8 mg |
| 3 onzas (85 g) de bacalao | 4 mg |
| 1/2 taza de helado | 3 mg |
| 2 onzas (57 g) de queso americano o Cheddar | 2 mg |

\* miligramos

# Cuatro beneficios de la L-carnitina para la mente

**Ayuda a sanar un corazón herido.** Éstas son tres afecciones cardíacas que se pueden tratar naturalmente con suplementos o alimentos ricos en carnitina:

- Claudicación intermitente. En las personas con aterosclerosis, la acumulación de placa en las arterias hace difícil el flujo de la sangre, especialmente hacia las partes distantes del cuerpo como las piernas. Sin suficiente sangre, los músculos no reciben el oxígeno y los nutrientes que necesitan. Incluso algo tan sencillo como caminar puede causar calambres o dolor en las piernas. A ese dolor se le llama claudicación intermitente. En una serie de estudios, la suplementación diaria con cerca de 2 gramos de propionil-L-carnitina ayudó a las personas con claudicación intermitente a caminar durante más tiempo, más rápido y con menos dolor. Los expertos creen que la carnitina mejora la forma como los músculos de las piernas utilizan la energía.

- Angina. El dolor torácico no se debe tomar a la ligera. No se automedique, pero si su médico le da el visto bueno, pruebe agregar propionil-L-carnitina a su tratamiento convencional. Se ha comprobado que puede ayudar a algunas personas con angina estable a reducir sus síntomas y a hacer ejercicio físico sin sentir dolor.

- Ataque al corazón. El corazón es uno de los músculos que más trabaja. La gran concentración de carnitina en las células cardíacas tiene como finalidad asegurar que éstas puedan generar toda la energía que el organismo necesita. En un corazón dañado (como consecuencia de un ataque cardíaco, por ejemplo) los niveles de carnitina caen dejándolo débil y vulnerable. Se ha comprobado que si se toman suplementos de L-carnitina poco después de un ataque al corazón,

> Hasta el 86 por ciento de la carnitina que se obtiene de los alimentos se absorbe en el intestino delgado y de ahí pasa al torrente sanguíneo.

se reduce el riesgo de sufrir otro. Además, es menos probable que experimente dolor de pecho y ritmo cardíaco irregular, que desarrolle insuficiencia cardíaca o que muera de un mal cardíaco. Se necesitaron 4 gramos diarios de L-carnitina durante un año, para que 80 personas que habían sufrido un ataque cardíaco reciente mostraran una mejoría considerable.

**Calma el dolor de la neuropatía diabética.** Con el tiempo, los niveles elevados de azúcar en la sangre de las personas que padecen diabetes pueden dañar los nervios de los brazos, las piernas y los pies. Los síntomas de esta enfermedad, que se conoce como neuropatía diabética, incluyen dolor, hormigueo, adormecimiento y sensación de ardor. Estudios iniciales sugieren que entre 2 y 3 gramos de acetil-L-carnitina al día pueden mejorar significativamente estos síntomas e incluso hacer que se recupere la sensibilidad en las piernas y los pies. Los expertos piensan que la carnitina ayuda a las células nerviosas dañadas a sanar proporcionándoles energía adicional y promoviendo la producción de analgésicos naturales en el cerebro.

**Detiene la demencia.** No existe una solución fácil para la demencia, pero sí la esperanza de encontrar respuestas en varios lugares. La acetil-L-carnitina ha despertado esa esperanza en los investigadores. Es cierto que no todos los resultados de los estudios han sido positivos, pero muchos mostraron un beneficio real para pacientes con enfermedad de Alzheimer (EA) de inicio temprano o con casos leves de este tipo de demencia. La teoría es que al aumentar la producción de energía celular, este aminoácido puede retrasar el deterioro mental característico de la EA. Las cantidades de carnitina utilizados en los estudios variaron entre 1.5 y 3 gramos al día.

Obtenga la aprobación de su médico antes de tomar estas dosis y pregúntele si puede tomar la acetil-L-carnitina junto con un suplemento de ácido alfa-lipoico. Esta combinación mostró tener mejores resultados que cualquiera de los dos compuestos por sí solos.

**Mejora el físico.** ¿Le gustaría aligerar su paso y aligerar su peso? La L-carnitina podría ser la solución que buscaba. Se ha demostrado que desarrolla músculo y quema grasa, además de aliviar la fatiga.

## Estrategias inteligentes para tomar suplementos

Tomar suplementos de carnitina puede ser la solución cuando la cantidad de este aminoácido que se obtiene de los alimentos no es suficiente. A pesar de que muchos suplementos están disponibles sin receta médica, hable con su médico antes de comprar uno y tenga en cuenta lo siguiente:

- No sustituya una forma de carnitina por otra.

- Las dosis elevadas de acetil-L-carnitina pueden hacer que la orina, la respiración y el sudor huelan a pescado.

- Evite la D-carnitina. Esta forma compite con la L-carnitina natural.

- La acetil-L-carnitina puede aumentar el efecto de los fármacos anticoagulantes.

- No tome carnitina adicional si tiene niveles bajos de hormona tiroidea, ya que puede empeorar este problema.

> Una buena noticia para las personas con diabetes: la carnitina podría aumentar la cantidad de energía que queman las células, lo que ayudaría a eliminar el exceso de azúcar en la sangre.

# Magnesio

legumbres • semillas • frutos secos • granos integrales
• verduras de hoja verde • pescado y crustáceos

El magnesio se encarga de que todas las funciones del organismo se ejecuten sin problemas, desde mantener los nervios y los músculos relajados hasta asegurar que la sangre circule con facilidad. El magnesio es un mineral esencial que ayuda a:

- Descomponer los carbohidratos, las proteínas y las grasas.

- Almacenar energía en las células musculares.

- Mantener un ritmo cardíaco constante.

- Regular los niveles de azúcar en la sangre.

- Mantener un sistema inmunitario saludable.

- Mantener la fortaleza ósea.

De hecho, es difícil encontrar un sistema en el organismo que no depende del magnesio para funcionar de manera eficaz.

Aunque el organismo no puede producir su propio magnesio, es fácil obtenerlo de muchos alimentos que son parte de una dieta saludable. Básicamente, cualquier alimento rico en fibra suele ser rico en magnesio, como los granos enteros, los frijoles, los chícharos, las semillas y los frutos secos.

Los hombres adultos deberían consumir 420 miligramos (mg) de magnesio al día y las mujeres 320 mg. Lamentablemente, alrededor del 90 por ciento de los estadounidenses no obtienen este importante mineral en las cantidades recomendadas. Entre los muchos síntomas de la deficiencia de magnesio están los espasmos o debilidad muscular, los cambios en la frecuencia cardíaca, los dolores de cabeza, la presión arterial alta, los problemas para dormir, las náuseas y la depresión.

Un médico puede determinar si la causa de la falta de magnesio es una afección subyacente. Si usted es una persona mayor, podría recetarle un suplemento de magnesio, ya que con la edad disminuye el nivel de absorción

| | |
|---|---|
| 5.6 onzas (159 g) de hipogloso cocido | 170 mg* |
| 1 onza (28 g) de semillas de calabaza tostadas | 156 mg |
| 1/2 taza de una mezcla de frutos secos (*Trail Mix*) | 117.5 mg |
| 1 taza de arroz integral cocido | 84 mg |
| 1/2 taza de espinacas cocidas | 78.5 mg |
| 1 onza (28 g) de almendras | 76 mg |
| 1/2 taza de frijoles negros | 60 mg |
| 3 onzas (85 g) de cangrejo real de Alaska | 54 mg |

\* miligramos

de los nutrientes de los alimentos. Lea atentamente las etiquetas de los multivitamínicos debido a que no todos contienen una dosis diaria completa de magnesio. Es posible que usted necesite un suplemento de magnesio adicional.

Los expertos sostienen que si bien es prácticamente imposible obtener demasiado magnesio de los alimentos, el peligro de una sobredosis se presenta con los suplementos; no consuma más de 350 mg al día. Revise las etiquetas de todos los productos que esté tomando con regularidad, debido a que los laxantes, los antiácidos y los suplementos de calcio a menudo contienen magnesio.

Los riñones sanos por lo general pueden deshacerse rápidamente del exceso de magnesio, pero si usted está obteniendo demasiado magnesio a través de los suplementos o si sus riñones no están en condiciones óptimas, usted podría sufrir los efectos de una intoxicación por magnesio. El síntoma más frecuente es la diarrea.

## Seis beneficios del magnesio para la mente

**Defiende de la diabetes.** Disfrutar de un sándwich con crema de cacahuate podría ser una manera de protegerse de la diabetes tipo 2. La clave está en el magnesio, que desempeña un papel pequeño, pero crítico, en ayudar a las enzimas a descomponer la glucosa o azúcar en la sangre. Sin este primer paso, usted podría estar en camino de desarrollar una resistencia a la insulina, que es cuando el cuerpo no puede utilizar la insulina que produce de manera eficaz para bajar los niveles de azúcar en la sangre.

Con incrementar su consumo de magnesio en apenas 100 miligramos (mg) al día —que es la cantidad que hay en dos rebanadas de pan de trigo integral y un par de cucharadas de crema de cacahuate— usted podría reducir su riesgo de padecer diabetes en un 15 por ciento.

Las mujeres que consumieron aproximadamente la cantidad diaria recomendada redujeron en un 38 por ciento su riesgo de desarrollar síndrome metabólico, cuyos síntomas incluyen colesterol alto, presión arterial alta y grasa abdominal, y que implica un mayor riesgo de padecer afecciones cardíacas y diabetes.

**Alivia la presión de la presión arterial alta.** El magnesio relaja el sistema nervioso y permite que la sangre fluya fácilmente, incluso a través de las arterias más pequeñas.

En un estudio reciente realizado en Corea del Sur, el consumo de 300 mg de óxido de magnesio al día durante 12 semanas redujo la presión arterial en personas que sufrían de presión arterial alta y que no tenían otro problema de salud. Si usted ya toma medicamentos para bajar la presión arterial, consulte con su médico antes de tomar un suplemento. Una opción segura es hacer ajustes en su dieta y obtener más magnesio de los alimentos.

**Derrota la depresión.** Las neuronas se dañan cuando reciben muy poco magnesio, lo que aumenta la probabilidad de sufrir depresión. El consumo de más alimentos ricos en magnesio, como los frutos secos, las semillas y los granos enteros, puede contribuir a levantar el ánimo. De hecho, se reporta a menudo que el magnesio puede aliviar los síntomas de la depresión grave en apenas una semana.

En un estudio realizado en Noruega con cerca de 6,000 personas se observó que sólo aumentando la cantidad de magnesio en la dieta se logró mejorar el estado de ánimo de los participantes. Y en un ensayo aparte llevado a cabo en el 2008, la suplementación diaria con 450 mg de magnesio mostró ser tan eficaz como una dosis diaria de 50 mg de imipramina (*Tofranil*), un antidepresivo recetado frecuentemente.

Tenga cuidado con el efecto secundario más conocido del magnesio: la diarrea. Casi todas las formas de este mineral actúan como un laxante. La más popular es tal vez el hidróxido de magnesio, más conocido como leche de magnesia. Si usted necesita un laxante poderoso, busque uno que contenga sulfato de magnesio: es la forma más potente. Para atenuar el efecto que los suplementos de magnesio tienen sobre el intestino, tómelos con alimentos.

**Ayuda a conciliar el sueño.** Una buena noche de sueño le da al cerebro y al cuerpo tiempo para recargarse. Uno se despierta pensando mejor y más rápido y, por lo general, lleno de energía. La falta de sueño, por el contrario, hace que uno se sienta cansado.

¿Ha pensado alguna vez que las noches en vela tal vez se deban a la falta de magnesio? La deficiencia de este importante mineral puede provocar cambios en la actividad eléctrica del cerebro, lo que a su vez perturba el sueño. El magnesio también puede ayudar a aliviar la inflamación crónica de bajo grado, que se ha relacionado con la falta de sueño. Si decide tomar un suplemento, procure hacerlo antes de acostarse, para calmar el sistema nervioso y poder conciliar el sueño.

> Los alimentos naturales no procesados son las mejores fuentes de magnesio. Muchos alimentos que contienen este valioso mineral, lo pierden al ser cocinados o refinados. Por ejemplo, una rebanada de pan integral contiene 23 miligramos (mg) de magnesio. Una rebanada de pan blanco sólo 6 mg. Y al cocinarse, las espinacas pierden cerca de un tercio del magnesio que contienen.

**Protege sus oídos.** Los ruidos fuertes causan daños microscópicos en los oídos, daños que pueden tener enormes consecuencias. En reacción a la agresión, los radicales libres hacen que los vasos sanguíneos en los oídos se constriñan, lo que restringe el flujo de sangre, oxígeno y otros nutrientes. Esto lleva a lo que se conoce como pérdida de audición provocada por el ruido (NIHL, en inglés). El magnesio restablece el orden, principalmente al relajar los vasos sanguíneos, pero también al controlar el nivel de glutamato, una sustancia química del cerebro que envía información entre los nervios.

La combinación de magnesio con las vitaminas A, C y E es muy poderosa en la protección contra esta pérdida de la audición provocada por el ruido. Varios estudios han puesto estos nutrientes a prueba, entre un mes y tan sólo una hora antes de que los participantes tuvieran que escuchar ruidos fuertes. En todos los casos, los componentes por sí solos no dieron resultados positivos, pero en combinación lograron reducir la pérdida de audición.

**Combate la pérdida de memoria.** Es un hecho. Cuanto mayores son las personas, menor es la cantidad de magnesio que absorben, incluso pueden llegar a absorber sólo la mitad de la cantidad diaria recomendada. ¿Tiene esta deficiencia algo que ver con la pérdida de memoria y de capacidades mentales asociada a la edad? Un estudio sin precedentes realizado en animales sugiere que sí.

El aumento en el nivel de magnesio en el cerebro de ratas jóvenes y mayores mejoró su memoria y varios tipos diferentes de aprendizaje. Durante el ensayo, el uso de suplementos estándar en dosis suficientemente altas como para mostrar beneficios provocó diarrea en las ratas, por lo que los investigadores desarrollaron una forma especial de magnesio que llega directamente al cerebro. Lo que observaron fue que esta fórmula aumentaba el tipo de actividad cerebral que es crítica para el aprendizaje y la memoria.

Esta fórmula aún no está disponible en el mercado. De modo que para conservar la agudeza mental, asegúrese de incluir en su dieta una gran variedad de alimentos ricos en magnesio.

## Sumérjase en magnesio y diga "ah, qué bueno"

Todo empezó en una pequeña granja del siglo XVII en Inglaterra, en un lugar llamado Epsom. Un granjero notó que sus vacas dejaron de beber del pozo porque el agua tenía un sabor amargo. Poco después se comprobó que el agua tenía asombrosas propiedades curativas. La sustancia tipo polvo que se obtuvo del agua era sulfato de magnesio, pero la llamaron sal de Epsom. El resto es historia.

Los baños con sales de Epsom se toman para calmar los arañazos, el sarpullido o el dolor muscular. Lo que usted tal vez no sepa es que también está absorbiendo algo de magnesio a través de la piel y aumentando su nivel de magnesio en hasta un 35 por ciento. Para obtener este

> El agua dura contiene magnesio. Los ablandadores de agua lo eliminan.

tipo de beneficio, espolvoree tres tazas de sales de Epsom en la bañera y sumérjase durante unos 12 minutos, un par de veces a la semana.

## Conozca los secretos para comprar suplementos

Dos factores determinan la eficacia de los suplementos de magnesio:

**Porcentaje de magnesio.** Los suplementos de magnesio contienen magnesio, más otra sustancia, generalmente sal, un aminoácido, un ácido orgánico o un ácido graso. La cantidad real de magnesio que se encuentra en un suplemento se llama magnesio elemental. En las etiquetas de los suplementos debe figurar cuánto magnesio elemental hay en cada dosis. Cuando un laboratorio independiente puso a prueba varios tipos de suplementos de magnesio, comprobaron que el magnesio elemental oscilaba entre 75 miligramos (mg) y 750 mg por dosis.

**Biodisponibilidad.** Se refiere a la medida en la que el organismo puede absorber el magnesio del suplemento. Entre los distintos compuestos de magnesio, los quelatos son los que mejor se absorben. Éstos incluyen:

- Glicinato de magnesio
- Aspartato de magnesio
- Taurato de magnesio
- Citrato de magnesio
- Estearato de magnesio
- Cloruro de magnesio
- Lactato de magnesio

### Porcentaje de magnesio en los suplementos

| | |
|---|---|
| Óxido de magnesio | 60% |
| Glicinato de magnesio | 50% |
| Carbonato de magnesio | 45% |
| Hidróxido de magnesio | 42% |
| Citrato de magnesio | 16% |
| Lactato de magnesio | 12% |
| Cloruro de magnesio | 12% |
| Sulfato de magnesio | 10% |
| Gluconato de magnesio | 6% |

Las formas no quelatadas de magnesio, como el óxido de magnesio, el sulfato de magnesio y el carbonato de magnesio no se absorben tan fácilmente. Tampoco se absorben bien los suplementos de magnesio con recubrimiento entérico, debido a que tienen una capa externa que prolonga la disolución de la tableta para proteger el estómago.

# Los medicamentos y el cerebro

consejos para tomar pastillas • efecto de placebo
• usos fuera de lo indicado • medicamentos que aturden
• medicamentos para mantenerse alerta

La medicina comenzó con elementos puramente naturales, como la corteza del sauce, la amapola y la quinina. Muchos de estos elementos evolucionaron hasta convertirse en los fármacos que conocemos actualmente, como la aspirina y la morfina. Aunque en gran medida los científicos siguen dependiendo de la naturaleza como fuente de inspiración, los medicamentos que tomamos hoy están concebidos y creados en su mayoría en laboratorios.

Los medicamentos pueden ser dañinos o útiles, pero tienen algo en común: todos de alguna manera cambian la forma en la que el cuerpo funciona, ya sea imitando o alterando la acción de las sustancias químicas propias del organismo.

Un calmante para el dolor, por ejemplo, puede impedir que las células lesionadas produzcan y liberen prostaglandina, que es una sustancia química que envía los mensajes de dolor al

*El Señor ha creado medicinas a partir de la tierra: el hombre prudente no debe despreciarlas.*

(Eclesiástico 38:4-5)

cerebro. Los fármacos para la depresión pueden actuar como un estimulante, provocando la liberación de adrenalina, que hace que nos sintamos más alerta. Las pastillas para dormir pueden imitar la hormona melatonina, que hace que el cuerpo se vuelva más lento y entre en estado de reposo.

Determinar si un medicamento es bueno o no para usted depende de:

- La cantidad del medicamento que debe tomar
- La frecuencia con la que debe tomar el medicamento
- La rapidez con la que ingresa en el torrente sanguíneo
- Con qué otros fármacos y alimentos lo toma
- La composición química y el tamaño de su cuerpo

**El punto de partida.** El camino que recorre un medicamento en el organismo está determinado por su tipo y su función.

- Si usted ingiere una pastilla o un medicamento líquido, los jugos gástricos del estómago empiezan a descomponerlo de inmediato. Los principios activos pasan al torrente sanguíneo y de ahí se distribuyen a otras partes del cuerpo.

- A veces los jugos gástricos son demasiado fuertes para un medicamento y lo destruyen antes de que tenga la oportunidad de actuar. Las pastillas con cubierta entérica están protegidas con ingredientes especiales que sellan el medicamento para que pase de forma segura a través del estómago y pueda llegar al intestino delgado. Cuando se parte o tritura una pastilla o cápsula con cubierta entérica, se compromete este mecanismo de seguridad.

- Con frecuencia, un fármaco debe actuar directamente en determinada parte del cuerpo. Como ejemplo están las inyecciones de insulina, los broncodilatadores para inhalar o los ungüentos antibióticos de aplicación tópica.

**Proteja su cerebro.** La barrera hematoencefálica es una capa densa de células que separa el cerebro del resto del cuerpo y que impide el paso de sustancias potencialmente nocivas, como las hormonas y las toxinas, a la vez que permite el paso de sustancias beneficiosas como los nutrientes. Mantenga la barrera hematoencefálica (BHE) lo más saludable posible. Para no comprometer su función protectora, evite lo siguiente:

- Presión arterial alta
- Traumatismo craneal
- Infecciones
- Inflamación

A veces la BHE impide el paso de medicamentos útiles, como los que están concebidos para actuar sobre las células del cerebro o para combatir enfermedades cerebrales como el alzhéimer. Éste es un problema que los científicos están tratando de resolver.

## El efecto de placebo: la esperanza como medicina

¿Cree usted en el poder del pensamiento positivo? Sin saberlo, miles de personas lo hacen. Se trata del efecto de placebo, que es cuando el estado de salud de una persona mejora después de una terapia o un tratamiento simplemente porque ése era el efecto esperado.

Un médico puede recetarle un medicamento que no es realmente el indicado para aliviar su problema médico. O tal vez usted está ansioso por probar ciertas vitaminas o remedios alternativos. Lo cierto es que usted comienza a sentirse mejor y surge la pregunta: ¿el tratamiento funcionó o usted simplemente se sanó porque creyó en él?

Los escépticos no pueden cuestionar el hecho de que está demostrado que las pastillas de azúcar etiquetadas como estimulantes pueden aumentar la presión arterial y la frecuencia cardíaca y que las pastillas para dormir ficticias pueden, de hecho, provocar somnolencia.

Muchos expertos atribuyen el efecto de placebo al poder de la mente. Sostienen que el paciente puede utilizar sus emociones, expectativas y razonamiento para curarse a sí mismo. Lo importante sigue siendo que usted debe elegir siempre un tratamiento médico en el que confíe y enfrentar todos los aspectos del cuidado de su salud con una actitud positiva.

# Cómo afectan los medicamentos el cerebro

**La terapia hormonal ayuda a mantener la agilidad mental.** En determinado momento de la vida tomar estrógeno puede ayudar conservar la memoria. Pero esperar tan sólo unos años para iniciar la terapia de reemplazo hormonal (TRH) puede hacer que los efectos negativos superen a los positivos.

Las mujeres se han estado preguntando: "*¿Es la TRH segura para mí?*" Estudios recientes apoyan la idea de que el estrógeno puede proteger la memoria, pero por lo general sólo en las mujeres más jóvenes, en los años previos a la menopausia y en la posmenopausia temprana. El estrógeno estimularía la actividad en la región del cerebro dedicada a la memoria operativa. En las mujeres que pasaron por la menopausia hace varios años, el estrógeno no sólo no protegerá su memoria, sino que aumentará su riesgo de sufrir enfermedades cardíacas, ataques cerebrales y cáncer de mama. Hable con su médico acerca del tipo de estrógeno que es mejor para usted y de cuánto tiempo debe tomarlo.

**Nuevo uso de fármacos aprobados para tratar otras enfermedades.** En un accidente cerebrovascular (ACV) el cerebro no puede recibir oxígeno, a menudo con graves consecuencias. En esos casos, un tratamiento médico oportuno puede ser un verdadero salvavidas. El anticoagulante t-PA, por ejemplo, hace milagros después de un ACV isquémico, pero sólo si se administra dentro de las primeras cuatro horas. Ahora hay otros tratamientos que pueden darles a los pacientes algo más de tiempo:

- Un antidepresivo común ayuda a restaurar la función cerebral después de un ACV. Quienes recibieron escitalopram

> ¿La memoria le está fallando? Antes de ir al médico, fíjese en el cuadro de la página 189 para determinar si está tomando algún medicamento de la lista. Después hable con su farmacéutico sobre los efectos secundarios y las interacciones de todos los medicamentos con receta o de venta libre que está tomando. Por último, hable con su médico acerca de cuáles son los medicamentos que usted puede cambiar o eliminar de forma segura.

(*Lexapro*) en los tres meses posteriores a un ACV tuvieron una puntuación más alta en las pruebas de pensamiento, aprendizaje y memoria que quienes tomaron un placebo. Los expertos creen que este tipo de antidepresivo ayuda a reparar las capacidades mentales dañadas.

- Una sustancia generalmente empleada para tratar el cáncer puede proteger el cerebro de los daños causados por un ACV. La briostatina-1 proviene de un organismo marino parecido al musgo y si se administra dentro de las primeras 24 horas posteriores a un ACV, impide que las células mueran y fomenta el aumento de las conexiones neuronales.

**Las duplas prolongan los beneficios.** El tratamiento farmacológico estándar para la enfermedad de Alzheimer por lo general incluye uno de estos fármacos:

- Los inhibidores de la colinesterasa que retardan la degradación de la acetilcolina, una sustancia química necesaria para formar nuevos recuerdos, como *Aricept*, *Exelon* y *Razadyne*.

- La memantina (*Namenda*) es el único antagonista de los receptores de NMDA aprobado por la FDA para el alzhéimer. Ayuda a regular el nivel de glutamato, sustancia química cerebral clave para el aprendizaje y la memoria.

Ninguna de estas dos clases de fármacos cura el alzhéimer. Lo máximo que pueden hacer es mejorar los síntomas en algunas personas y a menudo sólo por algunos meses. Muchos, sin embargo, están viendo resultados notables cuando combinan estos dos fármacos. Un estudio de Harvard encontró que las personas con alzhéimer que recibieron un inhibidor de la colinesterasa (IC) más memantina, redujeron a la mitad su índice de deterioro cognitivo en comparación con aquéllas que sólo recibieron un IC. Cuanto más tiempo recibieron estos dos fármacos, mayores fueron los beneficios observados.

**Medicamentos conocidos que pueden borrar los recuerdos.** La causa más común de pérdida de la memoria no es el alzhéimer, es una reacción negativa a ciertos medicamentos con receta o de venta libre. Con la edad, las personas se vuelven más sensibles a los fármacos, su cuerpo no los elimina con la misma rapidez y tienden a tomar más de un medicamento. Y debido a que muchas personas mayores creen que es normal tener problemas de memoria a medida que envejecen, no sospechan que la culpable de sus problemas es en realidad la nueva pastilla que empezaron a tomar.

Los fármacos que causan la mayor parte de estas reacciones negativas en las personas mayores pertenecen a un grupo que tiene propiedades anticolinérgicas, es decir, que interfieren con la acetilcolina, que es la que lleva la información entre los nervios. A eso se debe que provoquen problemas de memoria y atención, confusión e incluso alucinaciones.

Cientos de medicamentos con receta y de venta libre actúan como anticolinérgicos, incluidas las pastillas para dormir, los antihistamínicos, los antidepresivos y los medicamentos para la presión arterial. Antes de culpar a la senilidad o al alzhéimer, hable con su médico acerca de todos los medicamentos que está tomando. Recuerde, el deterioro mental no es parte natural del proceso de envejecimiento.

## ¿Debe usted evitar la soya?

Los alimentos de soya contienen nutrientes muy similares al estrógeno, la hormona femenina. Estos estrógenos naturales, o fitoestrógenos, han dado lugar a una controversia sobre si la soya es beneficiosa o perjudicial para el cerebro.

En un reciente análisis de múltiples investigaciones se determinó que las personas que consumieron *tofu*, un alimento hecho a base de soya, un par de veces a la semana, tuvieron mayores problemas de memoria, mientras que aquéllas que tomaron suplementos de soya mostraron una mejoría en sus capacidades mentales. En general, la mitad de los estudios analizados fueron positivos, la otra mitad negativos. A pesar de que la soya puede combatir el colesterol y el cáncer, los beneficios para los adultos mayores no son tan claros. Algunos expertos recomiendan que las personas mayores de 65 años dejen de comer este popular alimento para así evitar la posibilidad de que cause estragos en el cerebro.

| Medicamentos que pueden causar pérdida de la memoria, confusión y alucinaciones | | |
|---|---|---|
| Categoría de medicamentos | Comúnmente recetados para | Ejemplos de nombres comerciales |
| Combinaciones de analgésicos que contienen difenhidramina | Dolor, problemas para dormir | Advil PM, Excedrin PM, Tylenol PM |
| Bloqueadores de los receptores colinérgicos | Control de la vejiga | Ditropan, Detrol, Enablex, Vesicare, Sanctura |
| Antihistamínicos y antihistamínicos sedantes | Refriados, alergias, problemas para dormir | Benadryl, Sudafed, Sominex, Nytol |
| Antagonistas de H2 | Úlceras | Tagamet, Zantac, Pepcid |
| Benzodiazepinas | Ansiedad, problemas para dormir | Ativan, Xanax, Lunesta, Ambien, Sonata |
| Opiáceos | Dolor | Vicodin, Percocet, Percodan, Fiorinal, Demerol |
| Antidepresivos tricíclicos | Depresión, dolor crónico | Limbitrol, Triavil, Asendin |
| Antibióticos de fluoroquinolona | Infecciones | Cipro, Levaquin, Floxin, Flagyl |

## Trucos sencillos para recordar tomar sus pastillas

Recordar la hora de tomar su pastilla puede ser un asunto de vida o muerte. Igual de importante es recordar si usted ya la tomó, ya que una dosis doble puede ser tan peligrosa como una dosis omitida.

El primer paso es hacer una lista de todos sus medicamentos, anotando a qué hora debe tomar cada uno. Revise la lista con un miembro de su familia. Y tenga en cuenta los siguientes consejos:

- Utilice un pastillero. Los sencillos tienen un compartimento para cada día de la semana. Los más sofisticados tienen secciones adicionales para la mañana, el mediodía y la noche. Hay incluso pastilleros electrónicos que tienen alarmas.

- Pregunte si su medicamento también viene en tiras selladas con una lámina de aluminio que se puede perforar para cada pastilla individual. Esto permite controlar cuántas pastillas ha tomado.

- Compre un reloj con alarma.

- Si utiliza una computadora todos los días, utilice un programa de alertas.

- Cuando tome una pastilla haga una pausa y asocie esta acción con una imagen, una paloma que ve por la ventana, por ejemplo. Más tarde, usted podrá recordar haber visto la paloma mientras tomaba su pastilla.

- Siempre tome sus medicamentos a la misma hora en la que realiza una tarea diaria, puede ser después de cepillarse los dientes o antes de ver las noticias.

- Haga algo físico o insólito cada vez que tome sus medicamentos, como darse una palmada en la cabeza. Esto le ayudará a recordar que ya tomó su pastilla.

Tenga en cuenta que, según los estudios, los adultos mayores tienen la tendencia a olvidar sus medicamentos en los días en que tienen muchas ocupaciones.

# Melatonina

cereza agria • banana • camote • tomate • pepino • cebada • avena • beterraga • arroz • jengibre • semillas de girasol • semillas de linaza

La melatonina es una hormona producida en la glándula pineal en el cerebro, que controla el ciclo natural de sueño-vigilia. Pero eso no es todo. Éstos son tres hechos sorprendentes sobre la melatonina que tal vez usted no conocía:

| | |
|---|---|
| 1 taza de cerezas ácidas de Montmorency deshuesadas | 2,325 ng* |
| 1 onza (28 g) de semillas de girasol tostadas | 822.15 ng |
| 1 taza de arroz blanco cocido | 158 ng |
| 1 banana mediana | 5.9 ng |
| 1 tomate pequeño | 4.55 ng |

\* nanogramos

**Se encuentra en el intestino.** A pesar de que fue descubierta por primera vez en la glándula pineal, los expertos ahora saben que hay significativamente más melatonina en el tracto intestinal que en cualquier otro lugar del cuerpo. La liberación de melatonina en el torrente sanguíneo se produce después de comer alimentos ricos en triptófano, como las carnes rojas, los productos lácteos, los frutos secos, las semillas, la banana, la soya, el atún, los crustáceos y el pavo.

**Es un poderoso antioxidante.** Además de regular el reloj biológico, la melatonina ayuda a regular otras funciones del cuerpo relacionadas con el sistema inmunitario y la respuesta al estrés. Se cree que también es eficaz contra el cáncer de mama, el cáncer de colon y la enfermedad fibroquística de mama. La melatonina puede cruzar la barrera hematoencefálica. También puede ingresar a cada una de las células del organismo donde, gracias a sus propiedades antioxidantes, ayuda a combatir los radicales libres.

**Basta con un poco.** El organismo produce en forma natural la cantidad de melatonina que tiene una cereza agria. Normalmente eso es suficiente, pero se puede obtener más de los alimentos y suplementos. Muchas verduras, frutas, frutos secos y cereales para desayuno contienen melatonina en pequeñas cantidades.

Los suplementos son químicamente idénticos a la melatonina producida por el organismo y están disponibles sin receta médica. Debido a que la melatonina no está regulada por la Administración de Alimentos y Fármacos (FDA), marcas diferentes pueden contener cantidades variables de melatonina y recomendar dosis diferentes.

La melatonina puede hacer más intensas las pesadillas.

No hay acuerdo sobre la dosis de melatonina óptima a utilizar, pero parece que su uso es seguro. En un estudio, las personas que tomaron dosis altas de melatonina —dosis de 30 e incluso de 60 miligramos al día— no sufrieron efectos secundarios perjudiciales. No importa la forma como la tome, la melatonina se absorbe

> Aunque el reloj circadiano primario reside en el cerebro, prácticamente todas las células del cuerpo tienen algún tipo de reloj biológico en su interior que responde a diferentes estímulos, como los alimentos y el ejercicio.

fácilmente en la sangre y los tejidos. Y en cuanto al exceso de melatonina, éste sólo potencia su capacidad para combatir el daño causado por los radicales libres.

## Cuatro beneficios de la melatonina para la mente

**Restaura el ritmo de sueño de forma natural.** Rápido, nombre cinco seres vivos que sólo salen de noche. Si sus niveles de melatonina están donde deben estar, usted no se incluyó a sí mismo en la lista de los cinco. En la mayoría de las personas los períodos de sueño y vigilia corresponden al ciclo natural de las horas de oscuridad y de luz. Este ciclo está regulado en parte por su reloj interno, que responde a las señales de hormonas como la melatonina.

Esto es lo que ocurre en el transcurso de un día:

- El sol sale. La luz llega a la retina a través de los párpados e inhibe la producción de melatonina. El organismo no generará más melatonina en las próximas 12 horas aproximadamente.

- Poco a poco, el cuerpo entra en calor, empieza a segregar hormonas estimulantes, como el cortisol y la testosterona, y la presión arterial se eleva. Usted comienza a sentirse alerta.

- A lo largo del día, el organismo se pone en marcha. Su capacidad de coordinación, fuerza y tiempo de reacción llegarán a su máximo punto después del mediodía.

- Temprano por la noche, todo se apaga gradualmente. El organismo responde a la creciente oscuridad y alrededor de las 9:00 de la noche empieza nuevamente a producir melatonina y usted comienza a sentir sueño.

- En algún momento después de la medianoche, la temperatura corporal cae y usted entra en la fase del sueño más profundo.

- Es un nuevo amanecer y el ciclo vuelve a empezar.

A medida que se envejece, el organismo produce menos melatonina y, como resultado, las personas mayores pueden tener dificultad para conciliar el sueño y permanecer dormidas. Consumir alimentos que contienen melatonina o tomar suplementos una o dos horas antes de acostarse, puede mejorar la calidad del sueño sin sentirse somnoliento a la mañana siguiente.

Revise las etiquetas de los suplementos de melatonina. Éste es un caso donde más no es mejor. Investigadores del Instituto de Tecnología de Massachusetts (MIT, en inglés), encontraron que una dosis estándar de alrededor de 3 miligramos (mg) sobrecarga los receptores de la melatonina en el cerebro hasta el punto que dejan de funcionar. Una décima parte de esa cantidad, esto es 0.3 mg, es suficiente para ayudar a quedarse dormido y lograr una mejor calidad de sueño.

Si el desfase horario (*jet lag*, en inglés) es su problema, siga estos consejos para restablecer un patrón normal de sueño:

- Tome melatonina una hora antes de la hora en la que desea quedarse dormido en el avión o bien al llegar a su destino, entre las 10:00 p.m. y la medianoche hora local.

- Siga tomando melatonina tres noches consecutivas o más, después de llegar a su destino.

> Lea las etiquetas de los suplementos con atención para saber exactamente la cantidad de melatonina que contienen. Es posible que sólo vea el nombre químico de la melatonina, ya sea *5-metoxitriptamina* o *N-acetil-5-metoxitriptamina*.

- El beneficio es mayor cuantas más zonas horarias se cruzan.

- El beneficio es menor si se viaja hacia el oeste.

La melatonina ayuda a tener un sueño placentero y reparador, lo que significa un cerebro más agudo y mayores niveles de energía.

**Borra los efectos de la edad.** El acto mismo de vivir y respirar provoca daños microscópicos dentro del cuerpo. El oxígeno interactúa con las células y produce moléculas perjudiciales llamadas radicales libres. Estos radicales libres sabotean las células, los tejidos y los órganos, provocando un sinnúmero de enfermedades y el envejecimiento en general. Cualquier agente que combata este estrés oxidativo le ayudará a vivir una vida más larga y saludable. Como antioxidante, la melatonina hace precisamente eso.

- Actúa directamente contra los radicales libres, pero también potencia el poder de otros antioxidantes.

- Puede ayudar a retrasar las enfermedades relacionadas con la inflamación al neutralizar la causada por los radicales libres.

- Si se administran lo suficientemente temprano, los suplementos de melatonina pueden prevenir la formación de proteínas de beta-amiloide asociadas al alzhéimer.

**Aligera el trastorno afectivo estacional.** Cuando el reloj biológico está fuera de control se puede sufrir un tipo de depresión que se conoce como trastorno afectivo estacional (TAE). Por lo general afecta a las personas que duermen hasta tarde y se quedan despiertas hasta altas horas de la noche, que tienen más energía al final del día y que luego se sienten sin ánimo, y cuya depresión empeora en otoño e invierno.

La melatonina podría ayudar a restablecer el reloj biológico en las personas con TAE. Antes de tomar un suplemento, hable con un médico para elaborar un

Las hormonas son mensajeros químicos que activan varios sistemas en el cuerpo. Sin ellos, el hombre no podría crecer, reproducirse, digerir alimentos o sentir emociones.

programa que incluya un horario de dormir, horas planificadas de exposición a la luz y suplementos de melatonina en dosis bajas.

### Baja la presión arterial nocturna.

La presión arterial empieza a elevarse en las primeras horas de la mañana, alcanza su nivel más alto a inicios de la tarde y luego empieza a caer hasta llegar a su nivel más bajo a eso de las 2 de la mañana. Los expertos creen que este ciclo está de alguna manera relacionado con la melatonina, ya que precisamente cuando el nivel de melatonina aumenta en la noche es cuando la presión arterial cae de forma natural.

> La melatonina podría ofrecer alivio a las personas que sufren de acúfeno. En un estudio, quienes tomaron 3 miligramos de melatonina al día durante un mes mejoraron sus síntomas (pitidos, zumbidos o silbidos constantes en los oídos) y durmieron mejor. Cuanto mayor era la dificultad para dormir, mejores eran los resultados.

Tomar melatonina adicional antes de acostarse puede reducir la presión arterial nocturna aún más, sin afectar la presión arterial diurna. Esto es bueno debido a que la presión arterial nocturna que es significativamente más baja que la diurna protege mejor el corazón. Los suplementos de melatonina pueden ser especialmente útiles para las personas que tienen la presión arterial alta incluso durante el sueño.

Un estudio efectuado en Boston encontró que los hombres con presión arterial alta no tratada que tomaron 2.5 mg de melatonina antes de acostarse mejoraron su ciclo de día-noche, debido a que su presión arterial bajó a niveles más normales durante la noche.

La presión arterial alta es un asunto serio, así que hable con su médico antes de tomar melatonina.

## Cómo comprar la mejor solución para el sueño

Los suplementos de melatonina están disponibles en forma de tabletas o cápsulas normales o en fórmulas especiales de liberación prolongada. Las presentaciones de liberación rápida pueden ser la más indicadas si lo que usted necesita es ayuda para conciliar el sueño. Las presentaciones de liberación prolongada le proporcionan dosis más pequeñas de melatonina durante varias horas, lo que es útil si lo que busca es poder mantener el sueño durante toda la noche.

La melatonina puede ser buena para el corazón de varias maneras. Como antioxidante protege contra los ataques cardíacos e impide que el colesterol "malo" LDL se adhiera a las paredes de las arterias.

# Grasas monoinsaturadas

frutos secos • aceitunas • aceites vegetales • semillas • pescado • aguacate

Si se deja llevar por la publicidad que ve en televisión o cuando va al supermercado, podría llegar a pensar que todo producto con la palabra "grasa" es malo para usted. No es cierto. Todas las personas necesitan algo de grasa en la dieta. La grasa da energía y ayuda a las células a crecer. La grasa permite la absorción de ciertos nutrientes y produce hormonas importantes. Lamentablemente, la mayoría de las personas consumen demasiada grasa del tipo equivocado. Hay básicamente dos tipos de grasas: las saturadas y las insaturadas.

- Las grasas saturadas provienen generalmente de las carnes y los lácteos. También se les llama "grasas malas" por ser la principal causa dietética del colesterol alto. Comer carnes magras y lácteos bajos en grasa ayudará a limitar este tipo de grasa.

- Las grasas insaturadas, como los ácidos grasos poliinsaturados y los ácidos grasos monoinsaturados, son las llamadas "grasas buenas" y provienen de alimentos de origen vegetal y marino.

La mayoría de las personas no entienden esta distinción entre las grasas. En una encuesta reciente realizada por la Asociación Estadounidense del Corazón se encontró que el 80 por ciento de los estadounidenses no sabían que las grasas insaturadas son parte importante de una dieta saludable.

A pesar de lo dicho, la grasa sigue siendo grasa. Cada gramo de grasa, sin importar su tipo, contiene nueve calorías. Consumir demasiada grasa, incluso grasas insaturadas saludables, puede contribuir al sobrepeso. Los expertos coinciden en que el consumo de grasa no debería exceder entre el 25 y el 35 por ciento del total de sus calorías diarias.

Supongamos que usted desea que sólo el 30 por ciento de sus calorías diarias provengan de la grasa. Este cuadro le indicará la cantidad total máxima de gramos de grasa que usted puede consumir al día. Tenga en cuenta que la mayor parte de estos gramos de grasa debe provenir de ácidos grasos monoinsaturados (MUFA, en inglés) y de ácidos grasos poliinsaturados (PUFA, en inglés), no de grasas saturadas.

| Si consume esta cantidad de calorías al día: | No consuma más de esta cantidad total de grasa (en gramos): |
| --- | --- |
| 1,200 | 40 g |
| 1,500 | 50 g |
| 1,800 | 60 g |
| 2,000 | 67 g |
| 2,200 | 73 g |
| 2,500 | 83 g |

## Tres beneficios de los MUFA para la mente

**Controlan el colesterol.** Hay tantas pruebas sólidas de que el aceite de oliva, fuente importante de ácidos grasos monoinsaturados (MUFA), es bueno para el corazón que incluso la FDA permite a los fabricantes afirmar que el consumo de dos cucharadas diarias de aceite de oliva puede reducir el riesgo de desarrollar enfermedades del corazón.

Para obtener este beneficio se debe usar aceite de oliva en lugar de alimentos con alto contenido de grasas saturadas, como la mantequilla. Ése es el secreto: sustituir las grasas malas por las buenas. Es más, sustituir las grasas saturadas por grasas monoinsaturadas reduce más el riesgo de una enfermedad del corazón que si se sustituyen por carbohidratos, especialmente en las personas con diabetes.

| | |
|---|---|
| 10-12 nueces de macadamia | 16.8 g* |
| 20 mitades de pecana | 11.6 g |
| 3 onzas (85 g) de arenque en escabeche | 10.2 g |
| 1 cucharada de aceite de oliva | 9.8 g |
| 1 cucharada de aceite de *canola* | 8.9 g |
| 5.5 onzas (156 g) de filetes de salmón cocido | 8.2 g |
| 1 cucharada de margarina envasada | 5.2 g |

\* gramos

Para mantener el cerebro en condiciones óptimas, se necesita tener un corazón fuerte y arterias saludables y flexibles que aseguren un flujo constante de oxígeno y de sangre rica en nutrientes. Una dieta rica en ácidos grasos monoinsaturados (MUFA, en inglés) beneficia la salud del cerebro ya que ayuda a reducir el colesterol.

El colesterol LDL "malo" sólo se adhiere a las paredes de las arterias formando placas peligrosas después de haber sido dañado por ciertas moléculas llamadas radicales libres. Al proteger el LDL de los radicales libres, el aceite de oliva provoca un cortocircuito en este proceso. Cuando las personas con colesterol alto eliminaron por completo las grasas saturadas de su dieta y empezaron a consumir aceite de oliva:

- Sus niveles de colesterol total se redujeron en un 13.4 por ciento en promedio y de colesterol LDL en un 18 por ciento.

- Disminuyeron en casi la mitad su riesgo de desarrollar enfermedades del corazón.

Además de combatir el colesterol alto, el aceite de oliva y otros alimentos ricos en ácidos grasos monoinsaturados mantienen las paredes de los vasos sanguíneos relajadas y dilatadas. De ese modo, contribuyen a prevenir la presión arterial alta que es la causa de más de 7 millones de muertes al año en el mundo.

**Conservan y protegen la memoria.** El importante Estudio Longitudinal de Envejecimiento de Italia tal vez haya sido el primer estudio científico en relacionar las grasas monoinsaturadas con la demencia. Los ácidos grasos ayudan a mantener el buen funcionamiento de la capa externa de las neuronas del cerebro, por lo que los expertos propusieron una dieta rica en MUFA para combatir el deterioro de las capacidades intelectuales en los adultos mayores.

Desde entonces, numerosos estudios han demostrado que comer grasas buenas mejora el rendimiento intelectual. Una investigación que hizo seguimiento a casi 7,000 adultos mayores encontró que quienes utilizaron aceite de oliva para cocinar y acompañar sus comidas conservaron su memoria y sus destrezas verbales durante más tiempo que quienes no lo hicieron. ¿Quién hubiera pensado que algo tan sencillo como elegir el aliño con aceite de oliva para las ensaladas podía proteger el cerebro contra la pérdida de memoria?

**Mantienen la línea.** Eliminar por completo las grasas de la dieta no es necesariamente la mejor manera de bajar de peso. Lo cierto es que las grasas monoinsaturadas pueden ayudar a adelgazar. El ácido oleico, por ejemplo, es un tipo de MUFA que provoca una reacción química en el tracto digestivo que acaba con la sensación de hambre, lo que puede ayudar a frenar los antojos de comida.

En un estudio realizado en Australia se comparó una dieta rica en ácidos grasos saturados (SFA, en inglés) —una dieta con mucha leche, mantequilla, crema, quesos y carne grasa— con una dieta rica en MUFA —con mucho aceite de oliva, frutos secos y aguacates—. Tanto los que siguieron la dieta rica en SFA como los que siguieron la dieta rica en MUFA consumieron el mismo porcentaje de grasa total. La única diferencia era

El aceite de oliva y los frutos secos, fuentes importantes de grasas monoinsaturadas, son parte esencial de la dieta mediterránea. Para obtener más información sobre este plan de alimentación saludable, vea los capítulos *Degeneración macular asociada a la edad* y *Ácidos grasos omega-3*.

la proporción de grasas saturadas, monoinsaturadas y poliinsaturadas en cada dieta.

> Una cucharada de crema de cacahuate, suave o gruesa, tiene menos de 4 gramos de grasas monoinsaturadas, mientras que 1 onza de cacahuates tostados (unas 28 unidades) tiene alrededor de 7 gramos.

- Todos los participantes del estudio dijeron sentirse satisfechos, sin importar el tipo de dieta que siguieron.

- Los que siguieron la dieta rica en MUFA (ácidos grasos monoinsaturados) se sentían con más energía que los que siguieron la dieta rica en SFA (ácidos grasos saturados).

- Los que recibieron alimentos con alto contenido de grasas saturadas aumentaron de peso y grasa, mientras que los que consumieron grasas monoinsaturadas perdieron peso y grasa.

- Los niveles de colesterol aumentaron en el grupo con la dieta rica en SFA y cayeron en el grupo con la dieta rica en MUFA.

Con este tipo de cambio en la dieta se evita además la peligrosa grasa abdominal, que ha sido asociada a un riesgo mayor de desarrollar enfermedades del corazón y diabetes tipo 2.

| Sustituya esta cantidad de mantequilla o margarina: | Por esta cantidad de aceite de oliva: |
|---|---|
| 1 cucharadita | 3/4 de cucharadita |
| 1 cucharada | 2 1/4 cucharaditas |
| 2 cucharadas | 1 1/2 cucharadas |
| 1/4 de taza | 3 cucharadas |
| 1/3 de taza | 1/4 de taza |
| 1/2 taza | 1/4 de taza + 2 cucharadas |
| 2/3 de taza | 1/2 taza |
| 3/4 de taza | 1/2 taza + 1 cucharada |
| 1 taza | 3/4 de taza |

# La mala noticia sobre un aceite popular

Hay un aceite peligroso que se oculta en muchos alimentos populares y que ataca el tejido cerebral, destruyendo la capacidad para pensar con claridad y la memoria. Se le conoce como ácido graso trans y no hay nada que despierte más amor y odio a la vez.

Elaboradas a partir de un proceso que agrega hidrógeno al aceite vegetal líquido, las grasas trans le dan un sabor más apetecible a los productos horneados comercialmente. También permiten que el aceite para freír se pueda utilizar varias veces. Por eso las tortas, las papas fritas y muchos alimentos que se sirven en los restaurantes están repletos de grasas trans. Todos esos productos saben muy bien, pero son muy malos para la salud. Las grasas trans de estos productos elevan el nivel del colesterol LDL "malo" y reduce el "buen" colesterol HDL. Su consumo aumenta el riesgo de sufrir enfermedades del corazón y accidentes cerebrovasculares y está vinculado con un riesgo mayor de desarrollar diabetes tipo 2.

Estos pequeños malhechores también incursionan en las membranas de las células cerebrales y en la cubierta protectora alrededor de las neuronas. Una vez allí, los ácidos grasos interfieren con la capacidad de las neuronas para comunicarse. Eso significa que las neuronas mueren y el cerebro no puede funcionar como debe.

El peligro que presentan para la salud está tan bien establecido que algunas ciudades han prohibido el uso de grasas trans en sus restaurantes. La Administración de Alimentos y Fármacos (FDA, en inglés) exige hoy a los fabricantes de alimentos mencionar en la etiqueta de información nutricional la cantidad de grasas trans que contiene cada producto.

El aceite de oliva es más que una ración saludable de ácidos grasos monoinsaturados. Según el lugar de cultivo de las aceitunas y la época en la que fueron cosechadas, entre el 8 y 10 por ciento del aceite podría contener ácidos grasos poliinsaturados. Así cada cucharada le aportaría además una buena dosis de antioxidantes naturales.

La Asociación Estadounidense del Corazón recomienda limitar el consumo de grasas trans a menos del 1 por ciento del total de las calorías diarias. Por ejemplo, si se consumen 2,000 calorías al día, limitarse a menos de 2 gramos de grasas trans.

> Las grasas insaturadas son líquidas a temperatura ambiente, mientras que las grasas saturadas suelen ser sólidas.

La buena noticia es que el aceite de oliva en su estado natural no contiene ácidos grasos trans.

| Tipos de aceite de oliva | | | |
|---|---|---|---|
| Tipo | Elaboración | Sabor y aroma | Usos |
| Aceite de oliva virgen extra | Aceite de máxima calidad que se obtiene de las aceitunas maduras prensadas justo después de haber sido cosechadas. Sin aditivos químicos ni temperaturas altas durante el proceso de extracción. | Sabor intenso y aroma afrutado. | Como aliño o para añadir a los alimentos preparados. Utilizar en crudo para apreciar su sabor. |
| Aceite de oliva virgen | Aceite que también se obtiene del primer prensado de las aceitunas, sin procesos químicos ni temperaturas altas. | Buen sabor, pero de calidad ligeramente inferior al virgen extra. | Bueno para cocinar o aderezar los alimentos. |
| Aceite de oliva | Mezcla de aceites de oliva virgen y aceites refinados. También se le llama "puro". | Sabor suave y sólo un ligero aroma afrutado. | Un excelente aceite de cocina multiuso. |
| Aceite de oliva refinado | Elaborado a partir de los aceites de oliva virgen con procesos químicos o temperaturas altas. | No tiene sabor ni olor. | En alimentos que llevan la etiqueta de "envasado en aceite de oliva". |

## Cinco cosas a saber sobre el aceite de oliva

- Compre el aceite de oliva en envases opacos o de vidrio oscuro, ya que puede adquirir un sabor rancio si se expone al calor y la luz directa. Si lo compra en un recipiente transparente, elija uno de la parte posterior del anaquel alejado de la luz directa. En casa, almacene el aceite en un lugar fresco y oscuro.

> Los ácidos grasos omega-3 son tal vez los ácidos grasos poliinsaturados (PUFA, en inglés) más conocidos. El pescado de agua fría, los frutos secos, las semillas y los aceites vegetales son buenas fuentes de PUFA.

- Si se refrigera, el aceite de oliva se volverá turbio y algo más espeso. Una vez a temperatura ambiente, volverá a su estado normal.

- El aceite de oliva soporta bien las temperaturas para freír. Su punto de humo, que es la temperatura a la que empieza a descomponerse y formar ácidos grasos trans y otros compuestos nocivos, es alto: 410 grados Fahrenheit (210 °C).

- A medida que se calienta, aumenta su volumen, por lo que se necesita menos aceite para cocinar y freír.

- Al freír, el aceite de oliva forma como una costra que impide que el aceite penetre en los alimentos. Los alimentos fritos en aceite de oliva tienen un menor contenido de grasa que los alimentos fritos en otros aceites.

# Musicoterapia

alegra el ánimo • aviva la memoria • alivia el estrés • mejora el movimiento • reduce la presión arterial • calma el dolor • ayuda en la recuperación de un accidente cerebrovascular

Los médicos están recetando un remedio natural para el alzhéimer, el párkinson, los accidentes cerebrovasculares y la depresión. No es un medicamento, sino algo que usted disfrutará todos los días. Si esta noticia es música para sus oídos, es porque realmente lo es: la musicoterapia ayudaría a mantener la salud del cerebro y del cuerpo.

La musicoterapia se puede hacer con la guía de un musicoterapeuta profesional o sin ella, y puede consistir en escuchar música, cantar o tocar un instrumento. Se ofrece este tipo de terapia en algunos hospitales, centros de rehabilitación, centros para el adulto mayor y hogares de ancianos. Sólo escuchar su música favorita en la comodidad de su propio hogar también puede tener un efecto favorable en el cerebro y en su salud.

Los expertos no saben exactamente a qué se debe este efecto, pero los estudios sugieren que las regiones del cerebro que se activan con la música son las mismas que se ocupan de funciones como el lenguaje, la percepción auditiva, la atención, la memoria y el control motor. La música puede ayudar a activar estas regiones y a mejorar la interacción entre ellas.

La música puede incluso ayudar a prevenir ciertas afecciones. En el Estudio de Envejecimiento del Bronx, que hizo un seguimiento durante cinco años a 469 hombres y mujeres mayores de 75 años, se observó que tocar un instrumento musical y bailar fueron algunas de las actividades asociadas a un menor riesgo de sufrir demencia.

A pesar de todos estos beneficios, la musicoterapia no debe sustituir un tratamiento convencional.

## Cinco beneficios de la musicoterapia para la mente

**Alivia los síntomas del alzhéimer.** Escuchar música puede ayudar a las personas con alzhéimer a establecer una conexión con sus recuerdos y redescubrir su personalidad. Incluso puede ayudar a recordar nombres, caras y palabras, según un estudio realizado por el Instituto de Música y Función Neurológica, de Nueva York. Las melodías familiares pueden ayudar a las personas con demencia a relacionarse con los demás y a sentir alegría.

La música es poderosa. A diferencia de la memoria verbal, la memoria musical no reside en una región específica del cerebro. La música se procesa en distintas áreas del cerebro y, por lo tanto, su recuerdo es más difícil de borrar. Las canciones que fueron populares en la adolescencia o en la juventud son las que tienen la mayor repercusión.

Tocar música también ayuda. De acuerdo con la Sociedad Británica de Alzheimer, cantar melodías conocidas y aprender otras nuevas puede ayudar a desarrollar la autoestima, a aliviar la soledad en las personas con demencia e, incluso, a retrasar la aparición de problemas de memoria. Un estudio encontró que escuchar música, cantar y tocar instrumentos de percusión facilitó una mayor participación dentro del grupo y un comportamiento menos agresivo y problemático entre las personas con demencia en hogares de ancianos.

En otros estudios se ha demostrado que la musicoterapia puede ayudar a recuperar recuerdos aparentemente perdidos e incluso a restaurar otras funciones cognitivas, como el razonamiento, la percepción y el buen juicio. En un estudio reciente, las personas con alzhéimer pudieron recordar mejor nuevas informaciones verbales si eran cantadas o se les ponía música. Cantar en grupo, como en un coro de iglesia o de la comunidad, permite además establecer vínculos sociales beneficiosos. Las personas que tienen más relaciones sociales son menos propensas a desarrollar deterioro mental.

**Ayuda a las personas con párkinson.** Los temblores, la postura encorvada, el movimiento lento, la falta de equilibrio y caminar arrastrando los pies son algunos efectos de este mal. En Canadá, sin embargo, se ha descubierto que el baile puede proporcionar un alivio temporal de estos efectos.

Muévase al ritmo de la música para obtener el máximo provecho. Un estudio realizado en Japón encontró que la música ayuda a prevenir el cansancio del ejercicio físico. Otro estudio comprobó que cierta música rock y pop puede mejorar la tolerancia al ejercicio en un 15 por ciento. Para una sesión de ejercicios moderada o intensa, elija música alegre, idealmente con 120 a 140 compases por minuto.

Incluso parece que bastaría con sólo escuchar la música y pensar en los pasos de baile. Para obtener los mejores resultados, elija la música que más le guste y que le traiga recuerdos gratos.

Si bien todo tipo de baile ayuda, hay una danza específica que puede proporcionar beneficios adicionales. Un estudio reciente realizado por la Universidad de Washington encontró que las clases de tango mejoraron la movilidad y el equilibrio en las personas con párkinson. Las lecciones de baile incluían estiramientos, ejercicios de equilibrio, pasos de tango y danza con y sin pareja. Los movimientos típicos del tango, que incluyen giros, pasos a velocidades distintas y desplazamientos caminando hacia atrás, son especialmente útiles. El aspecto social de este baile también es un factor a tener en cuenta.

**Levanta el ánimo.** La musicoterapia también puede ayudar a combatir la depresión y la ansiedad. Según un estudio realizado por la Clínica de Cleveland, escuchar música puede ayudar a aliviar los síntomas de la depresión en un 25 por ciento. Los participantes del estudio escucharon ya sea su música favorita o una música relajante de piano, arpa, orquesta o jazz. Un estudio que se llevó a cabo en Corea del Sur encontró que la música puede mejorar la depresión, la ansiedad y las relaciones sociales de las personas con enfermedad mental.

En un estudio realizado en Francia, la música New Age (o música de la Nueva Era) redujo los niveles de cortisol, la hormona del estrés. En otros estudios se observó que la música reduce el estrés y la ansiedad antes y durante los procedimientos médicos. Elegir su propia música puede proporcionar el mayor beneficio.

Relajarse mientras se escucha música suave y tranquilizante funcionó tan bien como los masajes para reducir la ansiedad según un estudio reciente, lo que lleva a los investigadores a sugerir este enfoque como una alternativa menos costosa.

**Ayuda en la recuperación de un accidente cerebrovascular.** La música puede ayudar con varios aspectos de la rehabilitación después de un accidente cerebrovascular. Por ejemplo, cantar puede ser útil para aprender a hablar de nuevo. Una región en el lado izquierdo del cerebro afecta el habla, pero el lado derecho del cerebro procesa el lenguaje, las melodías y los ritmos. De modo que es posible seguir teniendo problemas para pensar en la palabra adecuada o para formar frases y, a la vez, ser capaces de cantar toda la letra de canciones familiares. Un tratamiento, que se conoce como terapia de entonación melódica, ayuda a "cantar" lo que se quiere comunicar. Luego se eliminan los elementos musicales y lo que queda es un patrón de habla normal.

Las canciones de cuna no son sólo para los bebés. Hay estudios que sugieren que la música suave puede ayudar a dormir a las personas mayores. Se pueden adquirir discos compactos concebidos para promover el sueño, pero cualquier música suave y lenta a la hora de acostarse puede ser un remedio eficaz y de bajo costo para el insomnio.

La música también puede ayudar a recuperar la visión. Un efecto secundario común de los accidentes cerebrovasculares, es la llamada negligencia visual, que afecta la capacidad para seguir objetos, ya sea en el campo visual de la izquierda o la derecha. Un estudio británico reciente encontró que escuchar música agradable puede ayudar a mejorar este problema, no así la música desagradable y el silencio. Los investigadores creen que la respuesta emocional positiva a la música agradable —en realidad a cualquier música que le guste— mejora la señalización en el cerebro. Escuchar música con regularidad también mejora la cognición y el estado de ánimo después de un accidente cerebrovascular.

**Controla la presión arterial alta.** La música puede ayudar a evitar un accidente cerebrovascular debido a que puede reducir la presión arterial y mejorar el flujo de sangre.

En un estudio realizado recientemente en Italia, se pidió a personas que tenían la presión arterial ligeramente alta que respiraran lentamente mientras escuchaban música clásica, celta o hindú durante 30 minutos cada día. Su presión arterial sistólica, el valor superior en una lectura de presión arterial, se redujo en un promedio de 3.2 puntos después de una semana y de 4.4 puntos después de un mes. Combinar música relajante con una respiración suave y lenta, y exhalaciones largas y profundas ayuda a mantener la presión arterial bajo control.

Tras una revisión de 23 estudios, investigadores de la Universidad de Temple concluyeron que la música ayuda a las personas con afecciones del corazón a relajarse y puede incluso reducir su presión arterial y su frecuencia cardíaca. Elegir su propia música ofrece el mayor beneficio.

> Escuchar música a alto volumen puede dañar la audición. En casos extremos puede incluso provocar un colapso pulmonar. Para obtener más información, vea el capítulo *Pérdida de la audición*.

Los ritmos alegres pueden tener un efecto beneficioso en los vasos sanguíneos. En un pequeño estudio se comprobó que escuchar música alegre dilata los vasos sanguíneos en un 26 por ciento. Por otro lado, escuchar música que produce ansiedad puede estrechar las arterias en un 6 por ciento.

Un estudio realizado recientemente en Italia sugiere que el organismo responde automáticamente a la música, sea ésta de su agrado o no. Los *crescendos* o el aumento gradual de la intensidad de la música conducen al estrechamiento de los vasos sanguíneos y la elevación de la presión arterial y la frecuencia cardíaca, mientras que los *diminuendos* o disminuciones graduales de la intensidad, provocan la relajación, lo que hace más lento el ritmo cardíaco y reduce la presión arterial. La música que alterna entre ritmos rápidos y lentos, como las óperas, podría ser la mejor para la circulación y el corazón.

## Escuche música en línea

Si tiene problemas para encontrar una tienda de música cercana, puede quedarse en casa y descubrir en Internet un verdadero tesoro de canciones y música nueva. La radio transmitida por Internet funciona mejor si usted tiene una línea digital (DSL) o una conexión por cable. Usted podrá descubrir una enorme selección de estilos musicales en Internet y muchas estaciones que tocan únicamente el tipo de música que a usted le gusta, la mayoría de ellas sin interrupciones comerciales. Y no encontrará mejor precio porque la música es gratis.

Busque su estación de radio favorita en *www.radio-locator.com* (en inglés) y encontrará una lista de estaciones de radio que puede escuchar de manera gratuita. Elija el tipo de música que le gusta, ya sea jazz o música tejana, música clásica o música cristiana. Algunas estaciones de radio por Internet le permiten personalizar la música que desea escuchar. Vaya a Pandora (*www.pandora.com*), Slacker Radio (*www.slacker.com*) o Yahoo! Music (*new.music.yahoo.com*).

En las tiendas de música en Internet, también se pueden comprar las canciones de manera individual por menos de un dólar. En lugar de una cinta o CD físico, usted recibe un archivo de música digital que puede escuchar en su computadora, copiar en un CD para escuchar en su auto o pasar a un reproductor de MP3. Estos sitios web son populares por las listas de canciones que ofrecen:

- iTunes *www.apple.com/itunes*
- eMusic *www.emusic.com*
- Rhapsody *www.rhapsody.com*
- Classical.com *www.classical.com*

## Pinte un panorama más alegre y optimista

La música no es la única forma de arte que ha recibido el apoyo científico. La terapia artística es un tipo de tratamiento para la salud mental que se ofrece desde 1930 y que cuenta con una amplia variedad de estrategias creativas.

La terapia artística incluye el dibujo, la pintura, el trabajo en arcilla y la escultura, así como las conversaciones sobre arte y la interpretación de obras de arte. Al igual que la musicoterapia, se puede hacer en sesiones individuales o grupales. Utilizada para tratar la ansiedad, la depresión y otros problemas mentales y emocionales, la terapia de arte ofrece varios beneficios. Puede levantar el ánimo, mejorar la autoestima y estimular las vías neurológicas. También reduce el estrés.

Los estudios parecen indicar que la terapia artística mejora la calidad de vida de los adultos mayores, incluidas las personas que padecen la enfermedad de Alzheimer. La terapia artística suele hacer que los participantes se sientan más felices y tranquilos. También puede bajar la presión arterial y reducir los mareos, la fatiga y el dolor. El solo hecho de mirar un cuadro que le agrada puede reducir el dolor, según un estudio realizado en Italia.

Así que dele rienda suelta a su artista interior y descubra los poderes curativos del arte.

# Niacina

levadura • carne roja • pescado • aves • leche • huevo • verduras verdes • granos de cereales • legumbres • semillas • crema de cacahuate

Las películas en 3D están de moda y son un éxito de taquilla. Pero cuando se trata de la salud, la vitamina B3 es la que deslumbra por sus efectos especiales.

La niacina, también conocida como vitamina B3, cumple varias funciones en el organismo. La niacina ayuda a descomponer el azúcar en la sangre para obtener energía y actúa como un vasodilatador para ensanchar los vasos sanguíneos y mejorar el flujo de la sangre. También ayuda a producir ADN y a mantener la salud del sistema digestivo, los nervios, la piel, los ojos y el cabello.

No obtener la cantidad suficiente de esta importante vitamina puede poner en riesgo la salud. La deficiencia alimentaria de niacina puede causar una enfermedad llamada pelagra, cuyos síntomas incluyen comezón e inflamación en la piel, dolor de estómago, diarrea, depresión, dolores de cabeza, adelgazamiento del cabello y demencia.

Afortunadamente, la niacina se encuentra en muchos alimentos comunes, como la carne, el pescado, las aves de corral, las legumbres y los cereales fortificados. El organismo también convierte el triptófano dietético presente en las carnes rojas, las aves de corral, los huevos y los productos lácteos en niacina.

El consumo diario recomendado (*Recommended Dietary Allowance* o RDA, en inglés) para la niacina

| | |
|---|---|
| 1 taza de cereal para desayuno *Product 19* | 20.01 mg* |
| 3/4 de taza de cereal para desayuno *Total Raisin Bran* | 19.99 mg |
| 3 onzas (85 g) de hígado de res | 14.85 mg |
| 1/2 pechuga de pollo | 14.73 mg |
| 1 taza de ensalada de atún | 13.73 mg |
| 1/2 filete de hipogloso | 11.33 mg |
| 1/2 pato asado | 11.27 mg |
| 1/2 filete de salmón | 10.34 mg |

\* miligramos

es de 14 miligramos (mg) para las mujeres y de 16 mg para los hombres. Estas cantidades se pueden obtener fácilmente a través de la dieta. Sin embargo, usted podría necesitar dosis más altas para obtener ciertos beneficios para la salud. Ahí es donde entran a batallar los suplementos de niacina que se recetan principalmente para elevar el nivel del colesterol HDL "bueno", pero también pueden estimular el cerebro y la salud general.

## Tres beneficios de la niacina para la mente

**Combate el alzhéimer.** Los estudios sugieren que la niacina puede ayudar a prevenir la enfermedad de Alzheimer y el deterioro mental. Un estudio reciente de la Universidad de California-Irvine encontró que la nicotinamida, la forma biológicamente activa de la niacina, ayuda a los ratones con demencia. De hecho, los ratones con demencia que tomaron agua a la que se le había agregado nicotinamida realizaron tareas de memoria como si nunca hubieran tenido la enfermedad. Incluso mejoró la memoria espacial a corto plazo en los ratones normales.

Se cree que la nicotinamida funciona al reducir el nivel de una proteína que contribuye a la formación de los ovillos que se encuentran en el cerebro de las personas que padecen la enfermedad de Alzheimer. Pruebas igualmente alentadoras se obtuvieron de un estudio anterior que observó a un grupo de residentes mayores en Chicago. En dicho estudio, las personas que recibieron la dieta con mayor contenido de niacina agregada presentaron un riesgo menor de desarrollar alzhéimer. También tuvieron una menor tasa anual de deterioro cognitivo.

Debido a que un estudio se realizó con ratones y en el otro los participantes se limitaron a llenar un cuestionario informando a los investigadores lo que habían comido, se necesita continuar con las investigaciones antes de poder recomendar el uso de los suplementos de niacina. Entretanto, a nadie le hará daño agregar unos cuantos alimentos ricos en sabor y en niacina a su dieta.

**Mejora los niveles de colesterol.** Ésta es la razón de la fama de la niacina y la razón por la cual la mayoría de las personas toman suplementos de niacina. El colesterol alto es un factor de riesgo para las enfermedades cardíacas, ataques al corazón y accidentes cerebrovasculares, además de aumentar la probabilidad de desarrollar la enfermedad de Alzheimer.

Pero no todo el colesterol es malo. A diferencia del colesterol LDL que obstruye las arterias, el colesterol HDL lleva el colesterol del torrente sanguíneo hacia el hígado y fuera del organismo. Por lo tanto, a medida que aumenta el nivel de colesterol HDL, disminuye el riesgo de sufrir enfermedades cardíacas.

Es aquí donde la niacina cumple una función importante: aumentar los niveles del colesterol HDL. De hecho, grandes dosis de niacina son la manera más eficaz de elevar el nivel de HDL. La niacina puede elevar el nivel del colesterol HDL entre un 15 y un 35 por ciento. Eso no es todo lo que puede hacer. La niacina también puede:

- Reducir los triglicéridos entre 20 y 30 por ciento.

- Reducir el colesterol LDL entre 10 y 20 por ciento.

Aún hay más. Según un estudio reciente de la Universidad de Washington, combinar la niacina con una estatina reduce el riesgo de sufrir un ataque al corazón hasta en un 90 por ciento.

En otro estudio reciente, la niacina funcionó mejor para frenar la acumulación de placa en las paredes arteriales que *Zetia*, un fármaco para reducir el colesterol. Los participantes del estudio ya tomaban estatinas para bajar su colesterol LDL. Quienes además tomaron niacina lograron elevar sus niveles de HDL en más de un 18 por ciento, a la vez que redujeron significativamente sus niveles de LDL y de triglicéridos.

Aumentar el nivel del colesterol HDL no sólo protege el corazón, también protege el cerebro. Investigadores en Holanda estudiaron a más de 500 personas mayores de 85 años y observaron

Los científicos especulan que la niacina, además de sus numerosos beneficios conocidos, podría ayudar a combatir la esclerosis múltiple. En un estudio realizado con ratones, la nicotinamida —una forma de vitamina B3 estrechamente relacionada con la niacina— ayudó a prevenir la degeneración de fibras nerviosas y redujo la inflamación. Se necesita más investigación, pero este prometedor tratamiento podría ser una alternativa menos costosa y más segura a los fármacos de uso habitual.

que las que tenían niveles bajos de colesterol HDL tenían más del doble de probabilidades de desarrollar demencia que las que tenían los niveles más altos. El riesgo era cuatro veces mayor si se excluía a las personas con un historial de afecciones cardíacas o de accidentes cerebrovasculares. Los investigadores creen que el colesterol HDL combate la demencia ya sea frenando la acumulación de beta-amiloide o reduciendo la inflamación cerebral.

**Ayuda en la recuperación de los pacientes que han sufrido un accidente cerebrovascular.** Un ataque cerebral puede tener consecuencias devastadoras. Los investigadores del Hospital Henry Ford, de Detroit, han descubierto que la niacina ayuda a restaurar la función cerebral en ratas que tuvieron un accidente cerebrovascular. La niacina provocó cambios beneficiosos en el cerebro de las ratas, como el desarrollo de nuevos vasos sanguíneos y la generación de las células nerviosas. En palabras de un investigador: "La niacina esencialmente reconfigura el cerebro". La capacidad de la niacina para incrementar el nivel del

HDL puede que sea el factor clave de su éxito, pero hay otros factores a tener en cuenta.

Se están llevando a cabo estudios para determinar si la niacina también ayuda a los seres humanos. Si los resultados son tan promisorios como los estudios preliminares realizados en animales, la niacina podría ser un tratamiento seguro, fácil y de bajo costo para las personas que han sufrido un accidente cerebrovascular.

La vitamina B3 podría brindar protección contra el cáncer de piel. Los rayos ultravioleta del sol suprimen el sistema inmunitario de la piel, dejándola más susceptible al cáncer. Un estudio reciente realizado en Australia encontró que los suplementos de nicotinamida contrarrestaban este efecto de la radiación UV. También conocida como niacinamida, la nicotinamida es además un ingrediente común en las cremas para la piel.

## Gánele la guerra al colesterol

Usted tendría que comer como un rey (mejor dicho, varios reyes glotones) para obtener suficiente niacina a través de la dieta y poder así mejorar sus niveles de colesterol. Con los suplementos de niacina, sin embargo, se puede obtener la cantidad adecuada. La niacina está disponible con receta médica en dos presentaciones: una normal y otra de liberación prolongada, llamada *Niaspan*. También se pueden encontrar varias fórmulas de venta sin receta médica. Cualquiera sea la forma que elija, no tome suplementos de niacina sin antes consultar con su médico.

## Conozca los efectos secundarios de la vitamina B

A pesar de que la niacina es una vitamina natural que se encuentra en una amplia variedad de alimentos, puede causar problemas graves si se toma en dosis altas. El efecto secundario más común es el enrojecimiento de la cara y los hombros, que puede ocurrir con dosis mayores de 50 miligramos al día. La piel se puede enrojecer y se puede sentir ardor, hormigueo, picazón y dolor. Otros efectos comunes son los dolores de cabeza y los malestares estomacales, mientras que algunas personas han reportado alteraciones del ritmo cardíaco y una caída temporal de la presión arterial.

La niacina en dosis altas puede contribuir a la gota, las úlceras, la diabetes y el daño hepático. También puede aumentar el nivel de homocisteína, una sustancia que es un factor de riesgo para los ataques cardíacos y los accidentes cerebrovasculares. Recuerde, estos efectos secundarios ocurren únicamente con los suplementos de niacina, que sólo se deben tomar con la supervisión de un médico. Los alimentos ricos en niacina no presentan un riesgo para la salud.

Hay una serie de precauciones que se pueden tomar para evitar el enrojecimiento de la piel causado por la niacina. Se puede empezar con una dosis baja de niacina y aumentar la dosis gradualmente, o elegir una formulación de liberación lenta. Tomar aspirina o medicamentos antiinflamatorios no esteroideos (AINE) con la niacina también puede disminuir el enrojecimiento de la piel. Se debe evitar el consumo de bebidas calientes y alcohol. Tomar niacina con los alimentos contrarresta el enrojecimiento de la piel y ayuda a prevenir los malestares estomacales y las úlceras.

# Obesidad

IMC superior a 30 • cintura de más de 35 pulgadas en las mujeres y de más de 40 pulgadas en los hombres

Tiene que ir al gimnasio para bajar de peso, pero no puede recordar donde puso las llaves del coche. ¿Pensó alguna vez que podría existir una relación entre no encontrar las llaves y tener sobrepeso? Lo cierto es que la probabilidad de desarrollar cualquier tipo de demencia, incluido el alzhéimer, es dos veces mayor para las mujeres con sobrepeso que para las mujeres de peso normal. Y si ese sobrepeso está concentrado alrededor de la cintura, la probabilidad de desarrollar demencia se triplica.

Hay varias posibles explicaciones para la relación entre la pérdida de memoria y la grasa corporal, especialmente la grasa abdominal. Tal vez la más sencilla sea la del triángulo "obesidad, diabetes y enfermedades cardíacas", un triángulo que con frecuencia es mortal. Esta tríada significa un problema para el flujo saludable de la sangre y afecta de muchas maneras la capacidad para pensar. Debido a que el exceso de peso está entrelazado con la presión arterial, el colesterol y el azúcar en la sangre, es prácticamente imposible tener cualquiera de ellos bajo control sin antes haber controlado la cantidad de grasa corporal.

Éstas son otras teorías que ayudan a explicar la relación que existe entre el peso y la función cerebral:

**La proteína C reactiva.** Hay un vínculo interesante entre inflamación, grasa corporal y demencia. Este vínculo puede que se deba a la presencia de una proteína específica llamada proteína C reactiva (PCR). El hígado produce la PCR después de una lesión, una infección o una inflamación. La PCR desaparece cuando se cura la lesión o cuando se resuelve la infección o la inflamación.

Los expertos creen que tener niveles elevados de PCR durante demasiado tiempo aumenta el riesgo de tener enfermedades del corazón, ataques cerebrales, presión arterial alta, diabetes y resistencia a la insulina. Las personas con sobrepeso son más propensas a tener niveles más altos de PCR que están asociados a la demencia y a problemas con el pensamiento y la memoria.

Antes de empezar un programa para adelgazar, su médico debe elaborar una historia clínica completa para determinar si usted tiene algún problema de salud subyacente que podría interferir con su objetivo. Otros factores a tener en cuenta son sus antecedentes familiares, los medicamentos que toma e, incluso, su salud mental.

Un estudio que se llevó a cabo recientemente en Alemania sugiere que las personas con sobrepeso que reducen su consumo de calorías pueden mejorar su memoria y su capacidad intelectual, al reducir la inflamación y mejorar sus niveles de insulina y de azúcar en la sangre. Los participantes del estudio que experimentaron la mayor pérdida de peso también mostraron las mayores mejoras en las pruebas de memoria.

**La leptina.** Las células adiposas producen esta hormona para controlar el hambre. La presencia de leptina sería como una señal para el cerebro de que hay grasa en el organismo. La falta de leptina, por otro lado, le dice al cerebro que no hay grasa y que debe activar el "interruptor de hambre", para que la persona coma más y más hasta obtener la señal de la leptina de que no se necesita más grasa. De cierta manera, el exceso de células adiposas y la cantidad de leptina en el organismo afectan la función cerebral. En un estudio publicado en la revista médica *Journal of the American Medical Association* las personas con los niveles más bajos de leptina se mostraron cuatro veces más propensas a desarrollar la enfermedad de Alzheimer que las personas con los niveles más altos.

Existe un recorrido fácil y peligrosamente mortal que va de la grasa visceral (el tipo de grasa que se encuentra en la parte más profunda del abdomen), a niveles más altos de insulina, pasando por la diabetes tipo 2 y llegando finalmente a la demencia. Este recorrido es como viajar en un tren con escalas y con un peligroso destino final. Si usted se encuentra en ese tren, bájese en la primera estación.

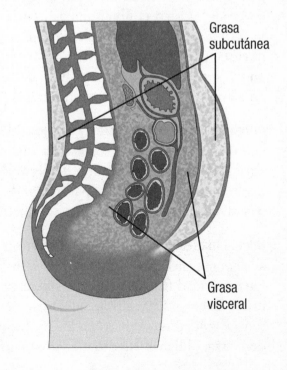

Grasa subcutánea

Grasa visceral

# Cinco estrategias para superar la obesidad

**Fíjese metas razonables.** Una forma segura de fracasar cuando se quiere bajar de peso es fijarse metas demasiado altas. Antes que nada establezca una meta de peso segura y realista para usted. Usted puede hablar con su médico o puede utilizar una herramienta de cálculo estándar llamada el IMC (índice de masa corporal o BMI, en inglés). El IMC es un indicador del peso corporal de una persona en relación con su estatura. El IMC no mide directamente la grasa corporal, pero los expertos opinan que es una buena indicación. Los Institutos Nacionales de Salud han fijado los siguientes criterios:

- Sobrepeso: un IMC de entre 25 y 29.9

- Obesidad: un IMC igual o superior a 30

- Obesidad mórbida o extrema: un IMC igual o superior a 40

Para calcular su IMC, primero multiplique su peso en libras por 703. Luego eleve al cuadrado su estatura en pulgadas, es decir multiplique el número por sí mismo. Por último, divida el primer número (su peso multiplicado por 703) por el segundo número (su estatura al cuadrado). Usted también puede usar la calculadora de la página *www.nhlbi.nih.gov/health/educational/lose_wt/BMI/bmicalc_sp.htm,* que calcula automáticamente su IMC en libras, pies y pulgadas, o en kilos y centímetros. Luego haga clic en "Las tablas de IMC" para averiguar cuál es el peso razonable para su estatura.

**Obtenga apoyo de familiares y amigos.** Está demostrado que contar con un grupo de apoyo social hace que sea mucho más fácil adelgazar con éxito. Rodearse de personas que tienen los mismos hábitos alimentarios y que participan de las mismas actividades de ocio ayuda a no perder de vista su objetivo de pérdida de peso.

**Queme más energía.** No hace falta ser un genio para saber que para adelgazar es necesario quemar más calorías de las que se consumen. Una actividad física divertida, como el baile, la jardinería o caminar, puede quemar 150 calorías adicionales en media hora. Además, toda actividad que desarrolla los músculos, como el entrenamiento de fuerza, obliga al cuerpo a quemar aún más calorías.

**Coma menos.** Ésta es la parte difícil: reducir las calorías. Si usted desea bajar una o dos libras a la semana, debe perder entre 500 y 1,000 calorías cada día. Eso puede ser difícil si depende únicamente de la dieta. Pero combinando un buen plan de alimentación con algo de ejercicio usted puede perder más peso que si sólo hace dieta o sólo hace ejercicio.

Las personas con sobrepeso y mayores de 70 años mostraron tener menos tejido cerebral en los lóbulos frontales, especialmente en las regiones críticas para la memoria y la planificación, según investigadores de la Universidad de Pittsburgh.

Por ejemplo, fíjese la meta de consumir cada día 250 calorías menos y quemar 250 calorías. Así cumple con su objetivo de reducir 500 calorías sin adoptar medidas extremas.

Una manera inteligente de reducir el consumo de calorías es mediante el control de porciones. Preste atención en los restaurantes que sirven porciones generosas y evite pedir las porciones de "súper tamaño". Lea las etiquetas de los alimentos para averiguar el tamaño real de las porciones y fíjese en la cantidad de comida que hay en su plato. En cada cucharada se ocultan calorías adicionales.

La ciencia ha comprobado que la reducción de calorías es buena para el cerebro. Investigadores en Alemania constataron que un grupo de mujeres con sobrepeso que redujeron sus calorías diarias en un 30 por ciento perdieron un promedio de 5 libras y mejoraron su memoria verbal en un 20 por ciento.

**Elija los alimentos perfectos.** Los granos ricos en fibra, las frutas y las verduras son alimentos buenos para la salud y para bajar de peso pues hacen que usted se sienta satisfecho más rápido y durante más tiempo. Prefiera los alimentos que tienen menos calorías por porción o que son de bajo contenido energético, como la mayoría de las frutas y verduras, las carnes y los lácteos bajos en grasa, los granos cocidos, los frijoles y algunos cereales para desayuno. Así puede comer más y sentirse satisfecho con menos calorías.

Ésta es una muestra de otros alimentos con poder adelgazante:

- Frutos secos. Ricos en proteínas, fibra y grasas insaturadas son ideales para la hora del refrigerio, para evitar las meriendas poco saludables, los postres con alto contenido de grasas trans y los carbohidratos refinados. En un estudio, las mujeres que consumieron frutos secos dos o más veces a la semana engordaron menos que las mujeres que no lo hicieron.

> Hay una actividad sencilla y milagrosa que usted puede hacer todos los días para adelgazar o evitar subir de peso y que toma menos de un minuto: subirse a la báscula. En un estudio de dos años de duración, las personas que se pesaron todos los días bajaron el doble de peso que las que se pesaron una vez a la semana.

- Toronja. Media toronja antes de las comidas podría ser el secreto para adelgazar sin hacer más esfuerzo. Se cree que existe una conexión química entre la toronja y el nivel de insulina. Cuanto menor es el pico de insulina después de comer, más eficiente será el uso de los alimentos para obtener energía y menos grasa acumulará el organismo. Hay algo en la toronja que ayuda a controlar la insulina. Al parecer un compuesto llamado naringina inhibe a las enzimas responsables de metabolizar grasas y carbohidratos en el intestino delgado.

- Productos lácteos. La caseína es una proteína de la leche que ayuda a controlar el peso de varias maneras. Todas las proteínas satisfacen el hambre, pero la caseína es una proteína lenta, lo que significa que permanece en el sistema digestivo un poco más de tiempo. Esto puede afectar la respuesta a la insulina, lo que también es positivo para controlar el peso. Elija productos lácteos bajos en grasa para evitar consumir calorías adicionales.

- Huevos. Para tener menos hambre durante el día, prefiera los desayunos con huevo que los desayunos con pan y muchos carbohidratos. En un estudio efectuado por la Universidad de Saint Louis, aquéllos que comieron huevo por las mañanas perdieron más peso y más pulgadas alrededor de la cintura que aquéllos que recibieron un desayuno con una rosca de pan. Los expertos creen que las proteínas calman el apetito.

## Acabe con la grasa abdominal

La grasa abdominal es el tipo más peligroso de grasa corporal. Coloque una cinta métrica alrededor de su cintura, justo a la altura de los huesos de la cadera. Exhale. La cinta métrica debe ajustar, pero no apretar. La cintura de las mujeres no debe medir más de 35 pulgadas. Los hombres están en riesgo si su cintura mide más de 40 pulgadas.

# Ácidos grasos omega-3

pescados grasos • semillas • frutos secos
• aceite de *canola* • aceite de linaza

Los ácidos grasos omega-3 son un tipo de ácido graso poliinsaturado saludable que el cuerpo necesita para funcionar. Los principales tipos de ácidos grasos omega-3 son el ácido docosahexaenoico (DHA, en inglés), el ácido eicosapentaenoico (EPA, en inglés) y el ácido alfa-linolénico (ALA, en inglés). El DHA y el EPA se encuentran en ciertos tipos de pescados y mariscos, sobre todo en los pescados grasos de agua fría, y el ALA en alimentos de origen vegetal.

**Descubra el valor de los omega-3.** Estas grasas desempeñan un papel importante en la lucha contra muchos problemas de salud.

- Los ácidos grasos omega-3 frenan la cantidad de sustancias químicas inflamatorias que producimos. La resolvina D2, una sustancia que reduce la inflamación, es producida por el cuerpo a partir de un compuesto del aceite de pescado.

- Las células sanas son esenciales para la buena salud. Gracias a las grasas omega-3 las membranas celulares se mantienen a la vez resistentes y flexibles lo que permite el ingreso de nutrientes, la salida de desechos y la comunicación intracelular.

> No dependa de la langosta, las almejas, los cangrejos, los camarones y otros mariscos para obtener su dosis de ácidos grasos omega-3. Aunque aportan una pequeña cantidad de grasa saludable, también tienen un alto contenido de colesterol.

- Las grasas omega-3 son necesarias para controlar la cantidad y el tipo de prostaglandinas que el cuerpo produce. Las prostaglandinas son sustancias similares a las hormonas que intervienen en la presión arterial, la coagulación de la sangre, la inflamación, entre otras funciones del cuerpo.

**Mantenga el equilibrio entre los ácidos grasos.** Conozca a los ácidos grasos omega-6 que se encuentran en las carnes, la leche y el huevo, en algunos aceites vegetales y en los alimentos fritos o procesados. Estas grasas no son necesariamente malas para la salud, pero debido a que pueden favorecer la inflamación, se deben consumir con moderación. Desafortunadamente, la mayoría de las personas consumen muchas más grasas omega-6 que omega-3. El equilibrio de estos dos nutrientes es más importante de lo que se cree.

Un mejor equilibrio entre estos ácidos grasos ayuda a mantener el sistema inmunitario saludable, a prevenir enfermedades y a reducir la inflamación ya existente. Para lograrlo se debe reducir el consumo de alimentos fritos; sustituir los aceites de maíz, soya, cártamo y semilla de algodón por aceites de oliva o de *canola*; y consumir menos alimentos procesados y comidas rápidas.

**Cuente los gramos.** ¿Cuántos gramos de ácidos grasos omega-3 necesita usted? Algunos expertos recomiendan entre 7 y 11 gramos a la semana para la mayoría de las personas. Lea más adelante las recomendaciones para las personas con ciertos problemas de salud.

El índice de omega-3 es una prueba que permite determinar el nivel de omega-3 en la sangre. Los resultados indican la proporción de ácidos grasos omega-3 como un porcentaje del total de ácidos grasos en los glóbulos rojos.

La prueba casera es fácil de hacer, pero aún es una opción bastante costosa. Además, los resultados de estas pruebas caseras no están estandarizados entre los distintos laboratorios. Su médico o un laboratorio independiente pueden solicitar esta prueba, pero el seguro probablemente no cubrirá los costos. Dicho esto, podría ser una prueba salvavidas si usted está en riesgo de desarrollar una enfermedad del corazón. Obtenga más información sobre estas pruebas caseras en *www.genesmart.com*, *www.nutrasource.ca* y *www.omegaquant.com* (en inglés).

Siga leyendo para descubrir cómo el pescado y otros alimentos ricos en omega-3 pueden reducir su riesgo de sufrir demencia o un accidente cerebrovascular y brindarle protección contra la pérdida de memoria asociada a la edad.

| Fuentes | Total de ácidos grasos omega-3 (mg) | EPA (mg) | DHA (mg) | ALA (mg) |
|---|---|---|---|---|
| **De los pescados** | | | | |
| 1 cucharada de aceite de hígado de bacalao | 2,664 | 931 | 1,481 | |
| 3 onzas (85 g) de salmón del Atlántico de piscifactoría | 1,921 | 587 | 1,238 | |
| 4 onzas (113 g) de salmón rosado en conserva | 1,356 | 404 | 776 | |
| 3 onzas (85 g) de atún blanco envasado en agua | 808 | 198 | 535 | |
| **De origen vegetal** | | | | |
| 1 cucharada de aceite de linaza | 7,196 | | | 7,196 |
| 1 onza (28 g) de nueces | 2,565 | | | 2,565 |
| 1 cucharada de linaza molida | 1,597 | | | 1,597 |
| 1 cucharada de aceite de *canola* | 1,279 | | | 1,279 |

# Cuatro beneficios de los omega-3 para la mente

**Mantienen la vitalidad del cerebro.** Cuantos más alimentos ricos en omega-3 se incluyen en la dieta, mayores serán las capacidades intelectuales a medida que se envejece. Estas grasas saludables protegen de la demencia y del deterioro mental de dos maneras:

- Un nivel alto de la proteína C reactiva (PCR) en la sangre significa un riesgo mayor de desarrollar alzhéimer. La PCR es un marcador natural de la inflamación y debido a que es tóxica para el tejido nervioso, podría ser la responsable directa de la muerte celular en el hipocampo, la parte del cerebro encargada de formar nuevos recuerdos y almacenarlos. Por ser una fuente de ácido eicosapentaenoico (EPA, en inglés) y de ácido docosahexaenoico (DHA, en inglés), los ácidos grasos omega-3 son un arma perfecta para combatir esta inflamación.

- El exceso de zinc puede ser tóxico para las células responsables de enviar y recibir señales en el cerebro. El DHA ayuda a evitar que se produzca este peligroso desequilibrio de zinc.

Las pruebas son concluyentes. En un estudio de seguimiento realizado con 15,000 personas en siete países se comprobó que las personas que consumían más pescado graso eran las menos propensas a desarrollar demencia. No sorprendió entonces que la carne roja tuviera el efecto contrario. De modo que no sólo debe incluir pescado en su plan de comidas, también asegúrese de sustituir las opciones menos saludables, como la carne roja. En otro estudio de cinco años de duración, los hombres que comieron tan sólo una porción de 5 onzas (142 g) de pescado a la semana mostraron tener cuatro veces menos deterioro mental que los que no comieron pescado.

**Cuidan la salud de su corazón.** Todo lo que es malo para el corazón y la circulación también es malo para el cerebro. Las arterias obstruidas y rígidas limitan la circulación de sangre rica en nutrientes y oxígeno. La formación de coágulos podría causar

> Para obtener más información acerca de las grasas insaturadas, lea el capítulo *Grasas monoinsaturadas*.

un ataque cardíaco. Y la presión arterial alta puede provocar un accidente cerebrovascular o reducir el flujo de sangre al cerebro. Pero usted puede proteger su corazón de estos peligros con la ayuda de un solo nutriente.

> Obtener cantidades elevadas de ácidos grasos omega-3 a través de un suplemento podría provocar hemorragias peligrosas en algunas personas. Hable con su médico si usted toma más de 3 gramos al día.

- Enfermedades del corazón. Coma pescado incluso si no sufre un mal cardíaco. La Asociación Estadounidense del Corazón recomienda comer pescado al menos dos veces a la semana, ya que puede reducir la inflamación en el cuerpo y bajar el nivel de PCR en la sangre, un factor de riesgo cardíaco. Al parecer, componentes de los ácidos grasos omega-3 actúan a nivel celular para mejorar la presión arterial, así como el tono muscular y la actividad eléctrica del corazón. Las personas con enfermedad cardíaca coronaria deben obtener alrededor de 1 gramo de EPA y DHA al día, preferiblemente del pescado.

- Ataque al corazón. A medida que aumenta el nivel de ácidos grasos omega-3 en la sangre, disminuye el riesgo de muerte súbita por un ataque al corazón. Una revisión de estudios en los que se observó a cerca de 40,000 personas concluyó que las personas con enfermedades cardíacas deben recibir una dosis diaria de alrededor de 1 gramo de DHA y EPA para protegerse de un ataque al corazón.

- En un estudio de 14 años de duración que siguió a cerca de 80,000 mujeres, aquéllas que disfrutaron de un plato de pescado al menos dos veces a la semana redujeron a la mitad su riesgo de sufrir un accidente cerebrovascular, en comparación con aquéllas que comieron menos pescado.

- Colesterol alto. Los ácidos grasos omega-3 combaten la obstrucción y rigidez de las arterias al reducir el colesterol "malo" y aumentar el colesterol "bueno", pero lo hacen de manera distinta: las nueces que son ricas en ALA, por ejemplo, bajan el colesterol total y las LDL, mientras que los pescados grasos bajan los triglicéridos y elevan el colesterol HDL. Para bajar los triglicéridos, el consejo de la Asociación Estadounidense del Corazón es tomar entre 2 y 4 gramos diarios de un suplemento de EPA más DHA, previa consulta con un médico.

El salmón es ideal para gozar de un ánimo más radiante, un sueño más placentero y una memoria más saludable. No sólo esta repleto de ácidos grasos omega-3, que son como los antidepresivos de la naturaleza, también contiene magnesio y vitamina B12.

**Combaten la depresión.** Se sabía que las culturas cuya dieta incluye mucho pescado tienen un índice menor de depresión severa y que las personas con depresión severa suelen tener un nivel bajo de ácidos grasos omega-3, pero no se contaba con un estudio de población que lo corroborara. Recientemente, en el 2010, se publicó el estudio más grande que se ha realizado hasta ahora sobre la relación entre los ácidos grasos omega-3 y la depresión, donde se comprueba que los ácidos grasos omega-3 mejoran los síntomas de la depresión tan bien como los antidepresivos con receta.

- Padecer inflamación crónica de bajo grado es un factor de riesgo para la depresión. Por sus propiedades antiinflamatorias, los ácidos grasos omega-3, sobre todo los provenientes de los aceites de pescado, pueden reducir este riesgo.

- Las grasas poliinsaturadas, como los omega-3, controlan las señales entre las neuronas. Estas señales a menudo transmiten mensajes relacionados con las emociones.

- Una cantidad insuficiente de ácidos grasos en el cerebro podría causar un desequilibrio en las sustancias químicas cerebrales que influyen en el estado de ánimo.

Este estudio sin precedentes utilizó 1,050 miligramos (mg) de EPA y 150 mg de DHA al día. Para obtener estos compuestos de omega-3 a través de la dieta elija los pescados grasos, como el atún rojo (*bluefin tuna*, en inglés), el salmón salvaje del Atlántico, la caballa, la trucha arcoíris salvaje y el arenque.

**Ayudan a bajar de peso.** Vea por qué esto no es un cuento de hadas:

- La grasa equivale a energía almacenada. El exceso de grasa equivale a más peso, porque hay demasiada energía almacenada. Es por esa razón que quemar energía mediante el ejercicio ayuda a perder peso. Los ácidos grasos omega-3 hacen lo mismo, pero desde el interior del organismo: activan la producción de calor quemando energía en un proceso llamado termogénesis.

- Es más fácil dejar de comer cuando no se tiene hambre. Al afectar el nivel de las hormonas del hambre, como la grelina y la leptina, los omega-3 le ayudan a sentirse lleno después de una comida.

Un estudio efectuado en Australia encontró que las personas obesas y con sobrepeso tenían niveles menores de omega-3 en la sangre que las personas con peso saludable. También se encontró que aquéllas con los niveles más altos de omega-3 solían tener un peso saludable. Esto sugiere que los omega-3 pueden ser un factor clave para reducir la peligrosa grasa abdominal.

## Consejos para evitar los riesgos de comer pescado

Los peces más grandes y depredadores pueden contener mercurio, bifenilos policlorados (PCB, en inglés) y otros contaminantes. Pero eso no significa que usted deba dejar de comer pescado y privarse de una dosis saludable de ácidos grasos omega-3. Con excepción de las mujeres embarazadas y de los muy jóvenes, los beneficios de comer pescado superan los riesgos potenciales si se siguen estos consejos:

- Coma diferentes tipos de pescado para reducir su riesgo de exposición a los contaminantes.

- Evite el blanquillo (*tilefish*, en inglés), el tiburón, el pez espada y la caballa real. Tienen los niveles más altos de mercurio.

- Elimine la piel y la grasa debajo de la piel antes de cocinar un pescado que podría estar contaminado.

- Muchos profesionales de la salud dicen que es seguro comer a la semana 14 onzas (397 g) de pescado con un nivel promedio de mercurio de 0.5 partes por millón. Eso incluye el pargo (*red snapper*, en inglés), el reloj anaranjado o emperador (*orange roughy*, en inglés y el atún fresco o congelado.

## Coma como los griegos para una salud óptima

No tendría por qué llamarse "dieta" esta deliciosa combinación de alimentos saludables. Nos referimos a la dieta mediterránea. Basada en alimentos oriundos de Grecia y del sur de Italia, esta "dieta" es el camino a seguir para gozar de buena salud. Centrada en los granos integrales, las frutas y verduras frescas, el aceite de oliva, los frutos secos, las legumbres y el pescado rico en ácidos grasos omega-3, la dieta mediterránea ha demostrado ser increíblemente efectiva para mantener la agilidad mental en las personas mayores.

Al combatir la inflamación, el colesterol alto, la presión arterial alta y el daño oxidativo de los radicales libres, este plan de alimentación podría:

- Reducir a la mitad el riesgo de sufrir un ataque al corazón.

- Reducir el riesgo de desarrollar la enfermedad de Alzheimer en un 40 por ciento.

- Disminuir la probabilidad de que el deterioro cognitivo leve se convierta en enfermedad de Alzheimer.

- Ayudar a las personas con diabetes a lograr un mejor control de la glucemia.

- Ayudar a perder más peso que con las dietas tradicionales bajas en grasa.

Para obtener más información acerca de la dieta mediterránea, consulte el capítulo *Degeneración macular asociada a la edad.*

# Enfermedad de Parkinson

temblores • postura encorvada • movimientos lentos
• pérdida del equilibrio • arrastrar los pies al caminar
• depresión • ansiedad • demencia

Cuando se piensa en la enfermedad de Parkinson, se suele pensar en el actor Michael J. Fox y su batalla pública contra ese mal. Pero uno también debería pensar en su propio cerebro y en cómo protegerlo.

Los temblores, la postura encorvada, la lentitud en los movimientos, la falta de equilibrio y arrastrar los pies al caminar son algunos de los principales síntomas del párkinson. Sin embargo, esta enfermedad no sólo afecta el movimiento. También puede afectar el pensamiento, la memoria, el lenguaje y la capacidad para resolver problemas. Se puede incluso padecer depresión, ansiedad, demencia y paranoia.

Eso se debe a lo que ocurre en el cerebro. Aunque nadie sabe a ciencia cierta qué causa el párkinson, la característica principal de esta enfermedad es la pérdida de dopamina. La dopamina es un neurotransmisor clave que afecta el procesamiento de información, el movimiento y la coordinación. Los cambios que ocurren en el cerebro también pueden afectar la liberación de norepinefrina, otra importante sustancia química del cerebro.

La gota es una enfermedad dolorosa, pero un compuesto asociado a la gota puede reducir el riesgo de desarrollar párkinson: el ácido úrico. Debido a sus propiedades antioxidantes, el ácido úrico puede proteger las neuronas cerebrales del estrés oxidativo. Entre los alimentos que elevan el nivel de ácido úrico están las anchoas, el arenque, la caballa, los mejillones y las vísceras. Su consumo en exceso puede aumentar el riesgo de gota.

No hay mucho que se pueda hacer acerca de ciertos factores de riesgo de la enfermedad de Parkinson, como la raza, el sexo y los factores genéticos, pero usted puede tratar de limitar los demás. Factores como el aumento de peso con la edad, la diabetes y la exposición a pesticidas y herbicidas, por ejemplo, han sido asociados a un riesgo mayor de desarrollar esta enfermedad.

La levodopa, un fármaco que se convierte en dopamina en el cerebro, es el tratamiento estándar para la enfermedad de Parkinson. El tratamiento también puede incluir otros fármacos y procedimientos. Uno de ellos es la estimulación cerebral profunda, que consiste en implantar electrodos en el cerebro y un paquete de baterías en el pecho, de modo que la corriente eléctrica constante ayude a controlar los síntomas del párkinson. Sin embargo, hay otras medidas menos drásticas para prevenir y controlar esta enfermedad.

## Cinco tácticas para luchar contra el párkinson

**Elija las vitaminas que ayudan a combatir este mal.** Las siguientes vitaminas pueden contribuir a la prevención del párkinson:

- Vitamina E. Una dieta con alto contenido de esta vitamina antioxidante podría brindar protección contra la enfermedad de Parkinson, según un estudio realizado en Canadá. En lugar de tomar suplementos, obtenga la vitamina E de los alimentos, como las verduras de hoja verde, las semillas, los frutos secos y el aceite de oliva.

- Vitamina D. Investigadores de la Universidad de Emory descubrieron que las personas con párkinson eran más propensas a tener niveles insuficientes de vitamina D que las personas sanas o las personas con alzhéimer. Debido a problemas de movilidad, puede que las personas con párkinson tengan menos exposición al sol, lo que explicaría la deficiencia. Además, niveles bajos de vitamina D pueden, a su vez, contribuir a la enfermedad de Parkinson, de modo que aumentar su consumo puede ser beneficioso.

- Vitamina B6. En un estudio realizado en los Países Bajos se encontró que incluir más vitamina B6 en la dieta puede disminuir el riesgo de desarrollar párkinson. Esto podría ser debido a que la vitamina B6 desempeña un papel clave en la producción de dopamina. Esta vitamina se encuentra en las hortalizas de hoja verde oscuro y también en los mariscos, las legumbres, los granos integrales y las frutas y verduras.

**Sírvase té o café.** Si le gusta el café, le encantará esta noticia. Un estudio realizado en Finlandia concluyó que beber 10 tazas de café al día puede reducir el riesgo de padecer párkinson en un asombroso 84 por ciento. Otra investigación sugiere que incluso una taza al día puede reducir el riesgo a la mitad. La cafeína en el café ayudaría al estimular la producción de dopamina.

Más té también significa más protección. Un estudio efectuado en China encontró que las personas que bebían al menos 23 tazas de té negro al mes tenían un riesgo 71 por ciento menor de desarrollar párkinson que las que bebían menos. Si bien la cafeína está asociada a un menor riesgo de desarrollar párkinson, son otros ingredientes del té negro, incluidos sus antioxidantes complejos, los que parecen ofrecer esta protección. En las pruebas realizadas con animales, los polifenoles del té verde también resultaron prometedores en la lucha contra el párkinson.

### Limite las causas potenciales.

Disfrute de algunos alimentos con moderación. En un estudio se observó que la probabilidad de desarrollar párkinson era mucho mayor en los hombres que consumían grandes cantidades de productos lácteos, sobre todo leche. Aún no se puede explicar la razón o por qué este vínculo sólo se aplica a los hombres.

Bailar tango puede ser beneficioso para las personas con párkinson. Un estudio reciente efectuado por la Universidad de Washington comprobó que las lecciones de tango mejoraron la movilidad y el equilibrio en las personas con párkinson. De hecho, cualquier tipo de danza proporciona estos beneficios, así que muévase al ritmo de su música favorita.

El consumo elevado de hierro y manganeso también ha sido vinculado al párkinson. Un estudio encontró que las personas cuyas dietas contenían grandes cantidades de hierro de origen vegetal, como el que se encuentra en los granos y cereales para desayuno fortificados, eran 30 por ciento más propensas a desarrollar la enfermedad.

**Pruebe hacer *tai chi*.** Este ejercicio de movimientos lentos y de bajo impacto mejora el equilibrio, la capacidad para caminar y el bienestar general en las personas con párkinson leve a moderadamente grave, según un pequeño estudio. El pilates es otro ejercicio que desarrolla la fuerza central del cuerpo y mejora el equilibrio y la flexibilidad. Cualquier ejercicio hecho con regularidad debería ayudar.

**Alivie el dolor y reduzca el riesgo.** Tomar aspirina u otros fármacos antiinflamatorios no esteroideos (AINE), como el ibuprofeno, puede disminuir el riesgo. Un estudio reciente determinó que las personas que tomaron estos analgésicos al menos dos veces a la semana durante un mes o más eran menos propensas a desarrollar párkinson. Curiosamente, la aspirina ayudó a las mujeres, no así a los hombres. Hable con un médico antes de tomar un AINE en forma regular.

## Precauciones al tomar medicamentos

Los fármacos ayudan a controlar los síntomas del párkinson, pero también presentan riesgos. Preste atención a estos peligros potenciales:

**Levodopa.** Las proteínas de la dieta pueden interferir con la levodopa, el fármaco más común para el párkinson. Se puede mejorar su eficacia si la toma con una galleta 45 minutos antes de las comidas. Tal vez sea mejor limitar el consumo de proteínas durante el día.

**Anticolinérgicos.** Aunque a veces se utilizan para tratar el párkinson, estos fármacos pueden dañar la memoria al inhibir la actividad de la acetilcolina, una sustancia química del cerebro necesaria para la buena memoria. El uso regular de anticolinérgicos puede afectar la capacidad para realizar tareas cotidianas, como ir de compras o administrar el dinero de la casa.

**Pergolida y cabergolina.** Se las conoce como los agonistas de la dopamina e imitan el efecto de la dopamina en el cerebro. A veces se usan para tratar el párkinson, pero pueden dañar las válvulas del corazón. Pregunte a su médico si puede cambiar este medicamento y hágase un ecocardiograma para determinar si tiene algún daño.

# Estrategias para recordar

concentrarse • organizarse • utilizar los sentidos • decirlo en voz alta • anotarlo • utilizar mnemónicos • visualizarlo • hacer garabatos • relajarse • disfrutar de la naturaleza

*"La memoria es como una red: está llena de peces cuando se saca del río, pero a través de ella pasaron incontables millas de agua sin dejar rastro".* Oliver Wendell Holmes, doctor en medicina y poeta estadounidense del siglo XIX. Tal vez tenía más razón de lo que imaginaba.

El hipocampo es una pequeña región del cerebro en forma de S y desempeña un papel clave en la formación de la memoria: analiza toda la información que proviene de los cinco sentidos y decide qué datos conservar y cuáles eliminar. El hipocampo en sí no almacena ningún recuerdo; éstos son ubicados en diferentes áreas del cerebro.

Los científicos solían pensar que sólo había dos tipos de memoria: la memoria de largo plazo y la memoria de corto plazo. Ahora se sabe que existen al menos cuatro tipos de memoria:

**Episódica.** ¿Qué fue lo que cenó? ¿De qué conversaron? La memoria episódica ayuda a recordar experiencias personales como éstas. Cuando falla, se empieza a tener dificultad para aprender nuevas informaciones o recordar eventos recientes.

**Semántica.** Este tipo de memoria almacena datos y conocimientos generales, como el número de días en una semana, la diferencia entre un tenedor y un peine, y el nombre del primer presidente de Estados Unidos. Las personas que tienen dificultades para nombrar o describir un objeto común posiblemente tengan problemas con la memoria semántica.

**Procedimental.** Este tipo de memoria desempeña un papel muy importante en la infancia, ya que permite aprender cosas que con el tiempo se convierten en automáticas, como amarrarse los cordones de los zapatos o andar en bicicleta. Olvidar cómo hacer tareas que antes dominaba o tener serios problemas para aprender nuevas habilidades pueden ser fallas de la memoria procedimental.

**Operativa.** Es la memoria que controla la capacidad para concentrarse, prestar atención y temporalmente almacenar información, como una dirección o un número de teléfono. La dificultad para concentrarse o para aprender algo que requiere múltiples pasos puede deberse a problemas con la memoria operativa.

No entre en pánico por culpa de un lapso ocasional de memoria. Todo el mundo se olvida de algo, especialmente cuando se está cansado, enfermo, distraído o bajo estrés. Incluso cuando el cerebro funciona a toda máquina, siempre hay unos recuerdos que se almacenan y recuperan más fácilmente que otros. Dicho esto, la ciencia ha llegado a relacionar ciertos problemas de salud, como los que se mencionan a continuación, con tipos específicos de pérdida de memoria.

Agudice la mente mascando chicle. Así es, una barra de goma de mascar sin azúcar puede mejorar la memoria y la concentración. Los estudiantes del octavo grado que mascaron chicle durante las clases de matemáticas, mientras hacían tareas y durante los exámenes tuvieron un mejor desempeño durante las clases y las pruebas estandarizadas de matemáticas que los niños que no recibieron goma de mascar. Los expertos dicen que la goma de mascar puede aliviar el estrés y la ansiedad, y mejorar la concentración.

| Problema | Tipos de memoria que afecta | | | |
|---|---|---|---|---|
| | Episódica | Semántica | Procedimental | Operativa |
| Envejecimiento normal | | | | ✔ |
| Enfermedad de Alzheimer | ✔ | ✔ | | ✔ |
| Deterioro cognitivo leve | ✔ | | | |
| Demencia con cuerpos de Lewy | ✔ | | | ✔ |
| Demencia vascular | ✔ | | | ✔ |
| Efectos secundarios de los medicamentos | ✔ | | | ✔ |
| Deficiencia de vitamina B12 | ✔ | | | ✔ |
| Hipoglucemia | ✔ | | | |
| Ansiedad | ✔ | | | |
| Depresión | | | ✔ | |
| Trastorno obsesivo compulsivo | | | ✔ | ✔ |
| Derivación cardiopulmonar | ✔ | | | ✔ |
| Esclerosis múltiple | ✔ | | | ✔ |
| Enfermedad de Parkinson | | | ✔ | ✔ |
| Lesión cerebral traumática | ✔ | ✔ | | ✔ |

## Once estrategias para recordar

**Rechace las creencias negativas sobre el envejecimiento.** Creer que su memoria empeorará con la edad puede hacer que se vuelva realidad. Estereotipos negativos sobre el envejecimiento pueden empeorar la capacidad para recordar.

En un estudio sobre la memoria del adulto mayor realizado con personas de entre 60 y 82 años, se sugirió a un grupo de participantes que la memoria de las personas mayores es peor que la de las personas más jóvenes. La tendencia fue que los integrantes de este grupo, sobre todo los de menor edad, tuvieron el rendimiento más bajo en las pruebas de memoria. Así que la próxima vez que alguien le diga que la memoria desaparece con la edad, contéstele que "cada uno es tan viejo como se siente".

**Preste atención.** Si desea recordar lo que está haciendo no haga dos cosas a la vez. El cerebro necesita concentrarse durante unos ocho segundos para procesar una información y almacenarla en el centro de memoria adecuado. Si usted divide su atención entre varias tareas a la vez este proceso se vuelve más difícil. Potencie su capacidad para recordar, concentrándose en un solo tema o información y procurando bloquear todas las distracciones.

Mueva los ojos de lado a lado después de aprender algo nuevo y la probabilidad de que lo recuerde será mayor. Se solicitó a un grupo de personas memorizar una lista de palabras y después mirar hacia los lados durante 30 segundos o no hacer nada. Las personas que miraron hacia los lados recordaron más palabras de la lista y eran menos propensas a imaginar palabras que no estaban en la lista.

**Organícese.** Es fácil olvidar las cosas cuando se está rodeado de desorden. Primero organice el lugar donde guarda sus notas, sus citas, sus listas de tareas pendientes y sus números de teléfono. Así usted tendrá la seguridad de poder acceder a estos datos importantes de manera rápida. A continuación, ponga su mente en orden. No trate de recordar decenas de fragmentos de información sobre lo que tiene que hacer o comprar. Más bien anote todo en listas y colóquelas en el refrigerador, o en otro lugar prominente, o lleve una agenda consigo. Busque una que tenga además un calendario, un bloc de notas y una sección para anotar números de teléfono.

**Cree hábitos.** Es más probable que no olvide aquello que hace de manera mecánica. Por ejemplo, coloque una cesta en la mesita de la entrada para dejar las llaves y el monedero al ingresar a la casa. Establezca lugares fijos para las cosas que se pierden a menudo, como los anteojos o los controles remotos, y siempre déjelas en esos lugares. Nunca más volverá a preguntarse dónde están sus llaves o sus anteojos.

**Utilice los sentidos.** Ponga sus cinco sentidos a trabajar: el gusto, el tacto, el olfato, la vista y el oído. Los expertos dicen que cuantos más sentidos intervienen en la fabricación de un recuerdo, más partes del cerebro se involucran en almacenar ese recuerdo. La próxima vez que se encuentre en una situación que desea recordar, deténgase y tome nota de los sonidos, de los olores y de lo que ve a su alrededor.

**Repítalo.** Puede que dé la impresión de estar hablando consigo mismo, pero repetir algo en voz alta ayuda a recordar. Cuando conozca a alguien, utilice su nombre en la conversación para ayudar a que se le fije en la memoria. Este truco funciona también cuando se lee o se piensa en algo que se debe recordar. *"Estoy cerrando la puerta"* puede recordarle que usted cerró la puerta principal antes de irse a dormir. Escribir a mano lo que se desea recordar tiene un efecto similar.

**Invente una regla mnemotécnica.** Las reglas mnemotécnicas o trucos de memoria son muy útiles para recordarlo todo, desde las listas para el supermercado hasta los nombres de sus nietos.

- Los acrónimos utilizan la primera letra de cada palabra en una frase para formar una nueva palabra, por ejemplo OVNI es el acrónimo de Objeto Volador No Identificado. Escriba la primera letra de cada artículo en su lista de compras antes de ir al mercado y trate de formar una palabra que pueda recordar.

- Los acrósticos también utilizan las iniciales de las palabras, pero para formar una frase sin sentido. Por ejemplo, *"Rosa No Acepta Ver A Ilusionado Víctor"* para recordar el orden de los colores del arcoíris (rojo, naranja, amarillo, verde, azul, índigo y violeta).

- Las rimas pueden hacer inolvidables datos que de otra manera serían difíciles de recordar. Nadie se olvida de que *"treinta días trae noviembre, con abril, junio y septiembre"*. Juegue a imaginar rimas divertidas para fijar algo en la memoria.

- La aliteración es la repetición de la misma letra o sonido al inicio de una palabra. Es muy útil para recordar nombres y lugares, como, por ejemplo, que esta tarde se reunirá con la *"conversadora Caty"* en el *"rico restaurante"*.

**Utilice la imaginación.** Asociar un nombre con una imagen le ayudará a recordarlo más tarde. Cuando conozca a alguien, fórmese una imagen mental que tenga alguna relación con su nombre. Rosaura podría ser una rosa, por ejemplo. Asegúrese de elegir una imagen agradable. La mente tiende a bloquear las imágenes negativas.

**Relájese.** El estrés y la ansiedad no le hacen ningún favor al cerebro. Debido a la ansiedad, muchos estudiantes universitarios que han estudiado durante horas se quedan con la mente en blanco al momento del examen. Cálmese cuando está aprendiendo algo que debe recordar. Los ejercicios de respiración profunda y de relajación muscular son técnicas que ayudan a recordar de manera natural.

**Dibuje garabatos.** En un estudio se pidió a los participantes que escucharan una larga y aburrida conversación telefónica con muchos nombres de personas y lugares. A la mitad de los participantes se les dijo que podían hacer garabatos mientras escuchaban. Quienes hicieron garabatos recordaron casi un 30 por ciento más nombres de personas y lugares. Los expertos creen que este tipo de actividad sin propósito ayuda a las personas a mantenerse despiertas y alertas durante las tareas tediosas y limita el soñar despierto, que es lo que distrae la atención.

**Salga al campo.** Estar en la naturaleza, incluso simplemente mirar fotos de paisajes naturales, puede mejorar la atención y la memoria. La naturaleza capta la atención, pero como no exige mayor reflexión, proporciona un descanso a los cerebros cansados. Las ciudades, de otro lado, exigen niveles altos de atención debido a las bocinas de los coches, los anuncios publicitarios y el tráfico. La próxima vez que necesite descansar la mente o estimular la memoria, salga a pasear al aire libre entre árboles y flores, o siéntese a mirar una revista de jardinería o de aves.

## Siete hábitos de las personas con buena memoria

¿Alguna vez olvidó el nombre de alguien momentos después de conocerlo? Para no volver a pasar vergüenza en las reuniones sociales siga estas estrategias fáciles y agradables:

**Póngale ritmo y rima.** Utilice la rima o aliteración para no olvidar un nombre. "*Alegre Aurora*" si Aurora es una persona a la que le gusta divertirse o "*Daniel Danzarín*" si a Daniel le gusta bailar.

**Concéntrese.** Preste atención cuando le presentan a alguien, para así ayudar al cerebro a procesar y almacenar ese recuerdo.

**Úselo o piérdalo.** Repita el nombre de la persona tan pronto como lo escuche, con un comentario como "*Encantado de conocerte, Daniel*".

**Deletréelo.** Pida a la persona que deletree su nombre. Por ejemplo, "*¿Es Bertha con H o sin H?*". Luego repase las letras mentalmente.

**Póngalo por escrito.** Si puede hacerlo, escriba el nombre. La acción de escribir el nombre ayuda a fijarlo en la memoria.

**Establezca asociaciones mentales.** Relacione el nombre con algo o alguien que ya conoce, por ejemplo, una persona con sobrepeso llamada Enrique con el rey Enrique VIII.

**Sea creativo.** Asocie los nombres que son difíciles de recordar con una imagen. Por ejemplo, imagine a Juan Zuderman con una capa roja como la de *Super Man*, para recordar su apellido.

# Entrenamiento de resistencia

agudiza la mente • previene las caídas • ataca la grasa • controla los niveles de azúcar en la sangre • combate la debilidad • baja la presión arterial

La diminuta anciana de 98 años de edad que aparece en las noticias locales vive sola, tiene buena memoria y hace sus propias compras y tareas del hogar. ¿Su arma secreta? El entrenamiento de resistencia. También puede ser un arma poderosa para usted.

El entrenamiento de resistencia, también llamado entrenamiento de fuerza o levantamiento de pesas (*strength training,* en inglés), son ejercicios de fortalecimiento muscular que mejoran progresivamente la capacidad de los músculos para soportar un peso adicional o una fuerza externa. Esto se consigue de tres maneras: levantando pesas libres, como las barras de pesas (*barbells,* en inglés); empleando bandas de resistencia o máquinas de pesas; o utilizando el propio peso corporal, como cuando se hacen abdominales.

El entrenamiento de resistencia es importante ya que las células musculares se empiezan a atrofiar si los músculos no se ejercitan con la frecuencia necesaria. Este entrenamiento, sin embargo, también ocasiona desgarros musculares inofensivos. Éstos son tan pequeños que sólo se pueden ver con la ayuda de un microscopio. Con suficiente descanso y la adecuada nutrición, el cuerpo puede reparar estas lesiones, haciendo que el músculo se vuelva algo más grande y mucho más fuerte. Esto a su vez hace que sea más resistente al estrés y al daño.

El entrenamiento de resistencia debe hacerse con regularidad, de lo contrario los músculos se empezarán a atrofiar nuevamente. Es más, a medida que los músculos se vuelven más fuertes y más resistentes a la tensión, los ejercicios se deben hacer cada vez con más peso para poder obtener todos los beneficios del entrenamiento de resistencia.

## Cinco beneficios del entrenamiento de resistencia

**Previene las caídas.** La sarcopenia es la pérdida gradual de la fuerza muscular que ocurre de forma natural con la edad. Puede empezar incluso a los 40 años y puede llevar a un estado de debilidad, a la pérdida de la independencia y a un aumento del riesgo de sufrir una caída. Esto es sumamente peligroso porque las caídas son la principal causa de las lesiones cerebrales. Según los estudios, las lesiones en la cabeza aumentan el riesgo de deterioro cognitivo y el riesgo de desarrollar alzhéimer y otras formas de demencia.

Los estudios también parecen indicar que el entrenamiento de resistencia puede ayudar a detener la pérdida muscular asociada a la edad. Un estudio encontró que las personas mayores de 65 años que hicieron ejercicios de entrenamiento de resistencia recuperaron algo de la fuerza que habían perdido. No sólo eso, también pudieron revertir algunos cambios que ocurren con la edad en las células musculares. El entrenamiento de fuerza reduce considerablemente el riesgo de sufrir caídas y ayuda a que las personas puedan mantenerse lo suficientemente fuertes como para llevar a cabo las tareas cotidianas de la vida y así poder seguir viviendo de forma independiente en el futuro.

**Ayuda a controlar los niveles de azúcar en la sangre.** Varios estudios sugieren que el entrenamiento de resistencia mejora el funcionamiento de la insulina, lo cual le ayuda a controlar los niveles de azúcar en la sangre. Las células musculares absorben y utilizan grandes cantidades de glucosa de manera natural. Al mejorar la capacidad de los músculos para almacenar glucosa, el entrenamiento de resistencia ayuda a disminuir la cantidad de glucosa que queda en el torrente sanguíneo. Eso explicaría por qué un estudio encontró que las personas que hacían ejercicios de entrenamiento de resistencia necesitaban menos insulina para controlar sus niveles de azúcar en la sangre.

Las investigaciones muestran que los hombres que a los 50 años no producen la cantidad adecuada de insulina corren un riesgo significativamente mayor de desarrollar la enfermedad de Alzheimer y otros tipos de demencia más adelante.

**Combate la obesidad y la grasa abdominal.** Un estudio comprobó que las personas que eran obesas a una edad mediana eran tres veces más propensas a desarrollar la enfermedad de Alzheimer que las personas que tenían un peso saludable. Esto se puede deber a que las células adiposas producen compuestos inflamatorios peligrosos que viajan al cerebro.

Para obtener los mejores resultados, cada ejercicio debe tomar alrededor de siete segundos. Dedique tres segundos a levantar el peso, un segundo a sostener el peso en la posición máxima y tres segundos a bajar el peso a la posición inicial.

Un estudio realizado en Alemania encontró que las personas que adelgazaron y limitaron su consumo de calorías lograron mejores resultados en pruebas de memoria. Estudios recientes sugieren que el entrenamiento de resistencia puede ayudar a reducir el porcentaje de grasa corporal, a combatir la acumulación de grasa abdominal y a prevenir el aumento de peso después de haber adelgazado. Aumentar la masa muscular puede hacer que bajar de peso sea incluso más fácil, ya que el músculo quema tres veces más calorías que la grasa.

**Defiende de la demencia y la pérdida de la memoria.** Según un estudio reciente, levantar pesas durante una hora dos veces por semana puede ayudar a mantener la concentración a pesar de las distracciones, a tomar mejores decisiones y a resolver conflictos. Los investigadores creen que el entrenamiento de resistencia reduce el beta-amiloide en el tejido del cerebro. El beta-amiloide es un componente clave en las placas cerebrales asociadas con la enfermedad de Alzheimer.

**Protege de los ataques cardíacos y accidentes cerebrovasculares.** La obesidad y un alto nivel de azúcar en la sangre pueden aumentar el riesgo de sufrir una enfermedad cardíaca. El entrenamiento de resistencia no sólo ayuda a controlar el peso y el nivel de azúcar en la sangre, sino que también es un arma poderosa para resistir las enfermedades del corazón.

Es más, estudios preliminares sugieren que el entrenamiento de resistencia puede ayudar a reducir el colesterol "malo" LDL y a bajar la presión arterial alta. Estos ejercicios pueden incluso ayudar a las personas con cardiopatías a mantener o recuperar las fuerzas necesarias para realizar tareas cotidianas. Lamentablemente, el entrenamiento de resistencia estándar puede que no sea seguro

Consulte con su médico antes de empezar un entrenamiento de resistencia, sobre todo si fuma, ha tenido una cirugía reciente, lleva una vida sedentaria o tiene un problema serio de salud, como asma, osteoporosis, cáncer, dolores crónicos de espalda o de las articulaciones, presión arterial alta o un mal cardíaco. En esos casos, puede que sea necesario un programa personalizado de ejercicios.

para las personas con hipertensión arterial incontrolable u otros problemas del corazón y de las arterias. Los expertos indican, sin embargo, que bajo la guía de un médico una versión modificada del entrenamiento de resistencia puede proporcionar importantes beneficios a muchas personas con enfermedades del corazón.

## Consejos de expertos para principiantes

Usted puede empezar una rutina de entrenamiento de resistencia aun si lleva una vida sedentaria o tiene más de 70 años. Sólo recuerde hacerlo lenta y gradualmente y procure seguir estas reglas:

- Haga ejercicios de resistencia para cada uno de los principales grupos musculares —pecho, espalda, piernas, brazos, hombros y abdominales— dos días a la semana durante 30 minutos, pero nunca dos días seguidos.

- Evite levantar demasiado peso. Dependiendo de su estado físico, empiece haciendo los ejercicios sin pesas o con pesas de una o dos libras. Si no puede levantar las pesas ocho veces seguidas, elija pesas más ligeras.

- Aprenda la jerga. Cada vez que usted hace un ejercicio, está haciendo una repetición: 15 flexiones de brazos equivalen a 15 repeticiones de ese ejercicio. Un grupo de repeticiones seguidas forman una serie: las 15 repeticiones de flexiones de brazos son una serie. Si usted descansa y hace 15 flexiones de brazos adicionales, ésa será una segunda serie. Al principio, fíjese como meta completar tan sólo una serie de cada ejercicio, es decir 10 a 15 repeticiones de cada uno.

- No contenga la respiración durante un ejercicio de resistencia. Exhale mientras levanta el peso e inhale mientras se relaja.

- Evite los movimientos bruscos. Levante y baje las pesas de manera lenta y continua.

- Las latas de sopa o de verduras, las bolsas de arroz y las botellas de agua pueden servir como mancuernas o pesas de mano.

- Haga entre cinco y 10 minutos de "calentamiento" con ejercicios aeróbicos ligeros, como caminar, antes de cada sesión de entrenamiento. Concluya las sesiones con cinco minutos de estiramientos para "enfriar" el cuerpo.

## Preste atención a estas señales de advertencia

Es común sentir dolor muscular durante las primeras semanas de entrenamiento de resistencia, pero usted debe dejar de hacer ejercicio y consultar con un médico si tiene los siguientes síntomas:

- Dolor agudo o intenso en los huesos, las articulaciones, los pies, los tobillos o las piernas.

- Fiebre debido a un resfriado, una gripe o una infección.

- Más fatiga de lo habitual.

- Articulaciones o músculos inflamados o adoloridos.

Si usted siente dolor o presión en el pecho, el cuello, los hombros o los brazos; si tiene dificultad para respirar, mareos, vértigo o náuseas; si empieza a sudar frío o si tiene cualquier otro síntoma nuevo o inexplicable llame a su médico de inmediato.

# Resveratrol

uvas • vino tinto • jugo de uva • pasas • cacao • chocolate oscuro • cacahuates • crema de cacahuate • arándanos azules • arándanos rojos • granadas

Las plantas producen resveratrol para protegerse del estrés ambiental, las infecciones por hongos y los rayos ultravioleta del sol. Pero este compuesto también ofrece varios beneficios para la salud.

El resveratrol, que se encuentra principalmente en la uva, el jugo de uva, el vino tinto, el cacahuate y en algunas bayas, ha sido estudiado debido a sus efectos beneficiosos sobre las enfermedades cardíacas, el cáncer y la longevidad. El resveratrol tiene propiedades antioxidantes, antiinflamatorias y anticoagulantes.

| | |
|---|---|
| 1 taza de cacahuates cocidos | 0.92 mg* |
| 1 taza de uvas rojas | 0.745 mg |
| 1 vaso de jugo de uva de 5 onzas | 0.7 mg |
| 1 copa de vino tinto de 5 onzas | 0.685 mg |
| 2 cucharadas de crema de cacahuate | 0.01 mg |

* miligramos

Actualmente no se ha establecido un consumo diario recomendado para el resveratrol y tampoco existen recomendaciones nutricionales de referencia. Sin embargo, un informe reciente fijó como "consumo prudente" la cantidad de 0.49 miligramos al día, sin incluir el vino. Ese mismo informe encontró que el 89 por ciento de los adultos no obtienen dicha cantidad. El informe fue financiado por Nutrilite, uno de los principales fabricantes de suplementos dietéticos.

Una de las ventajas que los suplementos tienen sobre los alimentos es que proporcionan una dosis establecida de resveratrol. Cuando se comen uvas o se bebe jugo de uva, es difícil saber exactamente la cantidad de resveratrol que se está obteniendo. Las cantidades varían ampliamente, dependiendo del tipo de uva, la región, la tierra y el método de almacenamiento, entre otros factores. Eso no significa que usted no deba tratar de aumentar su consumo dietético de este importante compuesto, sobre todo porque los alimentos integrales aportan importantes nutrientes y fitonutrientes, además del resveratrol.

## Cuatro beneficios del resveratrol para la mente

**Protege de la demencia.** Beba para combatir los olvidos. Estudios epidemiológicos indican que el consumo moderado de vino tinto —una copa al día para las mujeres y no más de dos al día para los hombres— ayuda a reducir la incidencia de alzhéimer y otras formas de demencia. De hecho, beber vino puede ofrecer aun más protección que tomar medicamentos antiinflamatorios no esteroideos (AINE).

Estos resultados positivos se deben probablemente al contenido de resveratrol en el vino tinto. Estudios recientes han explorado los efectos del resveratrol sobre el cerebro y han logrado establecer las diferentes maneras en que puede ayudar.

Una de éstas es obstaculizando la acción de la proteína beta-amiloide que favorece la formación de placas en el cerebro de las personas con alzhéimer. En estudios de laboratorio, el resveratrol redujo los niveles de beta-amiloide en los cultivos celulares. Si bien el resveratrol no frena la producción de beta-amiloide, sí provoca su descomposición.

En un estudio realizado en Cornell, el resveratrol redujo la formación de placas beta-amiloide en ciertas regiones del cerebro de ratones. Los investigadores aún no pueden explicar el proceso, pero creen que está relacionado con la presencia de resveratrol y el consiguiente aumento de la cisteína y disminución del glutatión, sustancias químicas que se encuentran en el cerebro.

Investigadores del Instituto Politécnico Rensselaer descubrieron que el resveratrol puede neutralizar los efectos tóxicos de las proteínas asociadas con la enfermedad de Alzheimer. El resveratrol parece que se centra en proteínas específicas y las reorganiza para que dejen de ser tóxicas para las células humanas.

El resveratrol puede incluso estimular el cerebro sano. Investigadores en Gran Bretaña comprobaron recientemente que el resveratrol aumenta el flujo de sangre al cerebro cuando las personas realizan tareas mentales.

Aunque no se ha demostrado que previenen la demencia, el vino tinto y el resveratrol muestran una tremenda promesa.

**Cuida el corazón.** Lo que es bueno para el corazón es a menudo bueno para el cerebro. Se empezó a hablar de las bondades del vino tinto cuando los investigadores observaron lo que se ha llamado la "paradoja francesa". En Francia es común disfrutar de alimentos con alto contenido de grasa, beber vino y fumar y, sin embargo, el índice de enfermedades del corazón en ese país es bajo. Según muchos expertos, la clave está en el vino tinto.

Estudios recientes arrojan más luz sobre la forma como el resveratrol, un componente básico del vino tinto, ayuda al corazón. El resveratrol combate la inflamación y la inflamación crónica es un factor de riesgo en las enfermedades cardíacas y los trastornos cerebrales. El resveratrol también ayuda a prevenir la aglutinación de las plaquetas y la formación de coágulos.

Un estudio encontró que el resveratrol estimula el crecimiento de nuevos vasos sanguíneos en ratas después de un ataque cardíaco. Esto ayuda a mantener el flujo sanguíneo hacia el corazón cuando una arteria se obstruye. En otro estudio de laboratorio se determinó que el resveratrol se impone sobre las células que obstaculizan la capacidad del corazón para contraerse y que contribuyen a la fibrosis cardíaca, que es el endurecimiento del músculo del corazón.

Mire bien y escuche bien: además de proteger el cerebro, el resveratrol también puede proteger los ojos y los oídos. El resveratrol puede detener el crecimiento desenfrenado de vasos sanguíneos en los ojos. Este crecimiento anormal contribuye a la retinopatía diabética y a la degeneración macular asociada a la edad, afecciones que pueden causar ceguera. El resveratrol también combate la pérdida auditiva provocada por el ruido.

**Combate la grasa.** Las investigaciones indican que el resveratrol ayuda a combatir la obesidad, un importante factor de riesgo de las enfermedades cardíacas, la diabetes e incluso la demencia.

En un estudio de laboratorio efectuado en Alemania se encontró que el resveratrol logra reducir el número de células adiposas al frenar el crecimiento de las células preadiposas e impedir que se conviertan en células adiposas maduras. El resveratrol también impide la producción de ciertas sustancias químicas llamadas citoquinas, que están asociadas con el desarrollo de algunos trastornos por obesidad, como la diabetes y la obstrucción de las arterias. Investigadores de la Universidad de Georgia llegaron a resultados similares. El resveratrol no sólo impidió el crecimiento de las células preadiposas, sino que también estimuló la apoptosis, o muerte celular, de las células adiposas maduras.

Investigadores de la Universidad de Nuevo México encontraron que el resveratrol reduce la inflamación en el tejido adiposo. Eso es importante porque la inflamación crónica de bajo grado del tejido adiposo contribuye a las enfermedades cardíacas y a la resistencia a la insulina, un precursor de la diabetes.

El resveratrol también funcionó en los estudios con animales. En un estudio con lémures efectuado en Francia, el resveratrol redujo el consumo de energía en un 13 por ciento y aumentó la tasa metabólica en reposo en un 29 por ciento. En otras palabras, los lémures comieron menos y quemaron calorías más rápido, lo que es la fórmula ideal para bajar de peso. Tal vez lo más interesante fue descubrir en estudios realizados con ratones que el resveratrol imita los efectos de la restricción calórica. Esto significa que le hace creer al cuerpo que está recibiendo menos calorías. Estudios previos mostraron que la restricción calórica prolonga la vida de los ratones.

Disfrutar de un poco de chocolate encierra una dulce sorpresa: una dosis saludable de resveratrol. Un estudio realizado por la compañía Hershey encontró que después del vino tinto y el jugo de uva, el cacao en polvo es el tercer alimento con mayor contenido de resveratrol. Entre los productos de cacao le seguían el chocolate sin endulzar para hornear, las chispas de chocolate semidulce, el chocolate oscuro, el chocolate de leche y el sirope de chocolate.

**Mejora los niveles de azúcar en la sangre.** Ésa es una buena noticia para las personas con diabetes. Y controlar la diabetes también ayuda a reducir el riesgo de sufrir enfermedades del corazón y demencia.

En un estudio realizado en la India, el resveratrol redujo el nivel de azúcar en la sangre y mejoró los niveles de insulina y hemoglobina en ratas diabéticas. Estos resultados son similares a los logrados con la gliclazida, un fármaco oral para la diabetes, por lo que el resveratrol es un tratamiento prometedor para la diabetes. En Turquía, los investigadores concluyeron que el resveratrol mejora el metabolismo de la glucosa y relaja los vasos sanguíneos en ratas diabéticas.

El resveratrol puede incluso ayudar a aliviar algunas de las complicaciones de la diabetes. Un estudio encontró que el resveratrol ayuda a calmar el dolor de la neuropatía diabética, que es el daño a los nervios causado por niveles altos de azúcar en la sangre.

## Consejos para comprar suplementos

Comprar suplementos de resveratrol puede ser un desafío: hay muchas opciones y mucha confusión. Por ejemplo, ¿cuál es la dosis recomendada de resveratrol? En los estudios con animales se suelen utilizar dosis demasiado altas para los humanos: el equivalente de aproximadamente 2 gramos para una persona. Un experto recomienda unos 5 miligramos por kilogramo de peso corporal. Esto es alrededor de 350 mg al día para un adulto promedio.

Tenga en cuenta que en la etiqueta de algunos productos se indica la cantidad de resveratrol en microgramos (mcg) y no en miligramos (mg). Puede parecerle una dosis enorme de resveratrol, pero 1,000 mcg equivalen a 1 mg.

También preste atención al tipo de resveratrol del suplemento. El resveratrol viene en dos formas principales: el trans-resveratrol y el cis-resveratrol. El trans-resveratrol es la forma más estable y eficaz. Prefiera las cápsulas sobre las tabletas, debido a que el resveratrol es propenso a la oxidación y las tabletas pueden perder su eficacia con el tiempo.

Si usted está tomando un anticoagulante, tal vez deba evitar el resveratrol debido a su acción antiplaquetaria.

A falta de estudios efectuados en seres humanos, no está claro cuáles son los beneficios de los suplementos de resveratrol.

Beba el vino tinto lentamente. No sólo podrá apreciar mejor su sabor, también absorberá mejor el resveratrol. Gran parte del resveratrol "se desactiva" en el estómago y el intestino, pero puede llegar al flujo sanguíneo a través de las membranas mucosas de la boca.

Aunque parecen seguros, sus efectos a largo plazo siguen siendo un misterio. Siempre hable con un médico antes de tomar cualquier suplemento.

## Lo bueno y lo malo del consumo de alcohol

Cuando se trata del alcohol, piense en pequeño. Así como puede proteger las células del cerebro, esta bebida también puede acabar con ellas. La clave está en la cantidad.

En un estudio efectuado con más de 3,000 personas mayores de 75 años, quienes bebieron uno o dos copas al día tenían un riesgo 40 por ciento menor de desarrollar demencia. Sin embargo, el consumo moderado de alcohol no ayudó a las personas que ya presentaban un deterioro cognitivo leve al inicio del estudio. Beber en exceso —más de dos copas al día— aumentó su riesgo de progresar a la demencia.

Un análisis de 15 estudios realizados en Australia también encontró que el consumo moderado de alcohol reduce el riesgo de alzhéimer y otras formas de demencia para las personas mayores de 60 años.

Si usted no bebe, no empiece a hacerlo únicamente por los potenciales beneficios para la salud de su cerebro. Pero si usted ya bebe, limite su consumo a una o dos bebidas al día.

| Muertes anuales | Muertes evitadas por el alcohol | Muertes causadas por el alcohol |
|---|---|---|
| 100,000 | | |
| | | Otras enfermedades cardiovasculares |
| 50,000 | | Enfermedad hepática |
| | | Cáncer |
| 25,000 | Enfermedad cardíaca | Pancreatitis |
| | Derrame cerebral | Sobredosis |
| | Diabetes | Lesiones |

*Esta receta de pollo en costra de cacahuate es una variación de un popular plato en los países asiáticos: el cerdo en costra de cacahuate. Esta receta es rica en proteínas, baja en grasas y proporciona una buena dosis de resveratrol gracias a la costra crujiente de los cacahuates. [Para 4 porciones]*

## Pollo en costra de cacahuate

4 filetes de pechuga de pollo deshuesada y sin piel

1 taza de cacahuates salados

2 cucharadas de aceite de *canola*

4 cucharadas de miel

sal y pimienta al gusto

Utilice una licuadora o un molinillo de café para triturar los cacahuates hasta obtener una mezcla gruesa. No muela demasiado o acabará con una crema seca de cacahuates.

Salpimiente ligeramente los filetes de pechuga de pollo y con la ayuda de un pincel de cocina cúbralos con una capa de miel para ayudar a que la costra se adhiera y para dar sabor. Coloque los filetes sobre los cacahuates triturados y presione con el dorso de una cuchara.

Rocíe una sartén profunda con aceite de *canola* y caliente la sartén a fuego alto. Coloque los filetes sobre la sartén, reduzca el fuego a medio y cocine hasta que estén dorados, entre 30 y 45 minutos.

También se puede preparar al horno, eliminando el aceite de *canola*. Hornee los filetes de pollo a 350 grados durante 45 minutos o hasta que la costra se vea crocante y dorada. Sirva caliente como plato principal o acompañado de una salsa como entrada.

# Trastornos del sueño

dificultad para dormirse • interrupciones en el sueño
• hormigueo en las piernas • pausas en la respiración
• ronquidos

Los recuerdos están hechos de proteínas. Esta afirmación puede que no inspire una canción romántica, pero llegó a inspirar una revolución en el mundo de la neurociencia. De hecho, el primer Premio Nobel del siglo XXI fue otorgado al descubrimiento de una proteína que se une al ADN para activar el proceso de formación de la memoria.

El cerebro humano no funciona exactamente como una computadora, donde la información se almacena automáticamente en un disco duro. En el cerebro es necesario que algo active el proceso de almacenamiento. Esta teoría con base en las proteínas explica qué es lo que sucede a nivel molecular. Se ha comprobado que si se bloquea la capacidad para generar nuevas proteínas, el cerebro simplemente no puede convertir una nueva información en un recuerdo a largo plazo. Ahora bien, ¿qué relación tiene todo esto con el sueño?

Cuando algo ocurre durante el día, usted puede conservar ese recuerdo durante unas horas sin ninguna acción especial de las proteínas en el cerebro. Para convertirlo en un recuerdo a largo plazo, el cuerpo tiene que pasar por lo que se conoce como un ciclo circadiano, es decir, un período de 24 horas de sueño, vigilia y otras actividades biológicas. Este ciclo es importante para que las proteínas puedan hacer su trabajo. Durante el sueño, los recuerdos se fortalecen y se integran en la parte del cerebro responsable de formar nuevos recuerdos y de almacenar los recuerdos a largo plazo.

Investigaciones recientes han revelado que incluso una pérdida de sueño leve o moderada puede tener efectos devastadores en el pensamiento y la memoria. En un estudio, las personas que sólo durmieron seis horas durante la noche eran las más lentas para reaccionar, no podían pensar con la claridad habitual y su desempeño fue pobre en las pruebas sencillas de memoria. La falta de sueño puede provocar reacciones más lentas, incapacidad para tomar decisiones, dificultad para procesar información y emociones más negativas, además de afectar el estado de ánimo.

Si lo que usted busca es estimular su pensamiento creativo, asegúrese de dormir el tiempo suficiente para pasar por la fase de movimiento ocular rápido (MOR), también conocida como fase de sueño REM por sus siglas en inglés, que ocurre aproximadamente a los 90 minutos de quedarse dormido. En esta fase, el ritmo cardíaco y la respiración se aceleran, los ojos se mueven rápidamente y se producen sueños intensos. Un estudio llevado a cabo por la Universidad de California-San Diego mostró que la fase de sueño MOR mejora las habilidades de resolución creativa de problemas en casi un 40 por ciento.

**Presión arterial alta.** Para que la sangre rica en oxígeno fluya al cerebro se necesitan arterias flexibles y libres de obstrucciones, al igual que las carreteras sin embotellamientos permiten mantener el tráfico en constante movimiento. Existe un vínculo definitivo, pero aún sin explicación, entre la calidad del sueño y la salud cardíaca.

Las personas que no duermen lo suficiente son más propensas a tener la presión arterial alta, y si suelen irse a la cama después de la medianoche, mayores son las probabilidades de que tengan las arterias más rígidas o de que sufran aterosclerosis o endurecimiento de las arterias en fase temprana. En un estudio de cinco años de duración con adultos de mediana edad se comprobó que una hora de sueño adicional cada noche reduce la acumulación de placa en las arterias en un 33 por ciento.

Aprenda una lección de los 56 estudiantes que participaron en un reciente estudio del sueño. Los que habían dormido después de estudiar obtuvieron mejores resultados en las pruebas que los que no habían dormido. Una buena noche de sueño también puede hacer que uno recuerde lo que aprendió durante el día.

**Diabetes.** Esta enfermedad puede afectar las capacidades del cerebro debido a sus síntomas a corto plazo y a sus complicaciones a largo plazo. Nuevos estudios parecen haber determinado la relación que existe entre la diabetes

> Es más difícil recordar una nueva asignatura si no se duerme dentro de las 30 horas siguientes al aprendizaje.

y la falta de sueño, que se explicaría por la falta de control de los niveles de azúcar en la sangre. De hecho, las personas que duermen menos de seis horas cada noche son casi cinco veces más propensas a tener un nivel anormal de azúcar en la sangre en ayunas. Nuevos estudios explican que la melatonina, una hormona que mantiene un vínculo estrecho con el reloj biológico que regula el sueño, también puede controlar directamente la producción de insulina.

**Obesidad.** La relación que existe entre el exceso de peso y la obesidad y las enfermedades cardíacas presenta un peligro para la memoria. Las personas que no duermen lo suficiente tienden a pesar más, a acumular la grasa más peligrosa alrededor de la cintura y a comer más alimentos cargados de grasa. Hay varias explicaciones posibles para esto. La falta de sueño puede provocar un desequilibrio en las hormonas leptina y grelina, lo que a su vez puede hacer que sienta más hambre. Además, las personas que están despiertas más tiempo, tienen más oportunidades para comer. Por otra parte, es probable que se sientan cansadas y, por lo tanto, menos dispuestas a hacer ejercicio, lo que también contribuye al aumento de peso.

## Cuatro tácticas para combatir los trastornos del sueño

**Descubra la causa del insomnio.** Éste es el primero de una serie de trastornos prevenibles y tratables que pueden hacer imposible una buena noche de sueño. El insomnio, por definición, es la dificultad para conciliar el sueño y permanecer dormido. Puede ser una enfermedad o bien un síntoma. Si lleva varias noches sin pegar los ojos, hable con un médico para descartar algunas posibles causas, como la ansiedad y la depresión.

Estos cambios en el estilo de vida le pueden ayudar a dormir mejor:

- Haga algo de ejercicio todos los días.

- Evite la cafeína y el alcohol, que pueden alterar el sueño.

- Procure que su dormitorio sea un lugar de descanso y siga rituales relajantes a la hora de acostarse. Obtenga más información en el capítulo *Estrategias para mejorar el sueño*.

- Pase un tiempo al aire libre bajo el sol de la mañana para ajustar su reloj biológico.

- Practique técnicas de relajación, como la respiración profunda, los estiramientos suaves y los momentos de tranquilidad.

**Controle la apnea del sueño.** Si usted deja de respirar durante la noche es posible que sufra de apnea del sueño. Estas pausas en la respiración pueden durar entre 10 segundos y un minuto. Es probable que usted además ronque. Sin embargo, es posible que usted no sea consciente de que algo anda mal. Lo único que sabe es que tiene mucho sueño durante el día. La apnea del sueño aumenta el riesgo de enfermedades cardíacas, depresión, dolores de cabeza y pérdida de la memoria, por lo que se debe consultar a un médico. Lo primero que le dirá si usted tiene sobrepeso es que debe bajar de peso. Otras opciones incluyen dormir de lado, utilizar un protector bucal, la cirugía, las inyecciones, los implantes de paladar y los ejercicios de lengua y garganta.

**Apague el fuego de la ERGE.** La enfermedad por reflujo gastroesofágico o ERGE es incómoda durante el día, pero durante la noche la acidez puede llegar a ser una agonía. Puede ocurrir a cualquier edad y afecta por igual a hombres, mujeres, personas gordas o delgadas. Una dosis diaria de un antiácido puede que sea su única salvación, pero usted también podría apagar el fuego modificando su dieta y su estilo de vida:

- Opte por las comidas pequeñas y evite comer alimentos pesados justo antes de irse a dormir.

- Elimine de su dieta los alimentos picantes, grasos y ácidos, como las cebollas, los tomates y los cítricos.

- Reduzca el consumo de café y alcohol.

- Eleve la cabecera de la cama.

- Fíjese si algún medicamento pudiera estar causando el reflujo.

**Calme las piernas inquietas para una noche tranquila.** Es difícil dormir bien cuando se sienten contracciones, cosquilleo y dolor en las piernas. Los síntomas del síndrome de las piernas inquietas (SPI) empeoran cuando el cuerpo está en reposo y por lo general se manifiestan entre las 10 p.m. y las 4 a.m. Ciertos tipos de SPI son hereditarios. A veces se trata de un problema del sistema nervioso, y otras es el resultado de una enfermedad, de algún medicamento o de factores ambientales. Todo lo que usted querrá saber es cómo poner fin a este síndrome.

- Hable con su médico acerca de las posibles causas. Puede que le recete nuevos medicamentos.

- Pruebe los baños calientes o las compresas frías.

- Haga algo de ejercicio cada día.

- Estire las pantorrillas y masajee sus piernas antes de acostarse.

- Cambie su horario de sueño para poder dormir hasta más tarde en la mañana.

- Evite la cafeína y el alcohol.

# Peligros de la somnolencia diurna

Es un mito que a medida que se envejece se necesitan menos horas de sueño. El cuerpo aún necesita alrededor de ocho horas de sueño para recuperarse durante la noche, a pesar de que sea más difícil de lograrlo con la edad debido a problemas de salud, la cantidad y el tipo de fármacos que se toman, el nivel de actividad o los patrones de sueño. La somnolencia durante el día significa un mayor riesgo de sufrir un accidente, tanto en el coche como fuera de él. Según la Administración Nacional de Seguridad del Tráfico en las Carreteras más de 100,000 accidentes al año se deben a conductores somnolientos. Y un estudio encontró que los adultos mayores que dormían menos de seis horas cada noche fueron tres veces más propensos a sufrir caídas en numerosas ocasiones durante el año de seguimiento.

# Estrategias para mejorar el sueño

seguir un horario • no hacer ejercicio antes de acostarse • evitar las siestas • tomar baños calientes • mantener fresca la habitación • no mirar el reloj

Dormir es bueno tanto para la salud del cuerpo como para la salud del cerebro. Reducir las horas de sueño en tan sólo una o dos horas puede afectar la capacidad para llevar a cabo proyectos complicados o tomar decisiones importantes. Descansar y relajarse adecuadamente no es un lujo, es una necesidad para una buena salud a largo plazo.

**Sueñe para acabar con los olvidos.** Nuevas y fascinantes investigaciones muestran que dormir lo suficiente ayuda a mejorar el funcionamiento del cerebro. Las personas que no duermen las horas necesarias son más propensas a cometer errores, sufrir depresión e irritabilidad y tener problemas para aprender y recordar.

Con la ayuda de un escáner cerebral, los investigadores de un estudio midieron el flujo sanguíneo en el cerebro de personas que habían dormido ya sea muy bien o muy mal, mientras éstas realizaban tareas sencillas. Las imágenes por resonancia magnética funcional resultantes mostraban "fallas" en ciertas regiones del cerebro de las personas con falta de sueño, aun cuando se esforzaran por completar las tareas. El estudio estableció que pasar tan sólo una noche en vela puede provocar una especie de "apagón" mental en el cerebro. Las personas con privación de sueño tenían lagunas mentales y se sentían en un estado difuso entre sueño y vigilia.

**No deje que el estrés le robe el sueño.** No dormir lo suficiente puede hacer que el cuerpo produzca demasiado cortisol, adrenalina y otras hormonas del estrés. El exceso de estas hormonas puede impedir que al dormir la presión arterial disminuya de forma natural, lo que aumenta el riesgo de desarrollar una enfermedad cardíaca.

Es un círculo vicioso, porque cuando se está bajo estrés, suele ser más difícil conciliar el sueño y dormir las horas necesarias. Un sondeo de la Fundación Nacional del Sueño encontró que cerca de la mitad de los estadounidenses encuestados tuvieron problemas de insomnio justo después de los ataques terroristas del 11 de septiembre del 2001.

**Échese a dormir para deshacerse de la grasa abdominal.** La privación del sueño puede hacer que una persona suba de peso, y no precisamente por culpa de ese pastel de manzana que se devoró a media noche. La falta de sueño puede alterar las hormonas del hambre reduciendo el nivel de la leptina, la que indica saciedad, y aumentando el nivel de la grelina, la que da la señal de hambre.

Este desequilibrio hormonal puede hacer que una persona coma más de lo necesario. De hecho, los estudios muestran que la falta de sueño está asociada con una tasa mayor de síndrome metabólico —exceso de grasa abdominal, colesterol alto, problemas para controlar el nivel de azúcar en la sangre y presión arterial alta—, lo que a su vez aumenta el riesgo de sufrir una enfermedad cardíaca, un accidente cerebrovascular o diabetes.

Dormir bien ayuda a prevenir los problemas de la memoria. Estos seis pasos supersencillos para dormir plácidamente toda la noche le permitirán superar el estrés y aumentar sus capacidades cerebrales.

## Seis beneficios del sueño para la mente

**Establezca una rutina para la hora de acostarse.** Acuéstese y levántese aproximadamente a la misma hora todos los días. Resista la tentación de dormir hasta tarde los fines de semana y procure mantener el mismo horario para acostarse y despertarse en esos días. Dedique un tiempo para una actividad relajante antes de dormir, como leer o escuchar música, para liberarse de las tensiones del día. Evite mirar televisión o trabajar en la computadora justo antes de irse a la cama. Las pantallas emiten una luz brillante que puede robarle el sueño.

**Evite las siestas.** Dormir durante el día, especialmente al caer la tarde, puede alterar el ciclo natural del sueño y hacer que sea más difícil conciliar el sueño por la noche.

**No haga ejercicio justo antes de acostarse.** La actividad física durante el día es una gran manera de preparar el cuerpo para dormir durante la noche. Un estudio encontró que el ejercicio físico lograr inducir el sueño tan bien como la benzodiazepina, una pastilla para dormir con receta médica. También se recomienda el yoga, porque es una actividad que incluye meditación, respiración profunda, estiramientos y posturas de equilibrio. Pero no haga ejercicio vigoroso inmediatamente antes de acostarse, pues le será más difícil relajarse y prepararse para dormir.

**Disfrute de un baño caliente.** Tome un baño caliente una o dos horas antes de irse a la cama. Además de ser relajante, el baño caliente cambia la temperatura corporal y hace que sea más fácil conciliar el sueño y dormir toda la noche de un tirón. La temperatura corporal tiende a disminuir después de un baño caliente, imitando lo que ocurre cuando el cuerpo se prepara para dormir.

**Mantenga la habitación fresca.** Los expertos dicen que la temperatura ideal para dormir es de entre 60 y 72 grados Fahrenheit. Bajar la temperatura corporal puede inducir el sueño, de modo que tiene sentido procurar que el dormitorio permanezca fresco.

Si debido a la menopausia usted se despierta en medio de la noche con sofocos y sudores nocturnos, fíjese en el cubrecamas. Si tiene un edredón, pruebe cubrirse sólo con

No dé vueltas en la cama pensando en sus problemas y en la lista de pendientes. Tenga un cuaderno cerca de la cama para anotar las preocupaciones que no lo dejan dormir. Luego dígase a sí mismo que el problema está en el papel y fuera de su mente. Ahora podrá relajarse y quedarse dormido.

una sábana. Elija ropa de noche para mantenerse fresca, como pijamas hechos con fibra de bambú que absorbe la transpiración. También puede encender el ventilador para mejorar la circulación del aire en la habitación o incluso colocarlo frente a una bandeja con cubos de hielo para enfriar la ráfaga de aire.

**No mire el reloj.** Obsesionarse con el tiempo hace que sea más difícil conciliar el sueño. Tener una mala actitud por las horas de sueño que está perdiendo sólo empeora las cosas. Si se despierta a media noche y se desvela, evite caer en pensamientos negativos repetitivos, como *"no dormiré lo suficiente y mañana estaré mal"* o *"odio no poder dormir"*.

En su lugar, repita frases positivas como *"ya he pasado noches en blanco y me fue bien"*, *"siento que estoy descansando porque estoy acostado y en silencio"* o *"qué tranquila y agradable es esta hora de la noche"*. Estos pensamientos positivos le ayudarán a relajarse, mucho más que si empieza a contar las horas que faltan para que suene la alarma.

## Programe su reloj del sueño para recordar mejor

Hay un tiempo para dormir y un tiempo para estar despierto. El ritmo circadiano, llamado a veces el reloj biológico, le dice al cuerpo que debe dormir cuando oscurece y que debe estar despierto cuando hay luz. Pasar un poco de tiempo al sol mejora el sueño y la memoria.

El ritmo circadiano está regulado por el ciclo natural de luz y oscuridad. Cuando la cantidad de luz a la que están expuestos los ojos disminuye es una señal para que la glándula pineal en el cerebro empiece a producir melatonina, que es una hormona importante para el sueño. El ritmo circadiano también controla los patrones de alimentación, la digestión, el estado de alerta, la temperatura corporal e incluso las subidas y bajadas de la presión arterial.

Todo lo que interfiera con la forma como el cuerpo experimenta el ciclo natural de luz y oscuridad —como, por ejemplo, pasar mucho tiempo del día en espacios interiores o bajo una luz artificial brillante durante la noche— puede afectar el sueño. Las personas duermen mejor cuando se exponen a la luz del sol, haciéndole saber al cuerpo que es de día. Para programar su reloj biológico pase 30 minutos en el sol cada día. Salga a caminar, a jugar tenis o a quitar las malas hierbas en el jardín para obtener la "dosis" de luz solar brillante que necesita.

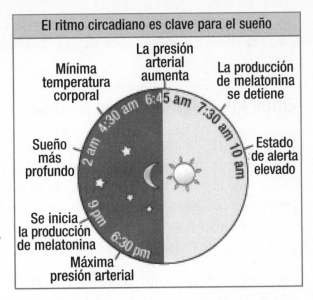

**El ritmo circadiano es clave para el sueño**

La presión arterial aumenta

Mínima temperatura corporal

La producción de melatonina se detiene

6:45 am

7:30 am

10 am

4:30 am

2 am

Sueño más profundo

Estado de alerta elevado

9 pm

6:30 pm

Se inicia la producción de melatonina

Máxima presión arterial

Dormir bien también puede ayudar a mejorar la memoria y agudizar la mente. Durante el sueño, el cerebro organiza los recuerdos para almacenarlos de manera más eficiente, haciéndolos más permanentes. Durante el sueño también se fortalecen las conexiones entre las células cerebrales y las distintas regiones del cerebro. Esto evita que con el tiempo se produzca la degradación de los recuerdos, de las habilidades personales y de otros conocimientos.

## Alta tecnología a la hora de dormir

Las investigaciones muestran que el uso de anteojos y bombillas especiales puede reprogramar su reloj biológico y mejorar el sueño.

Bloquear la luz del extremo azul del espectro unas horas antes de irse a la cama adelanta la producción de melatonina. Normalmente, a medida que oscurece el organismo empieza a producir melatonina. Del mismo modo, cuando se impide que la luz azul llegue a los ojos, el cuerpo empieza a prepararse para dormir más temprano.

Los anteojos especiales que bloquean la luz azul están disponibles por tan sólo $40 y las bombillas recubiertas diseñadas para bloquear las ondas de luz azul por alrededor de $5. Vaya a *www.lowbluelights.com*

(en inglés) para adquirir estos productos de la empresa fundada por los propios investigadores que desarrollaron esta tecnología.

## Eluda los peligros de las pastillas para dormir

Un escocés de 24 años que estaba tomando pastillas para dormir, recetadas por su médico, quedó paralítico al caer de una ventana abierta que atravesó sonámbulo. Tomar ciertos fármacos para dormir puede provocar comportamientos extraños, como caminar o conducir dormido, incluso se han presentado casos de hurto en tiendas. También puede causar pérdida de memoria a corto plazo y confusión.

Las pastillas para dormir ayudan a obtener el descanso necesario cuando se padecen dolores, se vive una situación estresante o se tiene algún problema que le roba el sueño. Sin embargo, estos fármacos no se deben tomar durante más de unos pocos días o semanas. Algunos somníferos crean dependencia. Con otros se necesitarán dosis cada vez mayores para que sigan teniendo efecto.

Eso no es todo. Aun cuando funcionan, al día siguiente estas pastillas pueden provocar aturdimiento o lo que se conoce como "insomnio de rebote", es decir, más problemas para dormir que el día anterior. Estas pastillas también pueden interactuar peligrosamente con otros medicamentos y con el alcohol, y algunas pueden causar problemas físicos, como la presión arterial alta, el vértigo, la debilidad y las náuseas.

Peor aún, algunos sedantes comunes, como el zolpidem (*Ambien*), el zaleplon (*Sonata*), y la eszopiclona (*Lunesta*), pueden provocar delirio repentino y causar cambios en la visión, la audición y el pensamiento.

¿Una copa para dormir mejor? Beber alcohol puede parecer ideal para relajarse al final del día, pero si lo hace justo antes de irse a la cama no dormirá mejor. El alcohol abandona el organismo unas horas después de ser consumido, lo que interrumpe el sueño en medio de la noche. Puede que después le sea difícil volver a conciliar el sueño.

Antes de tomar pastillas para dormir, hable con su médico sobre estos peligros y sobre los remedios alternativos para mejorar el sueño.

# Socialización

hacer trabajo voluntario • reunirse con amigos
• asesorar a jóvenes • ir a la iglesia
• trabajar a tiempo parcial • unirse a un club de lectura

El cerebro es una prueba de que sí se le pueden enseñar nuevos trucos a un perro viejo. Un cerebro sano es capaz de aprender incluso a una edad avanzada. Según los expertos, una manera de lograrlo es a través de actividades estimulantes como la socialización.

Investigadores de Harvard encontraron que las personas que eran las menos activas socialmente experimentaban un deterioro de la memoria dos veces más rápido que aquéllas que eran las más activas. ¿Acaso las más sociables eran personas que se pasaban las noches de fiesta en fiesta para proteger su memoria? Por supuesto que no. Se trataba sencillamente de personas que tendían a estar casadas, que hacían trabajo voluntario y que se mantenían en contacto con la familia y sus vecinos.

**Disminuya el estrés.** El estrés psicológico puede afectar negativamente el hipocampo, la parte del cerebro asociada a la memoria y las emociones. Las personas que son más propensas al estrés, o a las que les es difícil hacerle frente, corren un riesgo más alto de desarrollar alzhéimer, a menos que se mantengan socialmente activas. Contar con amigos y una red de apoyo puede reducir los niveles de estrés.

**Supere la depresión.** Los círculos sociales también ayudan a combatir la depresión, una enfermedad que casi duplica el riesgo de desarrollar algún tipo de demencia, incluido el alzhéimer.

La depresión afecta el cerebro de tres maneras importantes:

- Las personas que sufren de depresión tienen niveles más bajos de una sustancia que mantiene la flexibilidad del cerebro y que le permite formar recuerdos y almacenarlos.

- Los episodios de depresión pueden llevar a que el organismo produzca compuestos que son tóxicos para las células cerebrales, lo que con el tiempo puede hacer que el hipocampo se contraiga.

- La depresión y la consiguiente tensión pueden provocar una inflamación crónica en el organismo, que a su vez puede llevar a la demencia, en especial a la enfermedad de Alzheimer.

Afortunadamente, las mismas cosas que le hacen sentir bien, como reír con sus amigos o darle la mano a un vecino, le pueden ayudar a vencer la depresión y proteger la memoria.

**Refuerce el cerebro.** En las reuniones sociales el cerebro debe ejercitarse y desplegar todas las habilidades necesarias para recordar nombres y participar en la conversación. Estas reuniones son como un gimnasio para el cerebro. Reunirse y relacionarse con otra gente puede ayudar a disminuir la presión arterial, como también puede mejorar otros problemas de salud asociados a la memoria y a la salud del cerebro.

Las actividades sociales que obligan a pensar, como, por ejemplo, ser tutor de un niño, ofrecen un doble beneficio. Por un lado estimulan sus propias capacidades de resolución de problemas mientras que, por el otro, le dan un sentido a su vida, por lo que se vuelven mucho más gratificantes. Eso no es todo. También estimulan el crecimiento de nuevas células en el cerebro, así como la capacidad del cerebro para repararse a sí mismo, dos claves en la prevención del alzhéimer y otras formas de demencia.

**Destierre la soledad.** La soledad en sí misma puede causar estragos en el organismo. Sentirse desconectado de los demás incrementa el riesgo de desarrollar algún tipo de demencia. Los expertos dicen que las actividades sociales que mantienen este sentimiento a raya pueden resultar beneficiosas para el cerebro.

# Cuatro maneras de socializar que fortalecen la mente

**Participe en actividades religiosas.** Acercarse a Dios podría ser bueno para el cerebro. Muchos estudios han establecido un vínculo entre las actividades religiosas y un mejor funcionamiento cerebral.

- En los estadounidenses mayores de origen mexicano que iban a una iglesia por lo menos una vez al mes el deterioro era más lento que en las personas que no iban a una iglesia.

- En Connecticut, las personas que asistieron a una iglesia por lo menos una vez a la semana eran menos propensas a sufrir deterioro mental en los siguientes tres años.

Participar en la vida de una iglesia podría tener efectos muy positivos sobre la depresión asociada estrechamente al deterioro mental. Un estudio mostró que asistir a una ceremonia religiosa al menos una vez al mes protege el cerebro, incluso en las personas con depresión.

Ser parte de una comunidad religiosa significa socializar con otros, un antídoto probado para la tristeza y la melancolía. También da esperanza y un sentido a la vida que ayuda a atenuar la depresión.

El apoyo y la interacción social que se obtiene de asistir a una iglesia también reduciría los niveles de cortisol. Las personas con depresión tienen niveles más altos de esta hormona y niveles altos de cortisol pueden dañar la función cognitiva. Al reducir el cortisol, la participación en actividades religiosas amortigua el efecto perjudicial de la depresión sobre el cerebro.

Un ser querido con demencia puede llegar a necesitar más cuidado del que puede recibir en casa. Una opción son las residencias para personas mayores o las residencias de vida asistida. Asegúrese de elegir una que ofrezca muchas actividades creativas y sociales bien planificadas para sus residentes. Estudios sugieren que estos centros a menudo no ofrecen suficiente compañía ni actividades diurnas. Esto puede empeorar la ansiedad y la depresión en las personas con demencia.

Los lazos que se crean en una organización religiosa pueden incluso servir como protección frente a los efectos dañinos del estrés. Las investigaciones sugieren que el apoyo emocional de miembros de una comunidad religiosa ayuda a evitar que problemas como las preocupaciones financieras se vuelvan perjudiciales para la salud. El acercamiento a Dios también ayuda a las personas a sentir más optimismo y esperanza, permitiéndoles afrontar mejor tanto las situaciones estresantes como las enfermedades.

**Encuentre un sentido a su vida.** El solo hecho de tener un propósito en la vida es una forma de protegerse contra el alzhéimer, el deterioro cognitivo leve y el declive mental. Entre los 900 adultos mayores que participaron en un estudio, aquéllos que dijeron tener una finalidad en la vida:

- Tenían una probabilidad 2.4 veces menor de desarrollar alzhéimer.

- Tenían menos probabilidades de desarrollar deterioro cognitivo leve.

- Tuvieron un declive mental más lento durante los siete años que duró el estudio, que los adultos mayores sin un propósito claro que diera sentido a su vida.

Si siente que no tiene un propósito en la vida, usted puede desarrollarlo. Involúcrese en causas que crea importantes. Participe en actividades que tengan un significado para usted. Viva con propósito, en lugar de andar sin rumbo y a la deriva. Fíjese metas y actúe con esas metas en mente.

**Diga "no" a la jubilación.** Los adultos mayores que ya pasaron la edad de jubilarse y que aún siguen trabajando, o que empiezan a hacer servicio voluntario en la comunidad, obtienen resultados significativamente superiores en las pruebas de pensamiento, son menos propensos a la depresión y disfrutan de un mayor bienestar mental y una mayor satisfacción con la vida.

Los expertos señalan que llevar una vida social activa favorece el proceso de envejecer con salud. Continuar trabajando o empezar a hacer servicio voluntario permite a las personas ampliar su red social. Además de que estas actividades pueden dar un sentido a la vida, le brindan al cerebro la oportunidad de aprender cosas nuevas. De hecho, el cerebro de los jubilados de mayor edad se beneficia más del trabajo continuo que el de los jubilados más jóvenes.

**Sea un mentor o tutor.** Trabajar como mentor de niños sería el secreto para mantenerse joven de corazón y de mente. Ocho mujeres mayores que tenían alto riesgo de desarrollar deterioro cognitivo empezaron a hacer trabajo voluntario en una escuela local a través del programa Experience Corps. Durante 15 horas a la semana se dedicaron a ayudar a los niños a mejorar sus habilidades de lectura y de uso de bibliotecas.

Las ocho señoras de este estudio se ayudaron a sí mismas por lo menos tanto como ayudaron a los niños de la escuela. No sólo lograron conservaron su salud mental, sino que la mejoraron al fortalecer sus habilidades para planificar, para resolver problemas y para razonar. Éstas son las mismas habilidades que son necesarias para llevar una vida independiente y funcional más adelante, pero que tienden a fallar con la edad.

Los expertos señalan que programas como Experience Corps podrían revertir la pérdida de las capacidades intelectuales asociadas a la edad. Para encontrar un programa de Experience Corps cerca de usted, llame al 202-478-6190 o vaya a *experiencecorps.org* (en inglés).

> Cuando uno da algo de sí mismo, como hacer trabajo voluntario en un comedor popular o donar dinero a una organización benéfica, a menudo recibe algo a cambio que beneficia la salud.
>
> Las actividades sociales pueden mantener la agilidad mental, pero relacionarse con otras personas con caridad y compasión ayuda además a tener una vida más larga.
>
> Tender la mano a otros puede incluso cargarle de más energía, aliviar sus malestares y dolores, y hacer que se sienta más fuerte, más sereno y mejor consigo mismo.

## Socialice para desarrollar sus capacidades cerebrales

Convertir las actividades que normalmente son solitarias en actividades grupales ayuda a estimular las capacidades mentales.

| | |
|---|---|
| Salir a caminar | Inicie un club de caminantes con amigos y vecinos. |
| Trabajar en el jardín | Únase a una huerta o un jardín comunitario. |
| Ver televisión | Organice reuniones semanales con sus amigos para ver sus programas de televisión favoritos. |
| Leer | Busque un club de lectura en su comunidad dedicado al género de libros que a usted le apasiona. |
| Cocinar | Inicie un intercambio mensual de recetas con sus amigos, para aprender a preparar nuevos platos juntos. |
| Hacer trabajos manuales | Ofrezca su experiencia y sus habilidades para una buena causa, haciendo trabajo voluntario en grupos como "Hábitat para la humanidad". |

## Cuatro errores mentales que se deben evitar

El deterioro mental no es parte del proceso normal de envejecimiento. Evite estas trampas para mantener la agudeza mental en el futuro.

**Sucumbir al estrés.** Las personas que se estresan con facilidad son más propensas a desarrollar depresión y alzhéimer. Mantener una vida social activa puede ayudar a reducir este riesgo.

**Dejarse llevar por pensamientos negativos.** El pesimismo puede ser un síntoma de depresión, la cual puede aumentar su riesgo de padecer demencia. La negatividad es contagiosa, así que rodéese de gente positiva y haga una lista de las cosas buenas que suceden cada día. Consulte a un médico si tiene problemas para superar la tristeza.

**No estimular el cerebro.** Ejercite el cerebro si desea llegar a los noventa años con buena salud cerebral. Las actividades mentalmente estimulantes, como los crucigramas y las lecciones de música, aumentan la llamada "reserva cognitiva", como depositar dinero en una cuenta de ahorros. Cuanto más grande es la reserva, mayor será su capacidad para proteger el cerebro de los efectos de la edad.

**Ir solo por la vida.** Nadie es una isla, pero comportarse como si lo fuera podría acelerar su declive mental. Una vida social activa, que incluya a los amigos, familiares y vecinos, y las causas que le son importantes, puede estimular la mente, combatir la depresión y reducir el riesgo de desarrollar alzhéimer y otros tipos de demencia.

# Fibra soluble

avena • cebada • frijoles • chícharos • lentejas • frutos secos • semillas • cítricos • manzanas • bananas • peras • fresas • arándanos azules • zanahorias

Nolan Ryan, legendario lanzador de las Grandes Ligas de Béisbol, destacó por la rapidez de sus lanzamientos. Ryan logró 5,714 ponches y 324 victorias en su carrera. Phil Niekro, por otra parte, se hizo famoso por dominar el "*Knuckleball*" o lanzamiento de nudillos en el que la pelota se mueve con desconcertante lentitud. Niekro llegó a tener 3,342 ponches y 318 victorias. Ambos lanzadores han sido incluidos en el Salón de la Fama del Béisbol.

Al igual que estas leyendas del béisbol, los dos principales tipos de fibra —la soluble y la insoluble— emplean tácticas diferentes para lograr su objetivo. Como Ryan, la fibra insoluble utiliza la velocidad. Al hacer que las heces se muevan rápidamente a través del intestino grueso, la fibra insoluble ayuda a mantener la regularidad intestinal. Y como Niekro, la fibra soluble hace que el proceso digestivo sea lento. También conocida como fibra viscosa, la fibra soluble se une al agua para formar un gel que retrasa el vaciado gástrico y hace más lento el tránsito de los alimentos a través del intestino delgado.

Esto no sólo frena el apetito y le hace sentir satisfecho por más tiempo, sino que también ayuda a reducir los niveles de insulina y azúcar en la sangre. Presente en los chícharos y los frijoles secos, la avena, la cebada y los cítricos, esta fibra protege el organismo de muchas enfermedades que pueden dañar el cerebro.

La avena del desayuno, por ejemplo, es una buena fuente de fibra soluble que ayuda a combatir el aumento de peso y reduce el colesterol, la presión arterial alta y la diabetes tipo 2, todos factores de riesgo de las demencias.

| | |
|---|---|
| 1/3 de taza de avena sin cocinar | 1.4 g* |
| 3/4 de taza de salvado de avena | 2.2 g |
| 1/2 taza de frijoles negros | 2.4 g |
| 1/2 taza de frijoles rojos | 2.8 g |
| 1/2 taza de repollitos de Bruselas | 2 g |
| 1/2 taza de espárragos | 1.7 g |
| 1 naranja pequeña | 1.8 g |
| 1 rebanada de pan de centeno tipo Pumpernickel | 1.2 g |

\* miligramos

## Cinco beneficios de la fibra soluble para la mente

**Reduce el colesterol.** Ése es el derecho a la fama de la fibra soluble, con buena razón, ya que varios estudios han demostrado su capacidad para reducir los niveles de colesterol.

El colesterol alto no sólo es un factor de riesgo mayor de aterosclerosis, enfermedades cardíacas y accidentes cerebrovasculares, sino que también es peligroso para el cerebro. Las arterias endurecidas, estrechas o totalmente obstruidas dificultan el flujo normal de sangre rica en oxígeno y nutrientes al cerebro. La muerte de las células cerebrales, debido ya sea a la falta de oxígeno o a un infarto cerebral provocado por un coágulo de sangre, puede llevar a la demencia vascular, que es la segunda forma más común de demencia después del alzhéimer.

En un estudio realizado con cerca de 10,000 personas se determinó que para las personas de entre 40 y 50 años que tenían el colesterol alto, el riesgo de desarrollar alzhéimer más adelante aumentaba en un 66 por ciento. Incluso si su nivel de colesterol era moderadamente alto y llegaba únicamente al límite superior de lo permitido, el riesgo aumentaba en un 52 por ciento. Agregar algo de fibra soluble a la dieta puede reducir dicho riesgo.

En un estudio de seis semanas de duración, seis gramos diarios de una forma de fibra soluble, el beta-glucano de avena concentrado, redujo significativamente el colesterol total y el colesterol "malo" LDL. Investigadores de los Países Bajos encontraron que el beta-glucano tomado con bebidas de frutas reduce el colesterol al aumentar la secreción de ácidos biliares y limitar la absorción del colesterol.

El psilio (*psyllium*, en inglés) es otro tipo de fibra soluble que también funciona. En un estudio, una dosis de 15 gramos de psilio junto con 10 miligramos (mg) de simvastatina fue igual de efectiva en bajar el colesterol que una dosis de 20 mg de simvastatina. En otro estudio en España, las cáscaras de psilio, ricas en fibra soluble, aumentaron el colesterol "bueno" HDL y ayudaron a limitar otros factores de riesgo cardíaco mejor que las semillas de psilio, que contienen fibra insoluble.

No es necesario tomar suplementos para obtener los beneficios de la fibra soluble. Pruebe la avena y otros alimentos ricos en fibra soluble. Un análisis reciente de ocho estudios sobre la avena confirma que ésta ayuda a reducir el colesterol LDL en un 5 por ciento en promedio.

Investigadores de Canadá encontraron que una dieta que incluye alimentos probados para reducir el colesterol —como la fibra soluble de la avena, la cebada, el psilio, la ocra y la berenjena— es igual de

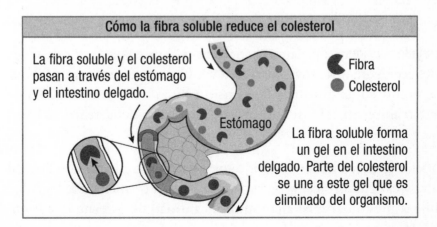

**Cómo la fibra soluble reduce el colesterol**

La fibra soluble y el colesterol pasan a través del estómago y el intestino delgado.

Fibra

Colesterol

Estómago

La fibra soluble forma un gel en el intestino delgado. Parte del colesterol se une a este gel que es eliminado del organismo.

efectiva para bajar el colesterol que una estatina. Otros estudios han comprobado los efectos positivos de los frijoles pinto y de los frutos secos. Procure consumir al menos 3 gramos diarios de fibra soluble para reducir el colesterol.

**Ayuda a bajar de peso.** La grasa corporal —especialmente la grasa abdominal— tiene graves consecuencias para el cerebro. Tener exceso de peso es correr un riesgo 42 por ciento mayor de padecer demencia en comparación con una persona con un peso más saludable. Si el peso en exceso está concentrado alrededor de la cintura, la probabilidad de padecer demencia se triplica.

El exceso de peso también está asociado a niveles altos de presión arterial, colesterol y azúcar en la sangre, por lo que es casi imposible solucionar estos problemas sin controlar el peso.

Los cereales integrales, como la avena, ayudan a quemar la grasa abdominal más rápidamente. En un sorprendente estudio realizado recientemente se comprobó que una dieta rica en cereales integrales y que incluía avena, ayudó a bajar de peso y a reducir la grasa abdominal. Además de ser una popular cura para la picazón en la piel, la avena aporta fibra soluble. La avena es un alimento de alto volumen y baja densidad calórica, por lo que le hará sentirse satisfecho sin haber consumido demasiadas calorías.

Investigadores de la Universidad del Sur de California compararon las dietas de personas obesas y con sobrepeso con las dietas de personas con un peso más saludable. Las personas de este último grupo consumían mucha más fibra y fruta que las personas con mayor peso.

**Baja la presión.** La presión arterial alta es el principal factor de riesgo del accidente cerebrovascular (ACV). Cuando se tiene un ACV, se produce una obstrucción o una ruptura de un vaso sanguíneo, interrumpiendo el flujo de sangre a una parte del cerebro, lo que a su vez provoca la muerte de células cerebrales.

Varios estudios han establecido un vínculo entre la presión arterial alta y el deterioro cognitivo y los problemas de memoria. Debido a que la presión arterial alta limita la cantidad de oxígeno que llega al cerebro, también contribuye al desarrollo de la demencia. Aumentar el consumo de fibra soluble puede ayudar a bajar la presión arterial. Según un estudio, los cereales integrales, entre ellos la cebada que es una fuente de fibra soluble, ayudan a bajar la presión arterial. No es de extrañar que los cereales integrales sean un componente clave de la dieta DASH, que propone una serie de medidas dietéticas para detener la hipertensión arterial.

La mayoría de los estudios sobre los productos de avena indican que éstos tienen un efecto positivo sobre la presión arterial.

**Protege de la diabetes.** Mantener el nivel de azúcar en la sangre bajo control ayuda a mantener un buen funcionamiento cerebral. Además de elevar el riesgo de sufrir un ataque cardíaco o un accidente cerebrovascular, la diabetes afecta la capacidad para razonar y recordar. Si la glucosa no llega a las células cerebrales, éstas no tendrán la energía suficiente para funcionar adecuadamente y se establece un círculo vicioso de deterioro. Una persona con diabetes que tiene dificultad para pensar con claridad, puede que no siga las indicaciones de su médico, que no coma bien o que no recuerde hacer ejercicios. Su diabetes empeorará y eso, a su vez, afectará aún más su capacidad para pensar con claridad.

Nuevas investigaciones indican que la falta de insulina afecta tanto la diabetes como el alzhéimer. Según un estudio, los hombres que a los 50 años no producen la cantidad adecuada de insulina tienen un riesgo significativamente mayor de desarrollar alzhéimer y otros tipos de demencia más adelante. Las personas con diabetes también tendrían un riesgo 50 por ciento mayor de padecer depresión.

La taza de café de las mañanas es mucho más que una fuente de energía; es también una sorprendente dosis de fibra soluble. Investigadores en España descubrieron que el café contiene más fibra soluble que el vino y el jugo de naranja. El café instantáneo es el que más fibra soluble tiene (1.8 gramos por taza); algo menos contienen el espresso (1.5 gramos) y el café filtrado (1.1 gramos).

Afortunadamente, agregar a la dieta alimentos ricos en fibra soluble puede ayudar. Un estudio encontró que aumentar el consumo de fibra soluble a través de alimentos como la avena, el salvado de avena, la granola, el melón, la toronja, la naranja, la papaya, las pasas, las habas, la ocra, el camote, las calabazas de invierno y el calabacín, entre otros, mejoró el control glucémico y redujo el colesterol en personas con diabetes. Los participantes del estudio consumieron 25 gramos de fibra soluble y 25 gramos de fibra insoluble cada día. Los suplementos de fibra soluble también ayudaron a reducir el colesterol LDL y a aumentar el colesterol HDL en personas con diabetes.

> A la fibra insoluble se le atribuye la mayor parte del mérito de los efectos beneficiosos de la fibra en el aparato digestivo. Pero estudios recientes parecen indicar que, en realidad, la fibra soluble puede ofrecer aun más alivio para ciertos trastornos digestivos, como el síndrome del intestino irritable (SII) y la enfermedad de Crohn. Si usted padece SII, considere la posibilidad de cambiar el salvado por el psilio.

**Detiene la inflamación.** La inflamación crónica interfiere con ciertos procesos del organismo y destruye los tejidos. Con el tiempo, eleva el riesgo de desarrollar algunas enfermedades graves, como la diabetes, las enfermedades del corazón, el alzhéimer, la artritis y el cáncer.

Un estudio de la Universidad de Illinois encontró que la fibra soluble, en la forma de pectina cítrica, estimuló el sistema inmunitario de ratones. Se observó que la fibra soluble cambió la naturaleza de las células inmunitarias de proinflamatorias a antiinflamatorias, gracias al aumento de una proteína antiinflamatoria llamada interleucina-4.

La proteína C-reactiva (PCR) es una proteína que se usa como marcador de la inflamación. Los expertos creen que si el nivel de PCR permanece alto durante demasiado tiempo, aumenta el riesgo de enfermedades cardíacas, derrame cerebral, hipertensión, diabetes y resistencia a la insulina. La PCR también está asociada a los problemas para pensar y recordar, así como a la demencia.

En un estudio, las personas cuya dieta contenía la mayor cantidad de fibra soluble redujeron su riesgo de tener niveles elevados de PCR en un 61 por ciento en comparación con las que consumieron la menor cantidad de fibra soluble.

## Aproveche al máximo la avena

Empezar el día con un tazón de avena caliente es una manera sencilla y sabrosa de obtener más fibra soluble a través de la dieta. También se puede agregar un poco de avena a la masa de panqueque.

Por supuesto, la avena no es sólo para el desayuno. Pruebe algunas estrategias creativas para añadir más avena a las comidas a lo largo del día. Por ejemplo, se puede utilizar avena para darle cuerpo a las hamburguesas o a un pastel de carne. También se puede utilizar avena para preparar granola casera o para "empanizar" pollo.

## Interacción poco conocida con medicamentos

No tome medicamentos y suplementos de fibra al mismo tiempo. De lo contrario, puede que no asimile la dosis que usted necesita del medicamento. Esto se debe a que el cuerpo no absorbe ni digiere la fibra, y los medicamentos pueden acabar siendo eliminados del organismo junto con la fibra.

Los suplementos de fibra, como el psilio, la goma guar y la pectina, pueden reducir o retardar la absorción de ciertos medicamentos, entre ellos los diluyentes de la sangre como la warfarina, los anticoagulantes, como *Plavix*, y los medicamentos para bajar el colesterol, como *Crestor* y la lovastatina. Incluso pueden interactuar con *Tylenol* y con la penicilina. Vaya a lo seguro. Tome sus medicamentos unas dos horas antes o después de tomar los suplementos de fibra.

Esto no significa que deba también preocuparse por una posible interacción entre la fibra de los alimentos y los medicamentos. El riesgo se presenta únicamente con los suplementos de fibra.

*La pectina es una fibra soluble que a menudo se utiliza en la elaboración de jaleas y mermeladas como un agente espesante. La manzana silvestre contiene pectina natural, de modo que para preparar esta receta no se necesita pectina como un ingrediente adicional. Unte esta jalea rica en fibra y sin grasa sobre una rebanada de pan integral y disfrute de una merienda a la vez deliciosa y nutritiva. [Rinde para 6 frascos de 8 onzas cada uno]*

## Jalea de manzana silvestre

8 tazas de manzanas silvestres frescas
3 tazas de azúcar granulada
1 rama de canela

Quite los tallos y corte las manzanas en cuartos. Coloque los trozos de manzana en una olla grande con agua. Asegúrese de que el agua sea suficiente para cubrir las manzanas, sin que floten.

Una vez que hierva el agua, baje a fuego lento. Agregue la rama de canela. Cocine a fuego lento durante 15 minutos o hasta que las manzanas estén suaves.

Cuele las manzanas y el jugo a través de dos o tres capas de estopilla o de una tela fina de algodón para colar (*cheesecloth*, en inglés) hasta obtener 4 tazas de jugo claro. Descarte la pulpa.

Vierta el jugo nuevamente a la olla. Cocine a fuego lento durante 10 minutos. Quítele la espuma. Agregue el azúcar, revolviendo hasta que se disuelva. Cocine a fuego lento hasta que la temperatura llegue a los 220 o 222 grados.

Vierta en frascos pequeños, dejando un espacio libre de 1/4 de pulgada en la parte superior. Cierre bien y caliente los frascos a baño María.

*Tenga paciencia: la jalea puede tardar varios días en cuajar.*

# Hierbas

salvia • romero • manzanilla

Tal vez le sorprenda saber que las especias y hierbas aromáticas como la salvia, el romero y la manzanilla, no sólo proporcionan un maravilloso sabor a las comidas desde tiempos antiguos, sino que también ayudan a proteger la salud.

La salvia ha sido utilizada en la cocina y en la medicina durante siglos. De hecho, los expertos aún están intentando identificar todos los antioxidantes saludables que contiene. Existen más de 500 variedades de salvia, pero la salvia común *(salvia officinalis)*, también conocida como salvia de jardín, y la salvia española *(salvia lavandulifolia)* son las que parecen ofrecer mayores beneficios para el cerebro y la memoria.

La planta de romero es un arbusto aromático de hojas perennes. Su nombre botánico es *Rosmarinus* o "rocío del mar", tal vez porque suele crecer cerca del mar. Aunque es una planta aparentemente sencilla, el romero contiene poderosos antioxidantes. Los estudios sobre la aromaterapia sugieren que tan sólo su olor puede tener efectos positivos para la salud.

Las flores de la manzanilla parecen pequeñas margaritas al borde de la carretera. Para describir la manzanilla, los alemanes utilizan la frase *"alles zutraut"*, que quiere decir "capaz de todo".

Aunque los alemanes se refieren únicamente a un tipo de manzanilla, existen en realidad dos variedades de manzanilla con efectos beneficiosos para la salud. La manzanilla alemana *(Matricaria recutita)* llega a crecer hasta unas 18 pulgadas de alto y es popular en Estados Unidos y Europa central. La manzanilla romana *(Anthemis nobilis* o *Chamaemelum nobile)*, por otro lado, es una planta pequeña y de bajo crecimiento, popular en el Reino Unido.

# Tres hierbas que favorecen la salud mental

**Salvia.** Existen soluciones naturales para mantener la buena salud del cerebro a largo plazo que se encuentran en los jardines o en los pasillos de productos agrícolas del supermercado. Una de ellas es la salvia, una planta increíble que según las investigaciones puede ser el secreto para conservar la agudeza mental.

Normalmente, el cerebro utiliza un compuesto llamado acetilcolina para realizar las tareas que establecen la memoria a corto plazo. Estas tareas llevan el nombre de función colinérgica. En las personas con alzhéimer, la función colinérgica empieza a fallar. Afortunadamente, persuadir al cerebro a que utilice más acetilcolina parece ayudar, y la salvia puede que tiene el poder para hacer precisamente eso.

En un pequeño estudio, las personas con alzhéimer leve a moderado que tomaron un extracto de salvia durante cuatro meses obtuvieron mejores resultados en las pruebas de capacidades mentales que las personas que recibieron un placebo. Es más, la salvia ha probado ser buena no sólo para los pacientes con alzhéimer. Las investigaciones también han establecido un vínculo entre la salvia y la mejora de la memoria y de las capacidades mentales en los adultos sanos.

Aunque en la mayoría de estudios se utilizan fuentes concentradas de salvia, ya sea como extracto o aceite esencial, hay informes que sugieren que se pueden lograr resultados positivos con el equivalente a una cucharadita y media de salvia común al día. En todo caso, el consumo oral de tan sólo 12 gotas de tintura o de aceite esencial de salvia puede provocar convulsiones. No las tome sin antes consultar con su médico.

La manzanilla en bolsitas viene en cajas marcadas como "manzanilla alemana" (*German chamomile*, en inglés) o "manzanilla romana" (*Roman chamomile*). ¿Cuál debe usted elegir? Ambas tienen efectos similares, pero la manzanilla alemana tiene un sabor más dulce y tal vez mayor poder curativo. Además, se han hecho más estudios sobre la manzanilla alemana y su uso es más amplio.

Por otra parte, para quienes deseen cultivar salvia en su jardín, hay cientos de variedades para elegir. Tenga en cuenta, sin embargo, que hay dos variedades conocidas por los resultados positivos que han tenido en los estudios: la salvia común o de jardín *(salvia officinalis)* y la salvia española *(salvia lavandulifolia)*.

**Romero.** Los antiguos griegos usaban el romero para ahuyentar los malos espíritus y alejar la mala salud. Las investigaciones modernas de hoy en día sugieren que pueden haber estado en lo cierto. Los peligrosos radicales libres creados por procesos naturales del propio organismo contribuyen a la enfermedad de Alzheimer, a los accidentes cerebrovasculares e, incluso, al envejecimiento normal del cerebro.

No es de extrañar, entonces, que el romero que contiene un poderoso antioxidante, llamado ácido carnósico, ayude a neutralizar los radicales libres. Investigaciones recientes parecen indicar que el ácido carnósico se acumula en las células del cerebro para, de ese modo, frenar el daño de los radicales libres antes de que se manifieste.

Es más, el ácido carnósico puede ayudar a prevenir las obstrucciones de las arterias cerebrales que conducen a accidentes cerebrovasculares. Ésa es una buena noticia, ya que un accidente cerebrovascular aumenta automáticamente el riesgo de desarrollar alzhéimer.

**Manzanilla.** Esta delicada planta con flores le puede ayudar a combatir dos problemas de salud perjudiciales para el cerebro: el insomnio y los niveles altos de azúcar en la sangre.

- Insomnio. Los problemas de sueño pueden llevar a tener reacciones más lentas, pérdida de claridad mental, incapacidad para tomar decisiones y dificultad para procesar información. Durante el sueño, los recuerdos se fortalecen y se integran en la parte del cerebro encargada de formar nuevos recuerdos y almacenar la memoria a largo plazo. No es de sorprender entonces que las investigaciones sugieran que la falta de sueño puede también afectar la memoria. En un estudio con pacientes de cirugía cardíaca se descubrió de manera accidental que la infusión de manzanilla puede ayudar a conciliar el sueño. La manzanilla contiene apigenina, un compuesto que parece actuar como un sedante suave. La manzanilla también puede calmar la ansiedad. Aunque más estudios son necesarios, los expertos recomiendan poner una cucharadita colmada de flores secas de manzanilla en infusión en agua caliente durante 10 minutos. Beba hasta tres tazas de esta infusión al día, como una ayuda para mejorar el sueño, así como la memoria y las capacidades mentales.

- Presión arterial alta. Un estudio efectuado con animales encontró que acompañar las comidas con una infusión de manzanilla puede ayudar a controlar el azúcar en la sangre. Por supuesto, los animales no siempre tienen las mismas reacciones que los humanos, de modo que más investigaciones son necesarias. Sin embargo, la manzanilla en infusión es inocua para la mayoría de personas y cualquier medida para controlar el azúcar en la sangre puede ayudar a prevenir la diabetes y sus complicaciones. Además, evitar la diabetes también es una manera de protegerse del alzhéimer.

## Cultive sus propias hierbas

Una manera de tener siempre a mano las hierbas más frescas y más económicas es cosechándolas de su propio jardín. Aquí unos consejos para empezar:

**Manzanilla.** Para cultivar manzanilla romana o alemana:

- Compre las semillas después de la última helada de primavera.

- Coloque las semillas en tierra húmeda en un lugar soleado y riegue con regularidad.

- Después de un par de semanas, transplante las plántulas de manzanilla a su jardín, dejando 18 pulgadas entre cada planta.

- Coseche las flores cuando estén en plena floración.

**Romero.** Para cultivar romero:

- Compre una planta de romero en lugar de semillas.

- En los lugares donde el invierno es relativamente suave, elija un lugar soleado y coloque la planta de romero a la misma profundidad que la que tenía en la maceta.

- En los lugares donde el invierno llega a temperaturas por debajo de los 25 grados, coloque la planta de romero en una maceta después de la última helada. Tenga la planta dentro de la casa durante el invierno. Coloque la maceta en una ventana orientada al sur y riéguela sólo cuando la tierra esté seca.

**Salvia.** Para cultivar salvia:

- Siembre las semillas o plántulas recién compradas en un lugar soleado después de la última helada.

- Deje un espacio de 30 pulgadas entre cada planta y riegue con regularidad.

- Corte pocas ramas durante el primer año y deje de cosechar a inicios del otoño para preparar la planta para el invierno.

Evite los pesticidas. Después de todo, estas plantas son para comer.

Para incorporar la salvia en su cocina, agregue hojas enteras o picadas a:

- Rellenos
- Pan de maíz
- Pizza
- Espárragos
- Aves y carnes rojas
- Sopas de verduras
- Macarrones con queso
- Panes y galletas
- Calabaza de invierno
- Salsas a base de tomate

## Cuidado con el lado oscuro de las hierbas

Se considera que la salvia, el romero y la manzanilla son seguras cuando se utilizan en la cocina, pero éstas son algunas razones por las cuales es mejor hablar con un médico antes de utilizarlas:

- Algunas hierbas pueden interactuar con ciertos medicamentos o afectar el resultado de los análisis de sangre y de otras pruebas de laboratorio.

- Aléjese de la manzanilla si es alérgico a la cebolla, al apio o a cualquier miembro de la familia de las asteráceas, incluida la planta de áster, la ambrosía (*ragweed*, en inglés), el girasol y el crisantemo. Las personas alérgicas a cualquiera de estas plantas suelen tener una reacción alérgica a la manzanilla.

- Hable con su médico antes de consumir romero si usted está tomando litio o tiene niveles bajos de hierro. El romero puede reducir la capacidad del organismo para absorber el hierro y puede causar una interacción tóxica con el litio.

# Estrés

aumento de la frecuencia cardíaca • respiración acelerada • boca reseca • sudor frío • problemas estomacales • dolores de cabeza • problemas de sueño • deterioro de la memoria

Ante un peligro, el estrés prepara al cuerpo para la acción. Una amenaza inminente activa la producción de la hormona cortisol, así como de los tres neurotransmisores —la dopamina, la norepinefrina y la epinefrina— que se conocen colectivamente como catecolaminas.

Durante esta reacción de "lucha o huida", el ritmo cardíaco y la presión arterial se elevan, el flujo de sangre aumenta, la respiración se acelera y el sistema inmunitario se prepara para enfrentarse a posibles lesiones. Cuando desaparece la amenaza, todo vuelve a la normalidad. O mejor dicho, debería volver a la normalidad.

El problema es que las presiones de la vida cotidiana —entre ellas las preocupaciones financieras, los conflictos de pareja, las enfermedades, las exigencias laborales y los embotellamientos de tránsito— pueden desencadenar la misma reacción, sin dejarle mucho tiempo para recuperarse. Este estrés crónico causa estragos en la salud física y mental.

Se ha establecido un vínculo entre el estrés crónico y la presión arterial alta, las enfermedades del corazón y los accidentes cerebrovasculares. El estrés también debilita el sistema inmunitario, lo que explica por qué el cuerpo se sana con mayor lentitud, pero se enferma con mayor frecuencia.

> Su nariz sabe cómo librarse del estrés. Tan sólo pruebe la aromaterapia. Los aromas de manzana verde, pepino, lavanda y romero, entre otros, favorecen la relajación. Los aromas de naranja, uva, mango, limón y albahaca también pueden aliviar la tensión gracias al linalool, un compuesto con aroma floral.

Pero, sobretodo, el estrés ataca el cerebro y puede contribuir a la depresión y la ansiedad. Los científicos afirman que, a la larga, el estrés y la depresión dañan las células cerebrales. Un estudio de 20 años de duración conducido por la Universidad de Pittsburgh encontró que el estrés crónico contribuye a la reducción del volumen del hipocampo, la región del cerebro que es esencial para el aprendizaje y la memoria. Otros estudios han encontrado un vínculo entre niveles altos de las hormonas del estrés y el deterioro de la memoria, de la concentración y de la capacidad para resolver problemas. Esto tiene sentido, ya que un bombardeo de hormonas del estrés puede contraer las células cerebrales y alterar las conexiones entre ellas.

El estrés daña el corazón, contrae el cerebro y ataca el sistema inmune. Si usted siente que no puede controlarlo, busque ayuda profesional. Sin embargo, existen maneras naturales de prevenir o tratar el estrés.

## Seis tácticas para combatir el estrés

**Muévase.** El ejercicio hace maravillas para el estrés. No sólo distrae la mente de las preocupaciones, sino que también reduce los efectos nocivos del estrés sobre la presión arterial y el corazón. Un estudio encontró que la eficacia del ejercicio moderado o vigoroso para reducir la ansiedad sólo fue superada por los medicamentos de venta con receta médica. Salga a caminar a paso ligero, nade y practique yoga o *tai chi*, rutinas que incluyen ejercicios de respiración y de relajación muscular que alivian el estrés.

**Duerma lo suficiente.** Asegúrese de dormir las horas necesarias. Durante la noche, los niveles de la presión arterial y de cortisol deberían bajar, pero eso no ocurre cuando se priva de sueño. La falta de sueño también afecta el estado de ánimo y la capacidad para tomar decisiones. Puede que sea difícil dormir bien cuando se está bajo estrés, pero no dormir lo suficiente sólo empeora las cosas.

**Ríase a carcajadas.** Calme el estrés, mejore su estado de ánimo y siéntase mejor acerca del futuro con un tratamiento probado que no requiere la receta de un médico. Y sin que le cueste ni un centavo. A veces, la risa es realmente la mejor medicina. Es importante conservar el sentido del humor, especialmente en momentos de estrés.

La risa contrarresta los daños del estrés al reducir los niveles de cortisol y epinefrina, y estimular el sistema inmunitario. También relaja los vasos sanguíneos y aumenta el flujo de sangre. Tan sólo anticiparse a la risa puede tener efectos beneficiosos. Incluso si no se encuentra en el mejor de los ánimos, forzar la risa puede hacer que se sienta bien. Ver una película divertida o hablar con un amigo gracioso puede ayudar a levantar el ánimo y aliviar el estrés.

Curiosamente, llorar también puede ayudar a disipar el enojo o la tristeza porque permite eliminar sustancias químicas acumuladas por el estrés.

El chocolate oscuro puede ser una manera dulce de calmar el estrés. En un estudio reciente, las personas con altos niveles de estrés que recibieron 1.4 onzas (40 g) de chocolate oscuro al día durante dos semanas redujeron sus niveles de cortisol y catecolaminas (hormonas asociadas al estrés). Disfrutar del chocolate oscuro con moderación puede aligerar las tensiones.

**Relájese.** No hay una solución única para aliviar el estrés, pero sí muchas opciones, como escuchar música, llevar un diario, irse de vacaciones, recibir un masaje o tener una mascota.

Usted también puede probar las siguientes técnicas de relajación:

- Los ejercicios de respiración profunda. Respirar lenta y profundamente ayuda a relajarse. Cuente hasta 10 mientras inhala por la nariz y haga lo mismo al exhalar.

- La relajación muscular. Acuéstese y luego relaje y tense cada músculo, desde la cabeza a los pies. Concéntrese en una sola zona a la vez. Al final se sentirá totalmente relajado.

- La biorretroalimentación. Esta técnica es conocida como *biofeedback* en inglés y requiere de equipo y capacitación. La biorretroalimentación enseña a controlar la respiración, el ritmo cardíaco, la presión arterial y otras señales de estrés.

**Hable sobre ello.** Si ya es duro vivir bajo estrés, vivirlo solo es aún más duro. El aislamiento hace que el estrés empeore. Un estudio reciente encontró que las personas propensas a sufrir estrés que están socialmente aisladas corren un riesgo mayor de desarrollar demencia. Por eso es tan importante tener a alguien con quien hablar en los momentos difíciles de la vida. Dígales a sus familiares y amigos lo que siente, y asegúrese de escuchar lo que ellos tienen que decir. Hacer servicio voluntario, unirse a un club o tomar clases puede ayudarle a ampliar su círculo social.

**Supérelo con suplementos.** No todos los suplementos dietéticos o herbarios cumplen lo que prometen. Sin embargo, los estudios sugieren que ciertos suplementos podrían ayudar a aliviar el estrés y la ansiedad. La kava puede ser más efectiva que muchos medicamentos con receta médica para tratar la ansiedad, pero viene acompañada del riesgo de daño hepático. La valeriana reduce las sensaciones y los síntomas de la ansiedad, y también actúa como una ayuda natural para dormir. Otros remedios prometedores para calmar la ansiedad incluyen los elaborados a partir de plantas herbáceas como la *Rhodiola rosea* o raíz de oro (*golden root*, en inglés); la *Bacopa monnieri,* brahmi o bacopa; y la *Centella asiatica* o gotu kola.

# Estrategias que se deben evitar

Hay muchas maneras saludables para reducir el estrés y muchas que no son tan saludables. Evite caer en el mal hábito de fumar, beber en exceso y volverse un adicto a la televisión. Tenga cuidado con lo que come: las personas bajo estrés tienden a desear comidas grasas, saladas o muy dulces. Estas maneras de hacerle frente al estrés sólo se sumarán a sus males, ya que están asociadas a un riesgo mayor de obesidad, diabetes, cáncer y otros problemas de salud.

No crea en las promesas de curas rápidas y sencillas para el estrés. Los suplementos, incluidos los remedios herbarios, pueden parecer seguros y efectivos, pero no siempre lo son. Usted podría malgastar su dinero o incluso arriesgarse a sufrir efectos secundarios peligrosos. Hable con su médico antes de probar cualquier suplemento.

Ahogue el estrés en una taza calmante de té verde. Un estudio realizado en Japón encontró que las personas que bebían por lo menos cinco tazas de té verde al día eran 20 por ciento menos propensas a padecer estrés mental que las que bebían menos de una taza al día.

| Alimentos | Nutrientes | Cómo combaten el estrés |
|---|---|---|
| Pan, cereal para desayuno, pasta | Carbohidratos complejos | Aumentan los niveles de serotonina en el cerebro. |
| Frutos secos, frijoles, carnes | Vitaminas B | Reducen la respuesta del cortisol, mejoran el sueño, intervienen en la formación de importantes neurotransmisores. |
| Cítricos, fresas | Vitamina C | Junto con la glándula suprarrenal limitan la producción de cortisol, la hormona del estrés. |
| Espinacas, cereal de salvado, yogur | Magnesio | Reponen las reservas de este mineral clave, agotadas a causa del estrés y la ansiedad. |
| Pescado, nueces, semillas de linaza | Ácidos grasos omega-3 | Mantienen bajo control los niveles de cortisol y norepinefrina, reducen la inflamación. |

# Accidente cerebrovascular

debilidad repentina • problemas de la vista • confusión • pérdida del conocimiento • dificultad para hablar • dolores fuertes de cabeza • mareos

Las cien mil millones de neuronas que tiene el cerebro necesitan cantidades enormes de sangre para funcionar adecuadamente. O, mejor dicho, necesitan el oxígeno y los nutrientes que la sangre transporta. Por cierto, alrededor del 20 por ciento de la sangre que bombea el corazón va al cerebro. La interrupción de ese flujo de sangre produce los accidentes cerebrovasculares (AVC) y afecta a todas las neuronas. Hay dos tipos básicos de ataques cerebrales:

- Isquémico. Un accidente cerebrovascular isquémico o infarto cerebral ocurre cuando un coágulo de sangre u otro tipo de partículas bloquea una arteria que suministra sangre al cerebro. Sin los nutrientes vitales, las neuronas empiezan a morir. La magnitud del daño depende del lugar y la duración de la obstrucción. La mayoría de los ACV son de tipo isquémico.

- Hemorrágico. Un accidente cerebrovascular hemorrágico o derrame cerebral ocurre cuando se rompe una arteria. La sangre se filtra en el tejido cerebral circundante o en el espacio entre el cerebro y el cráneo, dañando las células cerebrales. Cerca del 20 por ciento de los ACV son de tipo hemorrágico.

Los accidentes cerebrovasculares pueden ser dañinos en cuestión de minutos, o tener consecuencias catastróficas en cuestión de horas. El grado de discapacidad tras un accidente cerebrovascular depende de la zona del cerebro que ha sido afectada y del tiempo transcurrido. También puede causar problemas a largo plazo que son menos obvios, como la depresión y la mala calidad de sueño. Si una arteria principal se bloquea o sufre una ruptura, una red de vasos sanguíneos en la base del cerebro puede servir como una vía alterna para el flujo de sangre. Y aun cuando algunas células cerebrales mueren durante un ACV, otras neuronas pueden gradualmente asumir sus funciones. De ese modo, muchas personas que sufren un ACV recuperan algunas de las funciones que perdieron en un inicio.

La presión arterial alta y la diabetes, entre otros problemas de salud, aumentan el riesgo de ACV. Sin embargo, algunos cambios sencillos en el estilo de vida pueden reducir significativamente ese riesgo.

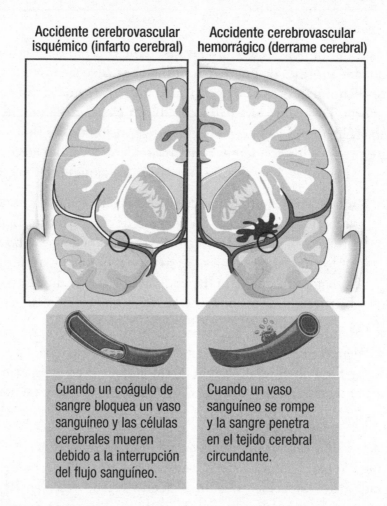

**Accidente cerebrovascular isquémico (infarto cerebral)**

**Accidente cerebrovascular hemorrágico (derrame cerebral)**

Cuando un coágulo de sangre bloquea un vaso sanguíneo y las células cerebrales mueren debido a la interrupción del flujo sanguíneo.

Cuando un vaso sanguíneo se rompe y la sangre penetra en el tejido cerebral circundante.

## Conozca las señales de peligro de un ataque cerebral

- Debilidad o entumecimiento repentino en un lado del cuerpo

- Pérdida repentina de la visión

- Confusión mental o pérdida de memoria

- Pérdida repentina del conocimiento

- Problemas al hablar o dificultad para entender a los demás

- Dolor de cabeza grave y repentino

- Mareos o caídas inexplicables

- Náuseas y vómitos, especialmente si van acompañados por alguno de los síntomas arriba mencionados

## Cuatro tácticas para combatir los ataques cerebrales

**Gánele la guerra a la presión alta.** Cuando se tiene la presión arterial alta, el corazón debe trabajar mucho más para bombear la sangre a través del sistema circulatorio. Imagínese una manguera vieja, rígida y con una boquilla pequeña en el extremo. Ahora abra la llave de agua completamente. La enorme presión causará fugas de agua en la manguera. Del mismo modo, la presión arterial alta debilita las paredes de las arterias hasta causar una fuga, es decir, un ACV hemorrágico o derrame cerebral.

Este daño de las paredes arteriales puede conducir a la acumulación de placa y colesterol, que pueden obstruir la arteria o desprenderse y formar un coágulo, causando un ACV isquémico o infarto cerebral.

El accidente isquémico transitorio (AIT), o mini derrame cerebral, presenta los mismos síntomas que un ataque cerebral total, pero sólo dura entre cinco y 20 minutos, y por lo general no causa daños permanentes. Más de un tercio de quienes sufren un AIT tendrán, con el tiempo, un accidente cerebrovascular isquémico. Un AIT es como una advertencia y se debe llamar al 911 de inmediato. Los medicamentos para disolver coágulos, como el t-PA, pueden mejorar enormemente las probabilidades de supervivencia y recuperación del paciente.

Las personas hipertensas tienen cinco veces más riesgo de sufrir un accidente cerebrovascular. Las medidas para mantener un buen control de la presión arterial incluyen hacer ejercicio, mantener un peso saludable, reducir el consumo de sal y elegir alimentos ricos en potasio, como los frijoles, las pasas, la papa y las espinacas.

**Hágale frente al colesterol alto.** El colesterol es una sustancia suave y cerosa que se encuentra en el torrente sanguíneo. Es un componente de las membranas celulares, así como de algunas hormonas. Si bien el cuerpo necesita colesterol, en exceso puede obstruir las arterias. Si se acumula puede llegar a bloquear una arteria por completo y provocar un accidente cerebrovascular isquémico. Las más vulnerables son las dos grandes arterias carótidas en el cuello que suministran sangre al cerebro. Cuando una de ellas se estrecha se produce lo que se conoce como estenosis carotídea y el riesgo de sufrir un ataque cerebral se triplica. En esos casos, un coágulo o una obstrucción pueden bloquear completamente el flujo de sangre al cerebro.

Controle su colesterol con una dieta alta en fibra procedente de granos enteros y frijoles, baja en grasas saturadas procedentes de la carne y los lácteos, y que incluya muchas verduras, frutas y pescado. Baje de peso si tiene unos kilitos de más y haga ejercicio físico todos los días.

**Controle el ritmo de su corazón.** La fibrilación auricular (FA) es el ritmo irregular de los latidos del corazón. La FA puede ocasionar que la sangre se acumule en el corazón, lo que puede llevar a la formación de coágulos. Éstos, a su vez, tienden a desprenderse y viajar hacia el cerebro, causando un infarto cerebral. La FA eleva

Un sencillo análisis de sangre puede predecir este asesino silencioso. Aprobada por la FDA, la prueba PLAC mide los niveles de una enzima llamada fosfolipasa A2 asociada a lipoproteínas (FLA2-Lp), que se presenta con la inflamación de las arterias. Las personas con niveles altos de esta enzima, corren el doble de riesgo de sufrir un derrame isquémico que las personas con niveles normales. Obtenga más información sobre esta prueba en *www.plactest.com* (en inglés).

el riesgo de sufrir un ataque cerebral en un 500 por ciento. Algunas personas controlan el ritmo cardíaco con la ayuda de un medicamento. Si no es suficiente, el médico puede recetarles un anticoagulante para prevenir la formación de coágulos sanguíneos. Si ése es su caso, hable con su médico sobre la posibilidad de evitar los alimentos ricos en vitamina K, que promueven la coagulación de la sangre.

Compruebe si su pulso o ritmo cardíaco es uniforme. Programe una cita con su médico si siente que sus latidos cardíacos son irregulares.

¿Puede tocar los dedos de los pies? Adelante, inténtelo. Siéntese en el suelo con la espalda contra la pared y las piernas estiradas hacia adelante. Ahora inclínese desde la cintura y trate de alcanzar los dedos de los pies. Según los investigadores, ésta es una buena manera de medir no sólo el grado de flexibilidad de los músculos, sino también la flexibilidad de las arterias.

**Chequee sus niveles de PCR.** Cuando hay inflamación en cualquier parte del cuerpo, incluso en los vasos sanguíneos, el hígado produce una sustancia llamada proteína C reactiva (PCR). La inflamación en las arterias y los vasos sanguíneos causa lo que los expertos llaman "lesiones inestables", que tienden a "romperse" y causar un derrame cerebral. Por esa razón, se considera que un nivel alto de PCR es un factor de riesgo de derrame cerebral. Sepa cuál es su nivel de PCR con un sencillo análisis de sangre. Y ponga freno a la inflamación con alimentos ricos en vitamina C y medidas como el ejercicio físico moderado, el control de peso y la terapia de aspirina.

## Sorprendentes factores de riesgo de ataque cerebral

Tres afecciones que elevan el riesgo de un accidente cerebrovascular:

- Las personas con diabetes suelen tener otros problemas de salud que las hacen vulnerables a un accidente cerebrovascular. Es más, su riesgo de sufrir un accidente cerebrovascular isquémico es tres veces mayor que el de las personas que no tienen diabetes.

- Herpes zóster. El herpes zóster, también conocido como culebrilla o *shingles*, en inglés, es un sarpullido cutáneo con ampollas provocado por el mismo virus que causa la varicela. Las personas con herpes zóster son cuatro veces más propensas a sufrir accidente cerebrovascular en el curso de un año, si la erupción se produce alrededor de los ojos o en la frente.

- Enfermedad de las encías. Un caso grave de enfermedad de las encías puede aumentar el riesgo de un infarto cerebral al promover la formación de placa en las arterias carótidas, que son las que suministran sangre al cerebro. La disminución del flujo de sangre al cerebro debido a una obstrucción puede llevar a un accidente cerebrovascular isquémico.

# *Tai chi*

previene las caídas y las lesiones cerebrales
• alivia el estrés • protege contra ataques al corazón y derrames cerebrales • baja la presión arterial
• combate la pérdida de memoria • mejora el sueño
• reduce los niveles de azúcar en la sangre

El *tai chi* es un ejercicio de movimientos suaves que se desarrolló en China hace varios siglos. Para hacer *tai chi* hay que relajarse y respirar profundamente y, a la vez, concentrarse en el aprendizaje de las secuencias de movimientos que componen las llamadas "formas". Algunas versiones de *tai chi* favorecen las formas largas con muchos movimientos, otras las formas cortas. Aprender todos los movimientos en una forma puede tomar tiempo. Si usted es principiante, tal vez deba empezar con una forma corta.

Hay quienes se refieren al *tai chi* como "meditación en movimiento", debido a que es una práctica que exige relajación corporal, respiración profunda y concentración. El *tai chi* es pues una buena manera de relajarse, hacer ejercicio y mejorar la salud. Cualquiera, sin importar la edad, puede beneficiarse de sus movimientos lentos y sencillos. Y lo mejor de todo es que hay sesiones de *tai chi* que solamente toman 11 minutos al día.

## Seis beneficios del *tai chi* para la mente

**Mejora el equilibrio.** El *tai chi* ayuda a prevenir las caídas al mejorar el equilibrio, la fuerza y la coordinación. Ésa es una gran noticia, ya que las caídas son la principal causa de las lesiones cerebrales, que, a su vez, son la antesala del deterioro de las capacidades mentales e incrementan el riesgo de alzhéimer y otras formas de demencia.

**Ayuda a dormir más y mejor.** Seis meses de *tai chi* ayudaron a un grupo de adultos mayores con problemas de sueño a dormir más horas y más profundamente. Las personas mayores suelen tener más dificultad para conciliar el sueño debido a que su sistema nervioso simpático envía demasiadas señales que las mantienen despiertas durante la noche. La respiración profunda, la relajación y los movimientos lentos típicos del *tai chi* pueden aliviar este problema. Esto es importante porque incluso una ligera pérdida de sueño puede afectar la memoria.

Un estudio observó que las personas que durmieron sólo seis horas tenían reacciones más lentas, no podían pensar con claridad y su rendimiento fue pobre en las pruebas sencillas de memoria. Los estudios también muestran que se puede recordar mejor lo recientemente aprendido después de una buena noche de sueño.

Para hacer *tai chi* no se necesitan equipos ni ropa especial. Use ropa suelta y cómoda, que no limite sus movimientos. Elija zapatos con soporte ligero y suelas delgadas y antideslizantes o vaya descalzo.

**Alivia el estrés.** Las personas que hicieron *tai chi* durante 18 semanas dijeron tener niveles inferiores de estrés, según un pequeño estudio realizado en Alemania. Durante el *tai chi* uno se concentra en los movimientos y en respirar profundamente. Esto tiene un efecto tranquilizante que calma el estrés.

Existe un vínculo entre los niveles altos de hormonas del estrés y el deterioro de la memoria, de la concentración y de la capacidad para resolver problemas. La sobrecarga de hormonas del estrés daña las conexiones entre las células cerebrales. Además de ayudar a prevenir esta situación, el *tai chi* puede mejorar el nivel de energía y el estado de ánimo en general.

**Fortalece la memoria.** Al ayudar a mejorar el sueño y el nivel de estrés, el *tai chi* indirectamente ayuda a mejorar la memoria. Sin embargo, un estudio piloto sugiere que el *tai chi* también combate la pérdida de memoria de una manera más directa.

Los investigadores encontraron que, en las pruebas de memoria, el desempeño de los adultos mayores que hacían *tai chi* fue tan bueno como el de los adultos mayores que hacían ejercicios aeróbicos —y ambos grupos se desempeñaron mejor que los que evitaban hacer ejercicio—. Los investigadores creen que con el *tai chi* se obtienen los mismos beneficios para la memoria que con el ejercicio aeróbico, entre ellos:

- Mayor actividad cerebral. Las gammagrafías cerebrales sugieren que el ejercicio aeróbico favorece la actividad cerebral y ayuda a generar nuevas neuronas.

- Menor pérdida de la memoria asociada a la edad. El ejercicio aeróbico puede retrasar el declive de la memoria que es consecuencia del envejecimiento natural.

Además de estos beneficios, algunos expertos creen que el esfuerzo mental que el *tai chi* exige, además de gratificante, podría ofrecer una protección adicional contra la demencia. Pero eso no es todo.

Las investigaciones parecen indicar que el *tai chi* puede ayudar a estimular la capacidad para pensar. Un pequeño estudio encontró que los adultos mayores que hicieron *tai chi* durante tan sólo

10 semanas mejoraron la "función ejecutiva", esto es, la capacidad mental esencial para la planificación, la organización, la atención a los detalles, la formación de conceptos y el pensamiento abstracto.

## Protege de los ataques cardíacos y los accidentes cerebrovasculares.

Según los estudios, el *tai chi* podría ayudar a bajar la presión arterial, ya que ayuda a relajar y dilatar las arterias. El *tai chi* también podría reducir el colesterol total y elevar el colesterol HDL que protege el corazón. Algunos expertos creen que esto se debe a que el *tai chi* al mejorar el estado físico de quienes lo practican, mejoraría también sus niveles de colesterol.

Un buen control de la presión arterial y del colesterol no sólo ayuda a prevenir los ataques cardíacos y los accidentes cerebrovasculares, también ayuda a prevenir la pérdida de la memoria. Varios estudios han comprobado que existe un vínculo entre la presión arterial alta y el deterioro mental y la pérdida de memoria.

El colesterol alto es igual de dañino. Puede contribuir a la formación de la placa que obstruye las arterias y reduce el flujo de la sangre rica en oxígeno hacia al cerebro. La formación de un coágulo que bloquee el flujo por completo, podría llevar a un ataque del corazón o un ataque cerebral.

La muerte de las células cerebrales, ya sea por falta de oxígeno o por una isquemia inducida por un coágulo, puede conducir a la demencia vascular, el segundo tipo de demencia más común después del alzhéimer. Los ataques cerebrales también contribuyen a que el cerebro

Una buena noticia: hay programas de *tai chi* específicamente concebidos para ayudar a las personas con diabetes o artritis.

- Llame al 800-283-7800 (con menú bilingüe) o visite *www.arthritis.org/espanol* para averiguar si la Fundación de la Artritis ofrece un programa de *tai chi* cerca de usted.

- Vaya a *www.amazon.com* y busque un DVD o un libro con el programa de *tai chi* para la diabetes del Dr. Paul Lam.

- Pregúntele a su médico dónde se ofrecen clases de "*tai chi* para la diabetes".

produzca proteína beta-amiloide, un componente clave de las placas encontradas en el cerebro de los pacientes con alzhéimer.

**Combate la diabetes.** Las personas que desarrollan diabetes en la mediana edad pueden ser más propensas a desarrollar alzhéimer más adelante. Como el *tai chi* ayuda a reducir el nivel de azúcar en la sangre, le podría ayudar a prevenir tanto la diabetes como la demencia.

## Encuentre las mejores clases de *tai chi*

Usted puede acceder a cursos de *tai chi* a través de libros, de DVD e, incluso, por Internet, pero su mejor opción es asistir a una clase. Cuando se aprende *tai chi* siguiendo las instrucciones de un libro o un video nunca se tiene la certeza de estar haciendo los movimientos correctamente. Además, aprender *tai chi* con otras personas es mucho más divertido.

Pregunte a su médico si es seguro para usted hacer *tai chi*. Si su médico no le puede ayudar a encontrar una clase adecuada para usted, vaya al centro para el adulto mayor de su comunidad, a los hospitales cercanos o a la YMCA. También obtenga recomendaciones de sus amigos y familiares, o visite a *www.taichinetwork.org* (en inglés) para buscar una escuela y maestros cerca de usted.

Tenga en cuenta que algunas clases de *tai chi* serán más extenuantes y difíciles que otras. Antes de comprometerse con una clase o un profesor, pregunte por el costo del curso y si puede presenciar una sesión para determinar si es lo que busca.

## Sepa cuándo no es seguro hacer *tai chi*

Las personas que presentan uno los siguientes problemas de salud tal vez deban evitar ciertas formas de *tai chi*, hacer una versión modificada o evitarlo por completo: hernia, problemas de articulaciones, dolor de espalda, esguinces, fracturas y osteoporosis severa. Hable con su médico para obtener más información.

# Tecnología

sistema de juegos Wii • videojuegos
• teléfonos inteligentes

Estimule su cerebro y haga ejercicio, todo desde la comodidad de su hogar. La tecnología de hoy en día puede ayudarle a mantenerse joven y con energía mientras se divierte. Le estamos hablando de los juegos para la mente y el cuerpo, y de los nuevos *gadget*s o dispositivos electrónicos que le permitirán jugarlos.

Los juegos que le presentan un desafío intelectual son precisamente los que le pueden ayudar a mantenerse mentalmente joven. La mejor opción son los juegos que sean nuevos para usted y que le hagan ejercitarse en áreas críticas, como las habilidades visuales y espaciales, la función motora, la toma de decisiones, el lenguaje o la memoria.

Investigaciones llevadas a cabo en personas con demencia llegaron a la conclusión de que ciertos juegos de computadora ayudan a mantener el cerebro activo y estimulan el aprendizaje de nuevas habilidades. Los expertos dicen que la estimulación mental necesaria para participar en estos juegos puede proporcionar al cerebro el ejercicio que necesita para mantenerse en forma, tanto para las personas con demencia como para las personas sanas.

Mejorar el funcionamiento del cerebro puede ayudar a retrasar el envejecimiento cerebral y a mejorar su calidad de vida. La idea es ir acumulando lo que se conoce como la "reserva cognitiva", que funciona como una cuenta de ahorros del cerebro.

Algunos videojuegos y dispositivos electrónicos, como el sistema de juegos Wii, de Nintendo, permiten ejercitar al mismo tiempo la mente y el cuerpo. Siga leyendo sobre cuatro *gadgets* que le harán ganar puntos en salud cerebral.

# Cuatro *gadgets* para mantener la agudeza mental

**La Wii.** La Wii, de Nintendo, es un nuevo tipo de sistemas de juego. Contrariamente a lo que ocurre con los videojuegos tradicionales, en los que es necesario aprender el manejo de un control de mano complicado, la Wii viene con un control remoto en forma de vara, que es sensible al movimiento y que es muy fácil de utilizar: tiene sólo dos botones, "A" y "B". Dependiendo del juego, el control remoto Wii se transforma en la mano en una raqueta de tenis, un bate de béisbol, un palo de golf, una bola de boliche —las posibilidades son casi infinitas—. Algunos juegos requieren un control inalámbrico adicional para la otra mano, llamado "*nunchuk*".

La consola de videojuegos Wii también es diferente porque contiene muchos juegos que promueven la actividad física. Para jugar al tenis, por ejemplo, el jugador tiene que ponerse de pie, mover la "raqueta" y golpear una pelota virtual más allá de la red en la pantalla.

Levantarse del sofá y meterse en el juego le ayudará a mantenerse joven mental y físicamente. Las investigaciones demuestran que mantenerse físicamente activo ofrece beneficios para el cerebro, ya que ayuda a hacer más lento el proceso de envejecimiento y declive mental y, posiblemente, aumenta la memoria. Según un estudio, un poco de actividad física puede incrementar el flujo de sangre al cerebro y ayudar en los procesos mentales. En este mismo estudio, las mujeres mayores que se mantuvieron activas, a lo mejor caminando un poco todos los días, tenían una mejor función cerebral que las mujeres inactivas.

Diviértase el doble con un segundo control de Wii. El sistema de videojuegos Wii viene con un solo control de mano y un control complementario para la otra mano, llamado "*nunchuck*". Se necesitan los dos para que funcione el juego.

Pero si desea jugar tenis o golf con un amigo, vale la pena invertir en otro juego de controles: un control principal, más un *nunchuck*. Puede que los consiga por alrededor de $50. Si toda la familia quiere jugar a la vez, será mejor que compre más controles.

Los juegos Wii se están volviendo muy populares en los centros y en las residencias para adultos mayores, porque les permiten disfrutar de la oportunidad de socializar y divertirse juntos. Incluso hay torneos de boliche Wii en algunos centros comunitarios, ya que ciertas empresas dedicadas a la atención de la salud están donando sistemas de juego para los adultos mayores. Jugar en un entorno social también permite estar en contacto con otras personas y mantener la mente activa.

Una de las razones por las cuales la Wii es tan popular es porque muchos pueden ahora participar en actividades que tal vez disfrutaban cuando eran más jóvenes, como el boxeo o el tenis, pero sin correr los riesgos de sufrir una lesión. Se puede incluso jugar sentado y con un golpe de muñeca engañar al control y hacer que piense que los movimientos que realiza son más amplios. Esto significa que usted puede unirse a la diversión aunque tenga problemas de movilidad. Algunos juegos Wii no implican mucha actividad física, ya que están diseñados específicamente para ejercitar el cerebro, como *Big Brain Academy: Wii Degree*.

**Juegos de computadora.** Usted también puede comprar paquetes de *software* que le dejen jugar juegos en su computadora. Sin embargo, puede que se canse de jugar el mismo juego una y otra vez, y comprar juegos nuevos puede resultar caro.

Muchos sitios en Internet le permiten jugar en línea de manera gratuita. Algunos ofrecen los videojuegos clásicos de las máquinas recreativas o de *arcade* de los años 70 y 80, como los favoritos *Centipede* y *Missile Command*. También hay juegos de mesa, como el ajedrez y las damas, juegos de cartas, como el póker y el *Bridge*, rompecabezas y crucigramas, juegos de trivia y juegos de guerra. Se puede jugar en línea contra otros jugadores. Por ejemplo, usted podría jugar al ajedrez con un nieto aunque viva en otro estado.

Hay muchos sitios en Internet con juegos gratuitos, pero puede que tenga que registrarse o mirar una corta publicidad antes de jugar. Chequee los juegos que hay disponibles en los siguientes sitios:

- *www.addictinggames.com*
- *www.atari.com*
- *www.xgenstudios.com*
- *www.freewebarcade.com*

**Videojuegos portátiles.** No hay necesidad de invertir en una computadora para disfrutar de los juegos de computadora. Existen pequeñas videoconsolas portátiles, que le permitirán unirse a la diversión y ejercitar su cerebro. En las tiendas Wal-Mart y Target y en muchas farmacias se pueden encontrar videoconsolas portátiles muy económicas, por menos de $20, que le permitirán jugar uno o más juegos, como sudoku o solitario.

Pero si quiere invertir en una videoconsola portátil que le permita jugar distintos videojuegos muy bien

Muchos juegos están disponibles para más de un tipo de sistema, pero sólo funcionarán en el sistema para el cual fueron diseñados. Si usted desea comprar *Big Brain Academy* para Wii, por ejemplo, asegúrese de no comprar una versión de *Big Brain Academy* para Nintendo DS.

Este juego se vende a precios diferentes, dependiendo del sistema. Tenga esto en cuenta al momento de elegir un sistema de juegos.

programados y que pueda conectarse con los portátiles de otros jugadores, considere una Nintendo DS. La nueva Nintendo DSiXL tiene una pantalla mucho más grande que la versión original. Cuesta alrededor de $190, precio que incluye algunos juegos. Espere pagar aproximadamente $20 o más por cada juego de Nintendo DS. Varios de estos juegos tienen como objetivo hacer trabajar la memoria y desarrollar las habilidades mentales:

- *Brain Challenge*
- *Brain Age*
- *Puzzler World*

**Teléfonos inteligentes.** Si tiene un iPhone, Droid o BlackBerry usted puede hacer mucho más que llamadas. Estos teléfonos inteligentes, o *smart phones,* se transforman en máquinas de juego cuando los carga con juegos o rompecabezas, conocidos como aplicaciones o *app* (por las tres primeras letras del término en inglés "*application*").

Existen cientos de aplicaciones disponibles para que usted las baje a su *smart phone*, muchas de ellas gratis. Otras normalmente cuestan menos de $10. Encontrará aplicaciones de ajedrez, póker, sudoku, billar y Monopolio, además de juegos cuya intención es ejercitar el cerebro, como el de matemáticas *Brain Twizzler*. Algunas de estas aplicaciones se pueden probar antes de comprarlas.

Estos son sitios donde puede encontrar juegos y aplicaciones compatibles con su teléfono:

- iPhone — Utilice el enlace "*Apple Store*" en su teléfono o haga clic en iTunes en *www.apple.com* (en inglés) o *www.apple.com/es* (en español).

- BlackBerry — Vaya a *appworld.blackberry.com* (en inglés) o *global.blackberry.com/es* (en español).

- Droid — Use el enlace "*Android Market*" en su teléfono.

Un gran inconveniente de jugar estos juegos en un teléfono es el tamaño de la pantalla: es tan pequeña que parece creada para ojos más jóvenes. Pruebe el teléfono antes de comprarlo.

Muchos juegos de Wii, como el juego de boliche, exigen cierta actividad física.

## Sáltese la actualización y ahorre dinero

Los *gadgets* y los sistemas de juego se actualizan constantemente con nuevos modelos. A medida que esto ocurre, usted podría encontrar grandes oportunidades en modelos antiguos. La Wii de Nintendo, por ejemplo, costaba alrededor de $250 cuando salió. Pero ahora que algunos juegos nuevos requieren la tabla de equilibrio Wii para jugar, usted podría comprar el sistema básico por menos de $200. Eso es todo lo que necesita para los videojuegos clásicos, como los de boxeo, boliche o golf.

Lo mismo ocurre con otros sistemas de juego, como la popular videoconsola portátil Nintendo DS. Podría incluso encontrar una de segunda mano en perfecto estado en algunas de las tiendas que venden los nuevos modelos. Pruebe la tienda EB Games más cercana o tiendas en línea, como *www.tigerdirect.com* (en inglés).

## La verdad sobre el riesgo de usar un teléfono celular

Su teléfono celular, ¿podría causarle un tumor en la cabeza?

Hay estudios que parecen apuntar a que las personas que usan teléfonos celulares tienen un riesgo más elevado de tumores cerebrales o de tumores en las glándulas salivares, especialmente en el lado de la cabeza donde normalmente sostienen el teléfono. Los teléfonos inalámbricos emiten radiación no ionizante, y no se sabe si este tipo de radiación daña células o causa cáncer.

Aun así, otros estudios sostienen que no hay peligro. Y para confundir aún más las cosas, un estudio internacional reciente de 10 años de duración, llamado *El estudio Interphone*, que buscaba dar una respuesta definitiva a esta pregunta, ha generado una polémica entre los investigadores sobre cómo interpretar los resultados.

Se precisan más estudios, pero podrían pasar años antes de que los expertos sepan con certeza cómo los teléfonos celulares afectan el cerebro. Entretanto, siga estos consejos para reducir el peligro:

- Use un auricular con cable o un dispositivo inalámbrico tipo *Bluetooth*, para poder mantener el teléfono alejado de la cabeza y estar expuesto a menos radiación.

- Considere la posibilidad de usar un auricular con tubo de aire, que transmite las ondas sonoras al oído a través de un tubo de plástico y no a través de cables.

- Utilice la opción del altavoz cuando le sea posible, para poner distancia entre el teléfono y su cabeza.

- Compre un teléfono con una tasa de absorción específica (SAR, en inglés) baja. La SAR es un indicador del nivel de radiación absorbido por kilogramo de peso corporal.

- Acorte las llamadas para limitar el tiempo de exposición.

- Haga llamadas cuando la señal sea potente. Cuando es débil el teléfono la compensa elevando el nivel de radiación.

- Cuando sea posible, envíe mensajes de texto en vez de llamar.

# Tiamina

legumbres • cerdo • arroz enriquecido
• cereales para desayuno fortificados • frutos secos

La tiamina, también llamada vitamina B1, si bien puede que no sea tan famosa como la vitamina C o la vitamina D, es indispensable. Así como las luces y los aparatos electrodomésticos de su casa no pueden funcionar sin electricidad, su cuerpo no podría funcionar sin esta vitamina. La tiamina:

- Ayuda al cuerpo a convertir las grasas y los carbohidratos en energía.

- Junto con otros compuestos, ayuda a descomponer la glucosa, o azúcar en la sangre, un combustible clave del organismo.

- Apoya el ciclo de Krebs, un proceso que ayuda a generar el 90 por ciento de la energía necesaria para el organismo.

- Ayuda al cerebro a utilizar el azúcar en la sangre como combustible.

- Desempeña un importante papel para el sistema nervioso y los músculos, incluido el corazón, y asiste en la producción de glóbulos rojos.

Tenga en cuenta que la tiamina es una vitamina soluble en agua. Eso significa que el organismo no puede almacenarla para tenerla a mano en caso de que se agote. Y es posible que se agote en cuestión de tan sólo 14 días.

Aun cuando la deficiencia de tiamina es poco común en Estados Unidos, ciertos grupos enfrentan un riesgo mayor. Los adultos mayores, por ejemplo, pueden padecer deficiencia de tiamina si un medicamento que toman impide su absorción o si su alimentación es baja en esta vitamina. Usted también podría estar expuesto a un riesgo de carencia de tiamina si:

- Ha tenido diálisis a largo plazo o alimentación intravenosa

- Tiene diabetes

- Abusa del alcohol

- Toma diuréticos

- Obtiene la mayor parte de sus calorías de carbohidratos, sobre todo de los azúcares y del alcohol

Los síntomas leves de la falta de tiamina incluyen irritabilidad, cansancio y alteraciones del sueño. Si la deficiencia de tiamina es grave se convierte en una enfermedad llamada beriberi. Los síntomas del beriberi son pérdida de peso, fatiga, debilidad y pérdida del apetito, entre otros. Si no es tratado, los síntomas empeoran y pueden incluir náuseas, depresión, entumecimiento y parálisis.

Para prevenir la deficiencia de tiamina tenga como objetivo obtener 1.2 miligramos (mg) de tiamina al día si es hombre, y 1.1 mg al día si es mujer. El consumo de alimentos ricos en tiamina, como los cereales para desayuno fortificados, la avena, la carne de cerdo, los chícharos y el arroz blanco enriquecido, puede ayudar.

Las personas sanas que siguen una dieta variada no suelen necesitar suplementos. Sin embargo, si usted cree necesitarlos, hable primero con su médico. Las autoridades no han establecido un límite superior de consumo seguro. Aunque no se cree que la tiamina sea tóxica, dosis muy altas pueden causar malestares estomacales.

| | |
|---|---|
| 3/4 de taza de cereal integral para desayuno *Total* | 1.5 mg* |
| 3 onzas (85 g) de chuletas de cerdo | 1 mg |
| 1 taza de una mezcla de frutos secos salados, semillas y chispas de chocolate | 0.6 mg |
| 3 onzas (85 g) de jamón curado asado al horno | 0.57 |
| 1 *bagel* enriquecido de 4 pulgadas solo o con sésamo | 0.53 mg |
| 1 taza de cereal para desayuno *Special K,* de Kellogg's | 0.52 mg |
| 1 taza de frijoles carita cocidos sin sal | 0.45 mg |
| 1 taza de arroz blanco de grano largo vaporizado y enriquecido | 0.37 mg |
| 1 taza de castañas asadas | 0.34 mg |

\* miligramos

Además, tenga en cuenta que la tiamina viene en muchas formas. El clorhidrato, el nitrato y el mononitrato de tiamina son solubles en agua, pero la benfotiamina es una versión soluble en grasa que el cuerpo puede almacenar. Pregunte a su médico sobre las diferencias.

## Dos beneficios de la tiamina para la mente

**Combate la aterosclerosis diabética.** La probabilidad de presentar una deficiencia de tiamina es mayor en las personas con diabetes que en las personas con niveles normales de azúcar en la sangre, según las conclusiones de un estudio reciente. Aun cuando las personas con diabetes obtienen suficiente tiamina de los alimentos, tienden a tener una deficiencia debido a que su organismo se deshace de la tiamina a través de la orina a un ritmo pasmoso.

La falta de tiamina en las personas con diabetes, puede interferir con la vasodilatación, es decir, con la capacidad de los vasos sanguíneos para dilatarse. Eso puede elevar el riesgo de aterosclerosis, que es una enfermedad en la que la placa o depósitos de grasa se acumulan al interior de las paredes de las arterias. La placa va estrechando las arterias y menos sangre rica en oxígeno puede circular a través de ellas.

Los medicamentos como la digoxina (*Lanoxin*), la fenitoína (*Dilantin*) y la furosemida (*Lasix*) y otros diuréticos pueden reducir los niveles de tiamina. De hecho, la digoxina puede incluso afectar la capacidad del corazón para utilizar la tiamina. Si usted toma uno de estos medicamentos, pregunte a su médico si necesita tomar un suplemento de tiamina.

Si la placa se rompe, se pueden formar coágulos de sangre. Y si un coágulo bloquea el flujo de sangre por completo, puede ocurrir un ataque cardíaco o un accidente cerebrovascular.

Ésta es una mala noticia para el cerebro de dos maneras. Cuando las células cerebrales mueren debido a la falta de oxígeno o debido a un infarto cerebral causado por un coágulo, se puede desarrollar demencia vascular, el segundo tipo de demencia más común después del alzhéimer. Además, los accidentes cerebrovasculares pueden provocar un incremento en la producción de placas beta-amiloide, que son un componente clave del alzhéimer.

Un pequeño estudio sugiere que la tiamina puede ayudar a restaurar la capacidad de los vasos sanguíneos para dilatarse adecuadamente. Esto ayudaría a prevenir la aterosclerosis o por lo menos a hacer más lento su progreso y, de paso, evitar sus consecuencias perjudiciales para el cerebro. Si usted tiene diabetes, hable con su médico acerca de los suplementos de tiamina.

**Resiste la demencia.** Los estudios muestran que existen por lo menos dos vínculos posibles entre la deficiencia de tiamina y el alzhéimer:

- Más placas. Las placas de proteína beta-amiloide aparecen en el cerebro de las personas con alzhéimer. Los médicos no saben si estas placas son la causa o la consecuencia del alzhéimer.

Estas placas interrumpen las conexiones entre las células cerebrales. Al no poder comunicarse entre sí, las células cerebrales mueren y el tejido cerebral se contrae. Un estudio efectuado en animales encontró que la deficiencia de tiamina aumenta el espacio en el cerebro afectado por las placas e incrementa la cantidad de proteína beta-amiloide en el cerebro.

- Mayor disfunción cerebral. El cerebro utiliza glucosa como combustible. Pero el progreso de una demencia hace que disminuya la capacidad del cerebro para hacer uso de la glucosa. Los expertos creen que esta "reducción en el metabolismo de la glucosa" es un síntoma del alzhéimer. Los procesos que dependen de la tiamina desempeñan un papel clave en el metabolismo de la glucosa. Pero en las personas con alzhéimer, se produce un deterioro de estos procesos. Esto es malo, ya que se ha establecido que existe un vínculo entre la reducción en estos procesos y el daño de los radicales libres que, según se sospecha desde hace tiempo, sería una causa del alzhéimer.

A través de los años, varios estudios han probado los suplementos de tiamina para tratar el alzhéimer con poco o ningún éxito. Los científicos dicen que se necesitan más datos para determinar con precisión si la tiamina funciona o no. Debido a que hay muchas formas de tiamina, algunos se preguntan si el problema no será el tipo de tiamina utilizado en las pruebas.

En un estudio reciente se probó la benfotiamina en animales. La benfotiamina es la versión liposoluble de la tiamina. Los resultados sugieren que la benfotiamina puede mejorar la memoria espacial y reducir las placas beta-amiloide. Se necesitan estudios adicionales para determinar si se pueden obtener estos resultados en humanos.

## Busque el mejor suplemento

Debido a que la mayoría de las vitaminas del complejo B provienen de los mismos grupos de alimentos, si usted tiene una deficiencia de tiamina, puede que también le falten otras vitaminas B. Si su médico considera que usted necesita un suplemento de tiamina, pregúntele si también necesita un multivitamínico o un complejo vitamínico B que incluya las ocho vitaminas B: tiamina, riboflavina, niacina, ácido pantoténico, vitamina B6, vitamina B12, biotina y folato.

Dado que pruebas recientes han revelado que algunos suplementos de vitamina B no contienen las cantidades prometidas en sus etiquetas, pida a su médico que le recomiende qué suplementos comprar.

## Secretos sencillos que previenen la deficiencia

Siga estos consejos para aumentar su consumo de tiamina:

- Elija fuentes de tiamina que no necesiten cocinarse, o que sólo necesiten calentarse en el microondas, como las roscas de pan o *bagels*, los frutos secos y los cereales para desayuno fortificados y listos para comer. Calentar los alimentos destruye la tiamina, pero hacerlo en el microondas no las destruye tanto.

- No exagere con el té y el café. Beber demasiado té y café puede hacer que su cuerpo absorba menos tiamina, incluso si es descafeinado.

- Fumar hace que el cuerpo absorba y utilice menos tiamina. Otra gran razón para dejar de fumar.

## Interacciones herbarias poco conocidas

Algunos suplementos herbarios para tratar la incontinencia incluyen cola de caballo (*horsetail*, en inglés) entre sus ingredientes.

Algunos productos de cola de caballo contienen una enzima que destruye la tiamina. Antes de tomar cola de caballo y tiamina juntos, pregunte a su médico o farmacéutico cuáles son los preparados de cola de caballo que ellos recomiendan para usted.

# Vitamina B12

lácteos • pescado • crustáceos • carne
• cereales para desayuno fortificados

¿Está olvidadizo últimamente? Podría tratarse simplemente de una deficiencia vitamínica. La vitamina B12, en colaboración estrecha con el folato, ayuda a sus compañeros del complejo B a desarrollar glóbulos rojos saludables y a preservar la capa que recubre las fibras nerviosas.

Hasta el 90 por ciento de las personas con deficiencia de B12 llegan a desarrollar síntomas neurológicos, como debilidad, entumecimiento, hormigueo o parálisis, pero hay otros síntomas más sutiles. La falta de B12 puede contribuir a los olvidos, la depresión, la demencia y a la contracción del cerebro, así como a un flujo sanguíneo insuficiente al cerebro, la principal causa de los accidentes cerebrovasculares.

¿Podría usted estar en riesgo de perder la memoria? La ciencia sugiere que muchas personas, sobre todo las mayores, no cuentan con suficiente B12. Uno de cada cinco adultos mayores sufren de deficiencia. Algunos necesitan esta vitamina B más que otros. Vea si usted se encuentra en una de estas categorías de alto riesgo:

- Los vegetarianos estrictos, conocidos como veganos, corren un riesgo grave de deficiencia de B12 y deben tomar suplementos ya que sólo los alimentos de origen animal contienen este nutriente de forma natural.

| | |
|---|---|
| 3 onzas (85 g) de cangrejo azul al vapor | 6.21 mcg* |
| 1 taza de cereal para desayuno *Total Raisin Bran* | 6.0 mcg |
| 3 onzas de trucha arcoíris cocida | 4.22 mcg |
| 3 onzas de salmón con espinas (en lata) | 3.74 mcg |
| 1 medallón de carne molida de 3 onzas, cocido | 2.24 mcg |
| 1 taza de requesón o *cottage cheese* bajo en grasa | 1.42 mcg |
| 8 onzas (226 g) de yogur natural, sin grasa | 1.38 mcg |
| 1 taza de leche descremada | 1.23 mcg |

* microgramos

- Algunos adultos mayores tienen problemas para absorber la B12 de los alimentos, por lo general debido a una gastritis atrófica. Esta afección causa la inflamación crónica en el revestimiento del estómago, limitando la cantidad de ácido que produce el estómago. Sin suficiente ácido gástrico, el estómago no puede liberar la B12 atrapada en los alimentos y el cuerpo no puede absorberla.

- Las personas con anemia perniciosa tampoco producen suficiente ácido gástrico. En esta enfermedad, el sistema inmunitario ataca y destruye todas las células que segregan ácido en el revestimiento del estómago. Alrededor de una de cada 50 personas mayores de 60 años padece este problema, al igual que uno de cada cinco de sus familiares.

- Por la misma razón, los medicamentos que alivian la acidez estomacal, como el omeprazol (*Prilosec*) y la ranitidina (*Zantac*), pueden hacer que sea difícil obtener suficiente B12 de los alimentos.

- Otros fármacos también pueden impedir la absorción de esta vitamina, como la colchicina para la gota, los medicamentos orales para la diabetes, como la metformina y la fenformina, así como los suplementos de potasio de liberación lenta.

- Las personas que toman suplementos de ácido fólico corren el riesgo de desarrollar una deficiencia grave de B12. El folato puede ocultar los síntomas de una deficiencia de B12. Sin las señales de alarma habituales, usted puede que no se dé cuenta de que le falta B12 hasta presentar un daño neurológico permanente. Por esta razón, los expertos advierten contra tomar dosis altas de ácido fólico sin la supervisión de un médico.

Las personas mayores de 50 años necesitan 2.4 microgramos (mcg) de B12 diarios para prevenir la deficiencia manifiesta de esta vitamina. Sin embargo, algunos expertos sostienen que esta cantidad sería el mínimo y que no es suficiente para una buena salud. En un estudio, las mujeres que recibieron entre 3 y 6 mcg de vitamina B12 al día todavía presentaban signos de deficiencia. Aquéllas que recibieron más de 6 mcg al día ya no mostraban estos signos.

Afortunadamente, usted puede hacer algo al respecto de inmediato. El cuerpo absorbe la vitamina B12 de algunos alimentos mejor que de otros. Los científicos tienen un nombre para esto: biodisponibilidad. Nuevos pruebas indican que la leche contiene la B12 más biodisponible, aunque al calentarla se destruye algo de la vitamina. El requesón (*cottage cheese*, en inglés), el queso duro (*hard cheese*) y el queso azul (*blue cheese*) también contienen B12.

La carne cruda también contiene mucha B12, pero pierde cerca de un tercio cuando se cocina. Además, para algunas personas es difícil absorber esta vitamina de la carne. La B12 del pescado es más biodisponible. Aun cuando se cocinan, el salmón, la trucha, el atún y las sardinas son excelentes fuentes. También lo son las ostras, los mejillones y las almejas. Los cereales para desayuno fortificados con B12 pueden ayudar a cerrar la brecha nutricional.

## Cuatro beneficios de la vitamina B12 para la mente

**Retarda la pérdida de memoria.** Para un grupo de adultos mayores de 65 años, niveles bajos de esta vitamina condujeron a un deterioro mental más rápido en el transcurso de los diez años de seguimiento de un estudio. Ése es un problema real ya que la carencia de B12 es muy común en edades avanzadas.

Duplicar los niveles de B12 en la sangre podría retardar el deterioro mental en un tercio. Otro estudio encontró que quienes tenían niveles más altos de las vitaminas B12 y B6 tenían más sustancia gris en las regiones del cerebro asociadas con la memoria, la atención y la organización.

Incluso las personas sanas sólo pueden absorber cierta cantidad de B12 a la vez, por lo general no más de 2 microgramos (mcg) por comida. Elija alimentos ricos en esta vitamina a lo largo del día y no sólo en una comida, para alcanzar su objetivo diario. Empiece el día con un tazón de cereal fortificado, disfrute de un salmón a la parrilla para el almuerzo y tome un vaso de leche baja en grasa antes de acostarse.

Para duplicar los niveles de B12, se necesitaría recibir 250 mcg de este nutriente cada día durante 16 semanas. Eso es aproximadamente 100 veces el consumo diario recomendado. Empiece por incorporar más B12 a su alimentación de manera natural, y después hable con su médico para determinar si necesita un suplemento.

**Desbarata la demencia.** Esta vitamina favorece el desarrollo del cerebro y reduce considerablemente los niveles de homocisteína en la sangre. La homocisteína es un aminoácido asociado al alzhéimer, las enfermedades del corazón y la contracción del cerebro.

- La deficiencia de las vitaminas B, incluidas la B12, la B6 y el folato, eleva los niveles de homocisteína y acelera el desarrollo de placas parecidas a las del alzhéimer en ratones.

- La ciencia también ha establecido un vínculo entre niveles altos de homocisteína y una contracción más rápida del cerebro. El cerebro de los pacientes con casos confirmados de alzhéimer tiende a contraerse, y a medida que empeora la contracción también empeora el alzhéimer.

No es necesario presentar una deficiencia extrema de B12 para estar en riesgo. Incluso tener niveles ligeramente bajos de este valioso nutriente puede afectar el cerebro. Un estudio de cinco años de duración efectuado con personas de entre 61 y 87 años estableció un vínculo entre niveles bajos de B12 y la contracción del cerebro. Ningún participante tenía deficiencia manifiesta de B12. Aunque bajos, sus niveles sanguíneos de B12 aún estaban dentro del rango normal, lo que sugiere que incluso una leve carencia puede poner a una persona en riesgo de sufrir deterioro mental. Los expertos creen que un nivel bajo de B12

Proteja su cerebro y lleve su nivel de vitamina B12 a un rango normal, de manera natural. El sándwich de pavo, por ejemplo, puede ayudar a los adultos mayores a combatir el deterioro mental, por contener tanto B12 como folato. El pavo y el queso son ricos en B12, mientras que la lechuga y el pan fortificado ofrecen una buena dosis de folato.

puede causar inflamación en el cerebro y dañar la delicada cubierta que rodea las células. La buena noticia es que aumentar los niveles de B12 puede prevenir una contracción mayor del cerebro.

**Detiene los accidentes cerebrovasculares.** Las personas que padecían una enfermedad del corazón y que tomaron una combinación de B12, B6 y ácido fólico durante cinco años eran menos propensas a sufrir un accidente cerebrovascular incapacitante.

Esta protección tomó cerca de tres años en hacerse efectiva, pero la espera bien puede valer la pena para algunas personas. El efecto benéfico en el riesgo de accidente cerebrovascular fue mayor para las personas:

- Que eran menores de 70 años.

- Que al inicio del estudio tenían niveles altos de colesterol o de homocisteína.

- Que no estaban tomando un fármaco antiplaquetario o para reducir el colesterol.

Si bien la terapia de vitamina B puede ayudar a prevenir un primer ataque cerebral, puede no servir para impedir ataques futuros.

**Disminuye la depresión.** Obtener cantidades mayores de B12 y B6 puede reducir el riesgo de sufrir depresión. La depresión ya de por sí es mala, pero además es un factor de riesgo para el alzhéimer. Las personas con historias de depresión son entre dos y cuatro veces más propensas a desarrollar alzhéimer más adelante en la vida.

La deficiencia de vitamina B12 podría ser la gran culpable. Las mujeres con deficiencia de B12 eran dos veces más propensas a sufrir depresión grave, según reveló un estudio, y casi el 30 por ciento de las personas hospitalizadas por depresión tienen niveles bajos de B12. El organismo necesita B12 para la síntesis de SAMe, un compuesto indispensable para los mensajeros químicos en el cerebro. Contar con muy pocos mensajeros puede llevar a la depresión.

Por cada 10 mcg más de B12 que una persona obtiene al día, sus probabilidades de deprimirse se reducen en un 2 por ciento. Si bien esta vitamina no es necesariamente una cura para este mal, los expertos aconsejan a las personas que luchan con la depresión hablar con su médico para hacerse medir sus niveles de B12.

## Las mejores maneras de superar la falta de B12

Algunas personas necesitan suplementos para obtener suficiente vitamina B12, ya sea porque sus niveles son muy bajos o porque tienen dificultades en absorberla de los alimentos. Solicite a su médico que mida sus niveles de B12. El resultado ayudará a determinar si usted necesita un suplemento y de qué tipo:

- Las inyecciones pueden tratar una deficiencia rápidamente. Al no pasar por el estómago, se evitan los problemas que usted pueda tener para absorber esta vitamina.

- Dosis altas de B12 por vía oral también pueden funcionar. Su médico decidirá la dosis.

Los expertos dicen que una persona mayor de 50 años puede necesitar cereales para desayuno fortificados y suplementos para obtener suficiente vitamina B12. Tenga en cuenta que algunos suplementos de B12 también contienen ácido fólico. Demasiado ácido fólico puede empeorar los síntomas de deficiencia de B12. De ser necesario, considere la posibilidad de tomar un suplemento que sólo contenga B12.

## Busque el equilibrio de las B para la salud cerebral

Entre las vitaminas B, la B12 y el folato ayudan a mantener la mente aguda, pero únicamente si existe un equilibrio saludable entre ambas cantidades. Demasiado folato y muy poca vitamina B12 podría acelerar el deterioro mental.

El exceso de folato puede agravar los síntomas de deficiencia de vitamina B12 en los adultos mayores. Las personas con niveles altos de folato, pero con niveles normales de B12, son menos propensas a desarrollar deterioro cognitivo —problemas de memoria, de buen juicio y de percepción— o anemia, dos características de la escasez de B12. Niveles altos de folato y bajos de B12, sin embargo, aumentan cinco veces la probabilidad de sufrir deterioro cognitivo y anemia. Algunas investigaciones han asociado un nivel alto de folato más un nivel bajo de B12 con un ritmo más acelerado de declive mental en los adultos mayores.

Alrededor de uno de cada cinco adultos mayores tienen niveles altos de folato en la sangre debido, en gran parte, a los suplementos que contienen ácido fólico. Revise las etiquetas. Evite obtener más de 400 mcg de ácido fólico al día de suplementos o multivitamínicos.

# Vitamina B6

pescado • cereales para desayuno fortificados • banana • espinacas • verduras verdes • pimientos • repollo • apio

La vitamina B6 o piridoxina no inspira mucho respeto, a pesar de cumplir funciones esenciales. El organismo necesita la B6 para el funcionamiento de muchas enzimas y para la producción de algunos fosfolípidos, que son componentes básicos de la membrana celular y de los aminoácidos. La vitamina B6 interviene en la producción de neurotransmisores, como la serotonina, la dopamina, la norepinefrina y el ácido gamma-aminobutírico (GABA, en inglés).

| | |
|---|---|
| 4 onzas (113 g) de atún de aleta amarilla al horno | 1.18 mg* |
| 1 taza de *Wheaties* | 1 mg |
| 1 banana | 0.68 mg |
| 4 onzas de bacalao al horno | 0.52 mg |
| 1 taza de espinacas cocidas | 0.44 mg |
| 1 taza de hojas de nabo cocidas | 0.26 mg |
| 1 taza de pimiento rojos | 0.23 mg |
| 1 taza de repollo cocido | 0.17 mg |
| 1 taza de apio | 0.10 mg |

* miligramos

La vitamina B6 es, además, especialmente importante por su respuesta a la homocisteína, que es la "mala" en el mundo de la salud. Este aminoácido daña las células sanguíneas y aumenta el riesgo de coágulos peligrosos. A eso se debe que niveles elevados de homocisteína se asocien a la demencia y a las enfermedades cardíacas. La vitamina B6 elimina el exceso de homocisteína del cuerpo.

A la vitamina B6 también se la conoce bajo los nombres de las formas en las que se presenta:

- Piridoxina
- Piridoxal
- Piridoxamina
- Fosfato de piridoxina
- Fosfato de piridoxal
- Fosfato de piridoxamina

La deficiencia de vitamina B6 es poco común y ocurre principalmente en personas que abusan del alcohol. Los signos clásicos de deficiencia aparecen primero en la piel, en la forma de dermatitis seborreica o eczema. Otros problemas incluyen los trastornos del sistema nervioso, como los problemas de memoria, la irritabilidad y la depresión; aumento en los niveles de homocisteína; y un riesgo mayor de desarrollar cálculos renales. También se puede observar inflamación de la lengua y llagas en y alrededor de la boca.

El consumo diario recomendado de vitamina B6 es de 1.3 miligramos (mg) para los adultos menores de 50 años, de 1.5 mg para las mujeres mayores de 50 años y de 1.7 mg para los hombres mayores de 50 años.

Es difícil obtener demasiada vitamina B6 de los alimentos. Al igual que lo que sucede con otras vitaminas solubles en agua, la vitamina B6 excedente es eliminada del cuerpo. El exceso de vitamina B6 proveniente de los suplementos, sin embargo, puede provocar daños en los nervios. Demasiada vitamina B6 de suplementos puede causar neuropatía sensorial, que se caracteriza por el dolor y el entumecimiento en las extremidades y la dificultad para caminar. Por lo general, eso sólo ocurre cuando se obtiene dosis altas de más de 1,000 mg al día durante varios meses.

# Cinco beneficios de la vitamina B6 para la mente

**Defiende de la depresión.** Los expertos creen que los niveles bajos de vitamina B6, vitamina B12 y ácido fólico pueden conducir a la depresión. El cerebro necesita el suministro constante de las vitaminas adecuadas para funcionar y mantener la estabilidad del estado de ánimo. El cuerpo necesita vitamina B6 para producir los neurotransmisores que ayudan a regular el estado de ánimo. Sin embargo, los resultados de los estudios que se han hecho sobre las vitaminas B han sido contradictorios.

En investigaciones realizadas en Chicago con personas mayores de 65 años, se encontró que aquéllas que obtienen más vitamina B6 y vitamina B12 tienen un riesgo menor de sufrir de depresión. Este estudio refuerza la teoría que sostiene que tomar suplementos de vitamina B6 —sola o junto con otras vitaminas B— puede ayudar a mejorar el estado de ánimo.

**Protege la visión.** La vitamina B6 también interviene en la prevención de la degeneración macular asociada a la edad (DMAE). La DMAE, una de las principales causas de ceguera entre los adultos mayores, se desarrolla lentamente y daña la mácula del ojo. La mácula es responsable de la capacidad de la visión central para distinguir colores y detalles.

Para las mujeres que durante siete años tomaron 50 miligramos (mg) de vitamina B6 al día, además de vitamina B12 y ácido fólico, la probabilidad de desarrollar DMAE era un 40 por ciento menor. Los expertos creen que este trío vitamínico se descompone y elimina la homocisteína del cuerpo. La homocisteína es un aminoácido que se forma naturalmente y que daña el revestimiento de los vasos sanguíneos y eleva el riesgo de desarrollar coágulos de sangre. Además, las tres vitaminas B son antioxidantes y protegen los frágiles fotorreceptores de los ojos.

Los investigadores también observaron que existe un vínculo entre las enfermedades oculares y los problemas para pensar y recordar. Un estudio efectuado con personas mayores encontró que aquéllas que tenían los puntajes más bajos en una prueba estandarizada de habilidades mentales eran dos veces más propensas a tener DMAE precoz. Los expertos aún no entienden a cabalidad este vínculo. Si usted tiene cualquiera de estas enfermedades, ya sea demencia o DMAE, hágase una evaluación para descartar la otra.

**Cuida el corazón.** Las personas que tienen un nivel más alto de la forma activa de la vitamina B6, llamada piridoxal-5-fosfato (PLP, en inglés) en la sangre, tienen un riesgo menor de padecer diabetes, obesidad o el síndrome metabólico, que implica niveles altos de azúcar en la sangre, grasa abdominal, presión arterial y colesterol. Eso se debe a que quienes tienen más PLP en la sangre también tienen probablemente menos proteína C reactiva, lo que significa menos inflamación.

El efecto de la vitamina B6 en los niveles de homocisteína también hace que sea clave en la prevención de las enfermedades cardíacas y de los accidentes cerebrovasculares (ACV). En un estudio de cinco años de duración con personas que ya tenían un mal cardíaco se vio que la combinación de vitamina B6, vitamina B12 y ácido fólico parecía reducir tanto los niveles de homocisteína como el riesgo de sufrir un ACV. La combinación que tenía tan sólo 50 mg de vitamina B6 redujo las probabilidades de un ACV en un 25 por ciento.

Otros estudios han tenido resultados positivos similares con las vitaminas B, aunque algunos estudios no muestran que protejan el corazón.

Al comprar suplementos de vitamina B6 y de las otras vitaminas del complejo B, ahorre dinero y molestias eligiendo uno que combine las vitaminas individuales en una sola pastilla.

Marcas como *Holista*, *Sundown Naturals* y *Mason Natural* ofrecen suplementos con la combinación típica de vitamina B6, vitamina B12 y ácido fólico. Usted podría ahorrar más de un 25 por ciento comprando un suplemento de combinación.

Recuerde, no tome más de 100 miligramos de vitamina B6 al día sin hablar antes con su médico.

**Pone freno al párkinson.** La pérdida del neurotransmisor dopamina es una característica clave de la enfermedad de Parkinson. La dopamina afecta el movimiento, la coordinación y el procesamiento de la información en el cerebro. A eso se debe que las personas con párkinson tengan temblores y problemas para moverse, mantener el equilibrio y caminar, así como dificultad para pensar, hablar y recordar.

Aunque sólo existe una pequeña investigación que muestra este vínculo, obtener muy poca vitamina B6 de la dieta puede aumentar el riesgo de desarrollar párkinson. Una vez más, la conexión está en los niveles de homocisteína. Los expertos sospechan que el exceso de homocisteína puede matar las células que producen dopamina, lo que conduciría al párkinson.

**Ataja el alzhéimer.** El vínculo con la homocisteína también puede significar que obtener suficiente vitamina B6 —junto con sus grandes compañeros, la B12 y el ácido fólico— podría ayudar a evitar el alzhéimer. Estudios efectuados con ratones muestran una conexión entre las vitaminas, la acumulación de homocisteína y síntomas similares a los del alzhéimer. Los investigadores continúan estudiando esta conexión.

| Cuidado con los fármacos que provocan la pérdida de vitaminas<br>Algunos medicamentos de venta con receta médica<br>pueden agotar la vitamina B6 en el organismo. | |
| --- | --- |
| **Fármaco** | **Para qué sirve** |
| Furosemida *(Lasix)* | Diurético de asa o píldora de agua |
| Hidralacina *(Apresoline)* | Presión arterial alta |
| Penicilamina *(Cuprimine)* | Artritis reumatoide |
| Gentamicina | Infecciones bacterianas |
| Teofilina *(Bronkodyl)* | Bronquitis, enfisema, asma |
| Carbamazepina *(Carbatrol)* | Antiepiléptico |
| Fenobarbital *(Luminal)* | Sedante y barbitúrico |
| Estrógeno oral | Terapia de reemplazo hormonal |

## Aprovéchela mejor

Cocinar y manipular los alimentos puede provocar la pérdida de parte de su contenido de vitamina B6.

No olvide esta regla: cuanto más ácido es un alimento, más vitamina B6 perderá al cocinarse. Incluso congelar un alimento provoca una pérdida de entre un tercio y la mitad de su contenido de B6.

Compense esta pérdida consumiendo muchos alimentos ricos en B6. Aunque la mayoría de estos alimentos necesitan cocinarse, hay algunas excepciones, como los pimientos y el apio. Cómalos crudos para obtener más B6.

La falta de vitamina B6 puede provocar la disminución de la inmunidad, especialmente en los adultos mayores. El problema ocurre cuando el organismo no produce ni suficiente interleucina-2, una proteína del sistema inmunitario, ni suficientes linfocitos, los glóbulos blancos que contribuyen a la inmunidad.

Según un estudio, para reforzar el sistema inmunitario después de haber sufrido una deficiencia de vitamina B6, las personas mayores necesitan cantidades superiores a las establecidas por las recomendaciones nutricionales en vigor: los hombres pueden necesitar 2.9 miligramos (mg) y las mujeres 1.9 mg al día. Antes de tomar una dosis alta hable con su médico.

# Vitamina C

cítricos • fresas • papaya • tomate • papa • brócoli • repollitos de Bruselas • verduras de hoja verde • pimientos • cereales para desayuno fortificados

Era el invierno de 1536 y el tiempo se les agotaba. El explorador francés Jacques Cartier y su tripulación estaban atrapados en territorio canadiense y se estaban muriendo de una grave deficiencia de vitamina C llamada escorbuto. Por suerte siguieron la sugerencia amable de unos nativos y prepararon una infusión con las hojas y la corteza de un árbol de la zona. Todos los hombres que la bebieron se recuperaron debido a que la infusión era rica en vitamina C.

La vitamina C es tan importante para su salud como lo fue para la de los hombres de Cartier. Éstas son sólo algunas de las razones:

- El cuerpo utiliza la vitamina C para producir colágeno, que es importante para la cicatrización de las heridas y un componente esencial de los vasos sanguíneos, la piel, los cartílagos, los tendones y los ligamentos. El colágeno también ayuda a reparar y mantener los dientes y los huesos.

- La vitamina C ayuda a producir varios compuestos vitales para la función normal del cerebro.

- La vitamina C es un antioxidante que puede prevenir los daños causados por moléculas de radicales libres. El daño de los radicales libres desempeña un papel en las enfermedades del corazón, el alzhéimer y otros problemas de salud.

- La vitamina C es necesaria para producir L-carnitina, un compuesto que ayuda a convertir las grasas en energía.

- La vitamina C es clave para el sistema inmunitario.

Los expertos dicen que las mujeres necesitan 75 miligramos (mg) de vitamina C al día y los hombres 90 mg. Hasta un 14 por ciento de estadounidenses no obtiene suficiente vitamina C. La falta de vitamina C es más probable en las personas que:

- Consumen una variedad limitada de alimentos.

- Fuman o están expuestas al humo de segunda mano.

- Tienen una afección que les impide absorber los nutrientes de manera eficiente.

Entre los signos de deficiencia de vitamina C se incluyen la fatiga, la inflamación de las encías y la sensación de malestar. Con el tiempo, también se puede tener dolor en las articulaciones, problemas de la piel, propensión a hematomas o sangrado, el cabello seco con las puntas partidas, depresión, sangrado de las encías, pérdida de dientes o dientes flojos y pérdida de cabello.

Si consume 2 1/2 tazas de frutas y verduras al día, usted puede obtener hasta 200 mg de vitamina C. Pero tenga en cuenta que la luz, el aire, el almacenamiento prolongado y el calor pueden hacer que los alimentos pierdan vitamina C. Para obtener el máximo provecho de la vitamina C de los alimentos, cómalos crudos, cocinados en el microondas o ligeramente al vapor.

## Cuatro beneficios de la vitamina C para la mente

**Controla la presión arterial.** La vitamina C ayuda a mantener los vasos sanguíneos flexibles, lo que ayudaría a mantener la presión arterial bajo control. Si no se obtiene suficiente vitamina C y la presión arterial aumenta, el cerebro puede verse afectado.

Estudios recientes sugieren que la presión arterial alta puede dañar los pequeños vasos sanguíneos que nutren la sustancia blanca del cerebro, que contiene las fibras nerviosas que ayudan a las células cerebrales a comunicarse entre sí. Este daño conduce a lesiones de la sustancia blanca, la causa de un tipo de cicatrización que ha sido asociado al alzhéimer y otras formas de demencia. Cuanto mayor sea la presión arterial y cuanto más tiempo pase sin control, mayor será el daño a la sustancia blanca.

| | |
|---|---|
| 1 papaya | 187 mg* |
| 1 taza de jugo de naranja recién exprimido | 124 mg |
| 1 taza de jugo de arándano | 107 mg |
| 1 taza de brócoli cocido | 101.2 mg |
| 1 taza de fresas | 97.6 mg |
| 1/2 taza de pimientos rojos dulces | 95.1 mg |
| 1 taza de cereal para desayuno *Product 19*, de Kellogg's | 61.2 mg |

\* miligramos

**Reduce el riesgo de accidente cerebrovascular.** La carencia de vitamina C ha sido asociada a un mayor riesgo de accidente cerebrovascular. Ésa es una mala noticia, porque un accidente cerebrovascular también puede aumentar el riesgo de demencia. Durante un accidente cerebrovascular, los vasos sanguíneos sufren un bloqueo o una ruptura, interrumpiendo el flujo de sangre a parte del cerebro y provocando la muerte de células cerebrales. Cuando células cerebrales mueren, el riesgo de demencia vascular aumenta. Los accidentes cerebrovasculares también pueden desencadenar procesos que han sido vinculados con el alzhéimer.

Pruebe esta manera fácil de reducir su consumo de sodio. Lea las etiquetas de los suplementos de vitamina C y elija los suplementos que tengan ascorbato de calcio o ácido ascórbico, en lugar de ascorbato de sodio. Cada 1,000 miligramos (mg) de ascorbato de sodio agrega 131 mg de sodio a su consumo total diario.

**Protege contra las afecciones cardíacas.** Las personas que tienen un menor nivel de vitamina C en la sangre se enfrentan a un riesgo mayor de enfermedades cardíacas, ataque al corazón y enfermedad arterial periférica. Si el colesterol "malo" LDL se daña a causa de los radicales libres, se puede acumular gradualmente en las paredes internas de las arterias que van al corazón y al cerebro. Con el tiempo, el LDL dañado contribuye a la formación de la placa que estrecha las arterias y las hace menos flexible, o lo que los médicos llaman aterosclerosis. Si un coágulo llegara a formarse y a bloquear el flujo de sangre por completo, se puede sufrir un ataque al corazón o un infarto cerebral.

La vitamina C puede ayudar a prevenir la aterosclerosis al impedir, en primer lugar, que el LDL se dañe. De modo que obtener suficiente vitamina C puede ayudar a evitar los ataques al corazón y otras enfermedades cardíacas. Esto es importante porque las personas que sufren del corazón y que tienen el colesterol alto presentan un riesgo significativamente mayor de desarrollar demencia.

**Combate la obesidad.** Estudios preliminares sugieren que las personas que consumen muy poca vitamina C pueden volverse más propensas a la obesidad. Estos estudios dicen lo siguiente:

- Cuanto menor sea el nivel de vitamina C en la sangre de una persona, es probable que mayor sea su peso.

- Los niveles más bajos de vitamina C han sido asociados a un mayor porcentaje de grasa corporal en las mujeres, así como a un índice de masa corporal más alto en hombres y mujeres.

> Los poderes antioxidantes de la vitamina C hacen algo más que proteger el cerebro. En combinación con otros antioxidantes, esta vitamina puede ayudar a proteger la visión de las enfermedades propias de la edad. Obtenga más información en el capítulo *Degeneración macular asociada a la edad*.

- Las personas que tomaron suplementos de vitamina C lograron perder más peso en seis semanas que las personas que no tomaron estos suplementos.

La vitamina C es esencial para producir la L-carnitina, un compuesto que se necesita para quemar grasas. De hecho, estudios preliminares sugieren que las personas que apenas obtienen suficiente vitamina C queman menos grasa cuando hacen ejercicio. Es necesario realizar más investigaciones para determinar si la vitamina C realmente tiene un efecto sobre el peso. Pero si la vitamina C efectivamente ayuda a controlar el peso, entonces también puede ayudar a evitar la demencia.

Una mujer con sobrepeso es dos veces más propensa a desarrollar demencia que una mujer con un peso saludable. Y si lleva ese peso adicional mayormente alrededor de la cintura, sus probabilidades de desarrollar demencia se triplican.

## Cómo aprovechar al máximo la vitamina C

Consejos para aprovechar mejor los suplementos de vitamina C:

- Tome los suplementos de vitamina C en dosis pequeñas, dos o tres veces al día con las comidas.

- Beba abundante agua y asegúrese de estar cerca de un baño disponible cuando tome suplementos de vitamina C, ya que puede actuar como un diurético.

- No se exceda. Las personas que toman entre 30 y 180 miligramos (mg) de vitamina C al día, absorben entre el 70 y 90 por ciento. Pero las personas que toman 1,000 mg al día puede que solamente absorban el 50 por ciento. Si ha estado tomando dosis altas de vitamina C por mucho tiempo y desea reducir su consumo, hágalo gradualmente o sus niveles sanguíneos de vitamina C pueden bajar demasiado.

## Cinco peligros ocultos que usted debe conocer

Los suplementos de vitamina C pueden tener efectos inesperados, que a veces pueden resultar peligrosos. Antes de tomar un suplemento, tome las siguientes precauciones:

- Dosis elevadas de esta vitamina pueden interferir con las pruebas de laboratorio. Asegúrese de que su médico sepa la cantidad de vitamina C que usted toma.

- Hable con su médico antes de tomar un suplemento de vitamina C, especialmente si usted toma un medicamento antiinflamatorio no esteroideo (AINE), como la aspirina o el ibuprofeno, antiácidos a base de aluminio, acetaminofeno, fármacos para la quimioterapia, medicamentos con nitrato para tratar las afecciones cardíacas, tetraciclina o un anticoagulante como la warfarina.

- Protéjase para evitar una deficiencia de vitamina B12. Tomar cantidades excesivas de vitamina C puede impedir que el cuerpo absorba la vitamina B12.

Las personas que tienen niveles bajos de hierro deben hacer un esfuerzo adicional para obtener suficiente vitamina C, ya que esta vitamina puede ayudar al cuerpo a absorber más hierro.

- Si su médico aprueba un suplemento de vitamina C, usted puede elegir entre varias presentaciones: pastillas, cápsulas, tabletas masticables, en forma líquida o tabletas efervescentes. Tenga en cuenta que el uso frecuente de las tabletas masticables de vitamina C puede erosionar el esmalte dental.

- Demasiada vitamina C puede tener efectos secundarios. Si los suplementos de vitamina C le causan diarrea, acidez, gases y otros malestares estomacales, pruebe una dosis más baja. Si su médico le ha recomendado una dosis alta, revise la etiqueta y cámbiese a otra forma de vitamina C, ya sea al ascorbato de sodio o al ascorbato de calcio. Estas formas "amortiguadas" de la vitamina C pueden ser más suaves para el estómago que el ácido ascórbico. El Instituto de Medicina ha establecido que el nivel máximo de consumo tolerable para la vitamina C es de 2,000 mg por día.

# Vitamina D

leche fortificada • cereales para desayuno fortificados • salmón • atún • caballa • hígado de res • queso • yemas • hongos • semillas de linaza

*"En el lado soleado de la calle"* no es sólo el título de una popular canción. También es un buen lugar para obtener vitamina D.

El cuerpo produce la vitamina D cuando la piel está expuesta a la luz del sol. Conocida como la "vitamina del sol", la vitamina D cumple varias funciones en el organismo. Entre las más importantes están ayudar al cuerpo a absorber el calcio y a desarrollar y fortalecer los huesos. También ayuda a que los músculos se muevan, a que los nervios transmitan mensajes y a que el sistema inmunitario pueda combatir las infecciones.

El raquitismo es una enfermedad propia de la infancia causada por la deficiencia de vitamina D y se caracteriza por un reblandecimiento de los huesos. Los adultos que no reciben suficiente vitamina D podrían desarrollar osteomalacia, que es una afección dolorosa que se caracteriza por huesos blandos y esponjosos, u osteoporosis.

| | |
|---|---|
| 3 onzas (85 g) de salmón | 794 UI* |
| 3 onzas de atún en aceite (en lata) | 229 UI |
| 3 onzas de sardinas en aceite (en lata) | 164 UI |
| 1 taza de leche fortificada entera | 124 UI |
| 1 taza de leche fortificada descremada o sin grasa | 115 UI |
| 1 taza de *Total Raisin Bran* | 104 UI |
| 1 taza de hongos *shiitake* cocidos | 45 UI |
| 1 huevo grande revuelto | 29 UI |

\* unidades internacionales

Los científicos han asociado los niveles bajos de vitamina D a varias afecciones, entre ellas las enfermedades del corazón, la diabetes, ciertos tipos de cáncer, el dolor crónico, la artritis, la enfermedad de las encías y la demencia.

Además de la luz solar, se puede obtener vitamina D de ciertos alimentos. Los pescados grasos, como el salmón, el arenque, la caballa, las sardinas y el atún, son las mejores fuentes. Los alimentos fortificados, como la leche y los cereales para desayuno, también aportan vitamina D. Incluso se puede obtener una pequeña cantidad de la yema del huevo y del queso. Pero para obtener suficiente vitamina D, puede que usted tenga que tomar un suplemento.

Hay dos tipos de suplementos de vitamina D: la vitamina D2 (ergocalciferol) y la vitamina D3 (colecalciferol). La D3 es la forma que resulta más útil para el cuerpo. A la hora de comprar un suplemento, fíjese que la etiqueta diga "vitamina D3". Al margen de la forma, la vitamina D debe someterse a ciertos cambios para activarse en el organismo. El primer cambio se produce en el hígado, donde la vitamina D se convierte en 25-hidroxivitamina D o 25(OH)D. Un médico puede medir su nivel de 25(OH)D en la sangre para así determinar su nivel de vitamina D. El otro cambio se produce en los riñones, donde se produce la forma activa de la vitamina D llamada 1,25-dihidroxivitamina D o 1,25(OH)2D.

¿Cuánta vitamina D necesita usted? El consumo recomendado es de 400 unidades internacionales (UI) para las personas mayores de 50 años y de 600 UI para las mayores de 70 años, pero varios expertos sostienen que esto es demasiado bajo. Las personas mayores, las que viven en climas del norte y las que tienen la piel oscura pueden necesitar una cantidad mayor. Muchos profesionales de la salud dicen que se debe apuntar a un mínimo de 1,000 UI al día.

Lo más probable es que usted no esté recibiendo suficiente vitamina D. Pase algo más de tiempo bajo el sol, consuma alimentos ricos en vitamina D y complemente su dieta, para aumentar sus niveles de vitamina D y darle un impulso a su cerebro y a su salud en general.

## Cinco beneficios de la vitamina D para la mente

**Derrota la demencia.** Sus años dorados pueden ser aún más soleados gracias a la D. Elevar los niveles de esta importante vitamina puede ayudar a evitar el declive mental y la demencia, incluido el alzhéimer.

Un estudio realizado en Italia, que hizo seguimiento durante seis años a un grupo de personas mayores de 65 años, reveló que aquéllas que tenían niveles muy bajos de vitamina D eran las más propensas a experimentar deterioro del pensamiento, el aprendizaje y la memoria que aquéllas que tenían niveles adecuados de esta vitamina.

Los resultados fueron similares en un estudio realizado en Estados Unidos con 3,325 adultos mayores: a través de pruebas de memoria, de pruebas de orientación en el tiempo y el espacio y de pruebas de atención se comprobó que un nivel bajo de vitamina D implica un mayor riesgo de deterioro mental. Las personas con deficiencia extrema de vitamina D tenían una probabilidad más de cuatro veces mayor de deterioro mental que aquéllas con niveles normales de vitamina D. Y un estudio británico encontró que niveles bajos de vitamina D pueden aumentar el riesgo de demencia. En un estudio con personas mayores, se encontró que aquéllas con los niveles más bajos de vitamina D eran 2.3 veces más propensas a sufrir deterioro mental en comparación con aquéllas con los niveles más altos.

En otro estudio, las personas mayores con altos niveles de vitamina D se desempeñaron mejor en las pruebas de "función ejecutiva", que miden la capacidad mental para planificar, organizar, prestar atención a los detalles, formar conceptos y pensar en abstracto. También fueron menos propensas a presentar daños en los pequeños vasos sanguíneos en el cerebro o en la sustancia blanca del cerebro.

> Los estudios muestran que las personas con dolores crónicos de cuerpo y de espalda suelen tener niveles bajos de vitamina D. Afortunadamente, dichos dolores y malestares tienden a disminuir o a desaparecer una vez que se obtiene suficiente de esta vitamina.

Si bien no se ha establecido una relación directa, se han encontrado receptores de la vitamina D en las zonas del cerebro involucradas en la planificación, el procesamiento y la formación de nuevos recuerdos.

Investigadores del Reino Unido encontraron que los hombres con los niveles más altos de vitamina D tuvieron un mejor desempeño en una prueba que mide la atención y la velocidad de procesamiento de información. El vínculo fue más fuerte en los mayores de 60 años.

Las pruebas de laboratorio sugieren que la vitamina D protege las neuronas, apoya la función cerebral y reduce la inflamación. Un estudio de laboratorio encontró que la vitamina D3 puede ayudar a prevenir la acumulación de la proteína beta-amiloide en el cerebro al hacer que los macrófagos, los recolectores de basura del sistema inmunitario, la absorban y la eliminen.

**Previene el párkinson.** Los síntomas del párkinson incluyen los temblores, la postura encorvada, el movimiento lento, la falta de equilibrio y caminar arrastrando los pies. A esta lista se puede agregar niveles bajos de vitamina D. De hecho, tener niveles bajos de vitamina D puede ser un factor en el desarrollo de esta enfermedad.

Investigadores de la Universidad de Emory descubrieron que las personas con párkinson eran más propensas a tener niveles insuficientes de vitamina D que las personas sanas o con alzhéimer.

Un estudio realizado en Finlandia en un período de seguimiento de 29 años, concluyó que las personas con los niveles más altos de vitamina D tenían menos probabilidades de desarrollar párkinson. Las personas con los niveles mayores eran 67 por ciento menos propensas a desarrollar párkinson que aquéllas con los niveles menores.

Aunque aún no está claro cómo exactamente la vitamina D ayuda a proteger contra el párkinson, los investigadores señalan su actividad antioxidante, su capacidad para regular los niveles de calcio, sus poderes de desintoxicación y su efecto sobre el sistema inmunitario como posibles explicaciones.

**Destruye la depresión.** Un sol radiante puede contribuir a un estado de ánimo resplandeciente. Obtener más vitamina D le puede ayudar a alejar esas nubes oscuras de la depresión.

Un estudio de seis años de duración realizado en Toscana con personas mayores de 65 años encontró que las que tenían niveles bajos de vitamina D eran más propensas a la depresión. El vínculo era más fuerte entre las mujeres. Otro estudio efectuado con personas afectadas por un mal cardíaco llegó a la misma conclusión.

En los Países Bajos, un estudio comprobó que las personas mayores que sufrían depresión tenían niveles más bajos de vitamina D en la sangre. Estos niveles menores de vitamina D correspondían asimismo a una depresión más severa.

Sin embargo, la relación que existe entre la vitamina D y la depresión hasta cierto punto refleja el dilema de qué fue primero, la gallina o el huevo. ¿Está deprimido porque tiene niveles bajos de vitamina D o tiene niveles bajos de vitamina D porque está deprimido? Cuando una persona está deprimida, puede que no tenga tantas ganas de salir de su casa y es probable, por lo tanto, que tenga una menor exposición a la luz solar. También es probable que descuide su alimentación y olvide comer alimentos ricos en vitamina D.

Obtener más vitamina D puede ser una manera fácil de mejorar la salud mental. La vitamina D del pescado, por ejemplo, podría ayudar con la depresión.

**Previene los males del corazón.**

Un análisis de 28 estudios encontró que las personas con niveles altos de vitamina D presentaban un riesgo 33 por ciento menor de sufrir una enfermedad cardíaca. Asimismo, habían reducido su riesgo de desarrollar diabetes en un 55 por ciento y de desarrollar síndrome metabólico en un 51 por ciento.

Por otro lado, en un estudio, las personas con los niveles más bajos de vitamina D tenían dos veces más probabilidades de morir de cualquier causa que aquéllas con los niveles más altos. El riesgo de muerte relacionada con el corazón era aún mayor.

> Para mantener el equilibrio es necesario mantener un nivel adecuado de vitamina D. En un análisis reciente de ocho estudios se encontró que las personas mayores de 65 años que recibieron entre 700 y 1,000 UI de vitamina D al día, redujeron su riesgo de sufrir una caída entre un 19 y 26 por ciento.

Según otro estudio, los hombres con niveles bajos de vitamina D eran dos veces más propensos a tener un ataque al corazón que aquéllos con niveles normales. Niveles bajos de vitamina D también han sido asociados a la presión arterial alta. Un estudio incluso determinó que los hombres con deficiencia de vitamina D tenían una probabilidad más de cinco veces mayor de sufrir presión arterial alta que aquéllos con niveles adecuados de esta vitamina.

La vitamina D también puede ayudar a neutralizar la inflamación asociada con la insuficiencia cardíaca congestiva.

**Desalienta la diabetes.** Diabetes no sólo significa niveles más altos de azúcar en la sangre. También significa un mayor riesgo de tener problemas cardíacos, obesidad y demencia. Piense en la D para la diabetes, porque la vitamina D puede ayudar.

Los estudios parecen indicar que los niveles bajos de vitamina D son frecuentes en las personas con diabetes y, posiblemente, un factor de riesgo para desarrollar esta afección. Los niveles bajos de vitamina D también se han relacionado con un control deficiente del azúcar en la sangre y de la resistencia a la insulina.

Otros estudios muestran que los suplementos de vitamina D pueden ayudar a reducir el riesgo de desarrollar diabetes y resistencia a la insulina.

## Soluciónelo con suplementos y sol

Los niveles de vitamina C de hasta la mitad de todos los adultos se encuentran por debajo del nivel óptimo. Pero esta situación está por cambiar. En una encuesta reciente llevada a cabo por Consumer Lab, la vitamina D se ubicó como el quinto suplemento más popular.

Por suerte, los suplementos de vitamina D son económicos y fácilmente disponibles. Busque la vitamina D3, que es la forma producida naturalmente por la piel. Se puede encontrar en tabletas o cápsulas de 400, 1,000 y 2,000 unidades internacionales (UI). No tome dosis altas de vitamina D sin la supervisión de un médico.

Otro consejo a tener en cuenta: tome sus suplementos de vitamina D con la comida más importante del día. Un reciente estudio realizado por la Clínica de Cleveland encontró que esta estrategia aumentaba su absorción, incrementando los niveles de vitamina D en la sangre en cerca de un 50 por ciento.

Por supuesto, también se puede obtener la vitamina D del sol, especialmente durante los meses de verano. Si usted tiene la piel clara, pasar tan sólo entre 10 y 15 minutos expuesto al sol sin protector solar será suficiente. Si usted tiene la piel más oscura, puede aumentar el tiempo de exposición. Obtenga su dosis de sol por lo menos dos veces a la semana. Pero no olvide usar un protector solar si va a estar en el sol más de 15 o 20 minutos.

## Defiéndase de las desventajas de la D

Aunque necesite más vitamina D, no se exceda. Tomar dosis muy altas durante varios meses podría causar toxicidad por vitamina D. Los síntomas incluyen náuseas, vómitos, estreñimiento y pérdida de peso.

Las dosis elevadas de vitamina D también pueden aumentar peligrosamente los niveles de calcio en el cuerpo. El problema es que todo ese calcio no necesariamente irá a fortalecer sus huesos. El calcio puede depositarse en los riñones, los vasos sanguíneos, los pulmones y el corazón. En un estudio reciente con estadounidenses de raza negra con diabetes los niveles más altos de vitamina D se asociaron a la placa aterosclerótica calcificada en la aorta y las arterias carótidas.

También se debe tener en cuenta las posibles interacciones entre medicamentos. Algunos medicamentos pueden agotar o bloquear la absorción de la vitamina D, entre ellos los corticosteroides, los anticonvulsivos y la colestiramina, que se usa para bajar el colesterol.

# Vitamina E

germen de trigo • aceite y semillas de girasol • aceite de cártamo • almendras • cacahuates • espinacas • brócoli • margarinas y cremas para untar fortificadas

La vitamina E estimula el sistema inmunitario, mejora la circulación al ensanchar los vasos sanguíneos y, muy importante para el cerebro, actúa como un antioxidante al proteger las células contra el daño causado por los radicales libres. Estas moléculas inestables atacan las células sanas, causando enfermedades y el envejecimiento en general, en un proceso que se conoce como oxidación. Los antioxidantes desarman a los radicales libres antes de que puedan hacer daño.

La vitamina E no es un solo compuesto, sino ocho, siendo el más conocido el alfa-tocoferol. Los suplementos pueden contener sólo una forma de vitamina E, pero los alimentos aportan una mezcla naturalmente saludable. Las principales fuentes incluyen el germen de trigo, los aceites de girasol y de cártamo, las semillas de girasol y los frutos secos, en especial la almendra, el cacahuete y la avellana.

¿No le agradan los frutos secos y las semillas? Prueba otras buenas fuentes como el aceite de maíz y de soya, las verduras verdes, como la espinaca y el brócoli, y los alimentos fortificados con vitamina E, como algunos cereales para desayuno, jugos de frutas y margarinas.

No es posible excederse en vitamina E si ésta proviene de los alimentos. Los suplementos son otra historia. Este nutriente reduce la capacidad de la sangre para coagularse. Tomar dosis altas de suplementos de vitamina E aumenta el riesgo de sangrado y, sobre todo, de derrame cerebral.

Las personas sanas no deben tomar más de 1,500 unidades internacionales (UI) de vitamina E natural o 1,100 UI de vitamina E sintética (artificial) al día. Los adultos mayores tal vez deban fijarse límites más bajos. Una dosis de tan sólo 400 UI al día aumentó ligeramente el riesgo de muerte entre los adultos mayores con problemas de salud existentes.

Los adultos deben obtener 15 miligramos (mg) de vitamina E al día, el equivalente a 22.4 UI. La mayoría no lo hace. Con todo, las deficiencias evidentes de vitamina E son poco frecuentes. Por lo general, sólo ocurren en personas que no pueden digerir o absorber grasas de manera adecuada, como en aquéllas que tienen fibrosis quística, la enfermedad de Crohn y ciertos trastornos genéticos pocos comunes. Procure obtener al menos 15 mg de vitamina E al día proveniente de los alimentos para una mejor salud del cerebro.

## Cinco beneficios de la vitamina E para la mente

**Controla el azúcar en la sangre.** Sus niveles de vitamina E pueden determinar su riesgo de desarrollar diabetes. Un nivel bajo de antioxidantes, especialmente de vitamina E (alfa-tocoferol) y de betacaroteno, puede ser un factor en el desarrollo de la diabetes.

Las investigaciones sugieren que el estrés oxidativo y la inflamación contribuyen a la resistencia a la insulina y la diabetes tipo 2. El estrés oxidativo ocurre cuando el sistema de defensa antioxidante natural se abruma y es superado por los radicales libres en el cuerpo. Este desequilibrio puede darse antes de que la diabetes comience y puede acelerar el desarrollo de la propia enfermedad.

El daño oxidativo causado por los radicales libres puede hacer que las células se vuelvan menos sensibles a la insulina. Los radicales libres también pueden destruir las células beta en el páncreas que producen insulina. A medida que aumentan los niveles de azúcar en la sangre, la capacidad para pensar y realizar varias tareas a la vez disminuye con rapidez.

| | |
|---|---|
| 1 cucharada de aceite de germen de trigo | 20.3 mg* |
| 1 onza (28 g) de almendras tostadas en seco | 7.4 mg |
| 1 onza de semillas de girasol tostadas en seco | 6 mg |
| 1 cucharada de aceite de girasol | 5.6 mg |
| 1 cucharada de aceite de cártamo (safflower oil) | 4.6 mg |
| 2 cucharadas de germen de trigo | 4 mg |
| 2 cucharadas de crema de cacahuate | 2.9 mg |
| 1 onza de cacahuates tostados en seco | 2.2 mg |
| 1/2 taza de espinacas cocidas | 1.9 mg |
| 1/2 taza de brócoli picado | 1.2 mg |

*miligramos

Después de todo, la glucosa es el combustible de las células. Si la glucosa no puede ingresar a las células cerebrales, éstas no van a tener suficiente energía para funcionar eficientemente. Y si las neuronas no están funcionando, el cerebro tampoco.

Consumir suficientes alimentos ricos en alfa-tocoferol y betacaroteno, dos poderosos antioxidantes, puede calmar el estrés oxidativo y acabar con la inflamación en el cuerpo, otro indicador de diabetes tipo 2.

En un estudio realizado en Suecia con hombres mayores de 50 años, los que tenían la menor cantidad de alfa-tocoferol y betacaroteno en la sangre eran los más propensos a desarrollar diabetes en los próximos 20 años. Tener niveles altos de antioxidantes, por otra parte, les aseguraba una mejor sensibilidad a la insulina en el futuro.

**Baja el colesterol.** Comer más alimentos ricos en vitamina E también puede mejorar el colesterol en personas con diabetes. Como la diabetes las hace entre dos y cuatro veces más propensas a desarrollar una afección cardíaca, controlar su colesterol es especialmente importante.

Las personas con diabetes que consumieron menos de la mitad de una taza de almendras enteras cada día lograron, de forma natural, aumentar sus niveles de vitamina E, bajar tanto su colesterol total como su colesterol "malo" LDL, y mejorar la relación entre su colesterol "bueno" HDL y "malo" LDL. La suma de todo, a su vez, reduce el riesgo de sufrir una enfermedad cardíaca. Disfrutar de unas cuantas almendras también redujo su nivel de azúcar en la sangre en ayunas y mejoró su control del azúcar en la sangre.

**Protege de la demencia.** En un grupo de hombres y mujeres mayores de 80 años, los que tenían los niveles más altos de vitamina E tenían la mitad de probabilidades de desarrollar alzhéimer en los próximos seis años, en comparación con los que tenían los niveles más bajos.

En un estudio efectuado con ratones, los que tenían niveles bajos de vitamina E y eran propensos a desarrollar alzhéimer produjeron la misma cantidad de beta-amiloide que los ratones normales, pero sus cerebros no lograron deshacerse de ella con la misma eficacia.

Las grasas en la sangre ayudan a mover esta sustancia fuera de las células cerebrales y hacia el torrente sanguíneo para su eliminación. Sin suficiente vitamina E, la oxidación destruye estas grasas tan trabajadoras. De ese modo, la beta-amiloide empieza a acumularse, de la misma forma como se acumula la basura cuando nadie la saca.

No todos los estudios llegan a las mismas conclusiones en cuanto al poder de la vitamina E para proteger contra el alzhéimer. Dicho esto, la mayoría de los estudios sólo han utilizado una forma de vitamina E, mientras que el estudio más reciente realizado con adultos en edad avanzada mide los niveles generales de las ocho formas de este nutriente.

No trate de evitar el alzhéimer tomando suplementos. Los expertos dicen que se puede obtener una combinación equilibrada de vitamina E disfrutando de una variedad de alimentos.

**Protege el cerebro.** Las caídas son la causa número uno de las lesiones cerebrales traumáticas (LCT) en los adultos mayores. Las personas mayores de 75 años tienen el índice más alto de hospitalización y muerte relacionada con una LCT. Tener niveles saludables de vitamina E ayuda a proteger contra un daño cerebral causado por trauma.

Las lesiones cerebrales provocan un pico del estrés oxidativo, lo que puede dañar la función mental más adelante. La vitamina E neutraliza el estrés oxidativo y la caída de la función cerebral que ocurre tras una lesión cerebral traumática. Este nutriente también ayuda a que el cerebro se transforme y se adapte después de una lesión.

**Mantiene la visión clara.** Las personas que suelen preferir los alimentos ricos en vitamina E tienen 20 por ciento menos probabilidades de padecer degeneración macular asociada a la edad (DMAE), una enfermedad que causa ceguera. No se necesita mucho para obtener esta protección: sólo 30 unidades internacionales (UI) de vitamina E al día, un poco más de la cantidad recomendada.

La vitamina E en combinación con otros antioxidantes puede ayudar a tratar la DMAE, no sólo a prevenirla. Un estudio llamado AREDS mostró que un suplemento, que contenía las vitaminas C y E, betacaroteno, zinc, cobre y óxido de cobre, redujo la progresión de la DMAE. Actualmente se está estudiando el uso de otro suplemento elaborado con las vitaminas C y E, zinc, luteína y zeaxantina.

Pero los suplementos no son la única solución. El estudio AREDS también analizó los antioxidantes que se obtienen de los alimentos. Los participantes del estudio que obtuvieron la mayor parte de sus vitaminas C y E, zinc, luteína, zeaxantina y grasas omega-3 del pescado —y que consumieron mayormente alimentos de bajo índice glucémico— fueron los menos propensos a desarrollar DMAE avanzada. Los alimentos de bajo índice glucémico producen una subida más gradual del azúcar en la sangre. Los carbohidratos complejos, como las frutas y verduras ricas en fibra y los granos enteros, también son buenas opciones.

Las etiquetas de información nutricional sólo tienen la obligación de declarar la cantidad de vitamina E que contiene un alimento, si éste ha sido fortificado con vitamina E.

# Vuélvase un experto en suplementos

En el mercado hay suplementos que contienen vitamina E natural y suplementos con vitamina E sintética o artificial. La forma natural es más potente, por lo que se necesita una dosis menor. Las etiquetas de los suplementos deben mencionar a la vitamina E sintética como dl-alfa-tocoferol (*dl-alpha-tocopherol*, en inglés) y a la vitamina E natural como d-alfa-tocoferol (*d-alpha-tocopherol*, en inglés) o "mezcla de tocoferoles". Tómela con alimentos, de lo contrario el cuerpo puede no ser capaz de absorber este nutriente.

Una cantidad menor de vitamina E sintética pueda causar problemas de sangrado, en comparación con la forma natural. Evite tomar cualquier suplemento de vitamina E sin la supervisión de su médico si usted tiene una deficiencia de vitamina K, o si está tomando:

- Medicamentos anticoagulantes, como la warfarina (*Coumadin*).

- Medicamentos antiplaquetarios, como el clopidogrel (*Plavix*).

- Medicamentos antiinflamatorios no esteroideos (AINE), como el ibuprofeno o la aspirina.

En cualquier caso, tomar grandes cantidades de alfa-tocoferol, que es la forma más común de la vitamina E, puede disminuir sus niveles naturales de gamma-tocoferol y delta-tocoferol, otras formas saludables de esta vitamina. Y esto puede hacer más mal que bien.

Algunos expertos recomiendan dejar de tomar suplementos de vitamina E aproximadamente un mes antes de someterse a una cirugía electiva, para evitar el sangrado abundante.

# Cuando la vitamina E y el ejercicio no van juntos

Tomar una combinación de 400 unidades internacionales (UI) de vitamina E, más 1,000 miligramos (mg) de suplementos de vitamina C todos los días puede cancelar un beneficio importante del ejercicio físico en las personas que tienen diabetes.

Volverse más activo es uno de los mejores tratamientos naturales para la diabetes tipo 2, debido a que trabajar los músculos mejora la resistencia a la insulina. Sin embargo, un nuevo estudio sobre el ejercicio físico encontró que la sensibilidad a la insulina sólo mejoró en las personas que no tomaban estos suplementos antioxidantes.

El ejercicio físico genera radicales libres de manera natural. Por lo general eso es malo, pero, en este caso, es bueno. Hacer ejercicio aumenta el estrés oxidativo por un período corto, no a largo plazo. Este pico en realidad ayuda a contrarrestar la resistencia a la insulina.

Los suplementos antioxidantes, como las vitaminas C y E, neutralizan los radicales libres. Al hacerlo, bloquean la oxidación temporal que ayuda a la sensibilidad a la insulina y al metabolismo.

# Caminar

conserva la memoria • alivia el estrés • previene la diabetes • baja la presión arterial • combate la obesidad

*"Caminar es la mejor medicina para el hombre"*, dijo Hipócrates, el médico de la Antigua Grecia y "padre de la medicina". Y tenía razón. Pero puede que a usted le sorprenda saber por qué.

Pasar alguna que otra noche sin hacer nada frente al televisor, no es causa de preocupación. Pero nada destruye el cuerpo tan rápidamente como la inactividad constante.

- Un estudio realizado en Australia reveló que para las personas que ven televisión cuatro o más horas al día, la probabilidad de morir de forma precoz de cualquier causa es 46 por ciento mayor. Esto puede deberse a que el cuerpo cambia su forma de operar después de haber estado inactivo durante unas pocas horas. Por ejemplo, una enzima que elimina la grasa de la sangre deja de funcionar. Esto significa que la grasa no puede desplazarse hacia los músculos para ser quemada como combustible. En vez de eso, se queda en la sangre donde puede dañar las arterias y provocar enfermedades cardíacas.

- Perdemos entre un 15 y un 25 por ciento de nuestro tejido cerebral entre los 30 y los 90 años de edad. Pero las personas que hacen ejercicio con regularidad pierden mucho menos, sugieren los investigadores.

- Muchas de las enfermedades típicas de la edad avanzada se han asociado a la existencia de compuestos inflamatorios en el cuerpo. Compuestos como la interleucina-6, el factor de necrosis tumoral alfa y la proteína C reactiva, por ejemplo, han sido relacionados con la artritis, las enfermedades cardíacas, el alzhéimer, la degeneración macular asociada a la edad y con causas de debilidad como la sarcopenia, que es la pérdida gradual de fuerza muscular que ocurre cuando nos hacemos mayores. Sin embargo, las investigaciones muestran que caminar tan sólo 30 minutos al día, cinco días a la semana, reduce los niveles de estos compuestos inflamatorios.

- Los adultos mayores que participaron en un programa de caminatas redujeron su riesgo de incapacidad en un 41 por ciento, aumentando así sus probabilidades de seguir llevando una vida independiente.

Eso no es todo. Caminar también puede mantener el cerebro en forma.

**Genere células cerebrales nuevas.** Tiempo atrás, los médicos pensaban que el cerebro no podía producir células nuevas, pero ahora sabemos que esto no es cierto. El hipocampo, la región del cerebro clave para el aprendizaje y la memoria, puede crear nuevas células cerebrales a lo largo de toda una vida. Los factores que determinan cuántas células cerebrales nuevas puede generar son muchos, pero el ejercicio físico es el generador más potente. Naturalmente, estas células cerebrales nuevas ayudan con el aprendizaje y la memoria. De hecho, se han asociado a una mejor capacidad mental, y la probabilidad de que se activen aumenta cuando se aprenden cosas nuevas.

**Produzca más "fertilizante cerebral".** El ejercicio hace que el cuerpo produzca más de un compuesto natural llamado factor neurotrófico derivado del cerebro (BDNF, en inglés), que puede ayudar a mantener la agudeza mental. El BDNF ayuda a formar recuerdos, pero eso no es todo. Algunos lo llaman el "fertilizante cerebral", porque estimula el flujo de la sangre y las conexiones neuronales en el cerebro.

Las conexiones neuronales son las sinapsis o enlaces entre las células cerebrales. Para algunos científicos, incrementar el número de células cerebrales y de conexiones neuronales es como crear una especie de "cuenta de ahorros" de neuronas y sinapsis adicionales, a la que llaman "reserva cognitiva", para protegernos contra el declive mental en el futuro. Ésta podría ser una de las razones por las cuales las personas de más de 65 años que caminan con regularidad tienen un riesgo significativamente menor de padecer demencia vascular, el segundo tipo de demencia más común después del alzhéimer.

### Desarrolle un cerebro más grande.

Imagine tener un cerebro más joven en sólo seis meses. Puede ocurrir. Una señal del envejecimiento es la pérdida gradual del volumen del cerebro. En otras palabras, el cerebro se contrae. Un nuevo estudio muestra que el cerebro de las personas mayores que participaron en un programa de caminatas durante seis meses aumentó de tamaño. Un tamaño, según uno de los científicos, similar al volumen cerebral de personas varios años más jóvenes. Además, este aumento en el volumen cerebral está asociado a una mejor capacidad para pensar y recordar. Es como hacerse más listo a medida que se envejece.

Haga un "viaje virtual". Si sale a caminar con un grupo y todos utilizan un podómetro o saben las distancias que cada uno recorre, pruebe hacer lo siguiente. Elijan un destino interesante, como el Gran Cañón del Colorado, la Estatua de la Libertad o San Francisco. Establezcan cuántas millas deberían caminar desde el lugar donde se encuentran hasta su destino elegido. Al final de cada semana, sumen las distancias recorridas por todos los miembros del grupo para determinar hasta dónde han llegado y celebren el día en que "lleguen" a su destino.

# Nueve beneficios de caminar para la mente

**Protege la memoria.** Caminar puede que sea una actividad ligera que se puede hacer prácticamente en cualquier sitio y a cualquier hora, pero no deje que eso le engañe. Se trata de un ejercicio que, aunque sencillo, puede estimular la memoria, evitar que el cerebro se contraiga y reducir el riesgo de desarrollar demencia. De hecho, caminar es una solución cien por ciento natural que lo hace todo.

- Hay quienes dicen que la memoria se va perdiendo de forma natural con la edad. Pero un reciente estudio reveló que entre las mujeres mayores de 70 años, aquéllas que caminaban con regularidad a ritmo ligero 1 ½ horas a la semana puntuaron más alto en las pruebas de memoria y razonamiento.

- Las personas de más de 65 años de edad que caminan con regularidad tienen un riesgo menor de sufrir demencia vascular, el tipo de demencia causado por una serie de pequeños ataques cerebrales asintomáticos. La demencia vascular es la segunda forma más común de demencia, después del alzhéimer.

- Un estudio sugiere que hacer ejercicio tres o más veces a la semana, puede reducir el riesgo de demencia en casi un tercio.

- El ejercicio puede ser la forma más potente de activar la creación de células cerebrales nuevas.

- El alzhéimer hace que el cerebro se contraiga. Sin embargo, un estudio encontró que la contracción del cerebro era menor en las personas con principios de alzhéimer que tenían un mejor estado físico que en aquéllas que no lo tenían. Esto es importante porque el proceso de contracción del cerebro está asociado a un deterioro de la capacidad cognitiva y de la memoria. Los investigadores creen que el ejercicio físico, como caminar, puede ayudar a preservar más células cerebrales y a prevenir esta contracción.

**Baja la presión.** La próxima vez que tenga que esperar por una receta médica o a que hierva el agua, dese un paseo de 10 minutos. Las personas con la presión arterial ligeramente alta que salieron cuatro veces al día a caminar durante sólo 10 minutos, redujeron su presión arterial por un período de hasta 11 horas. Los expertos dicen que el ejercicio regular mantiene las arterias flexibles. La sangre fluye fácilmente a través de arterias flexibles, que se estrechan o dilatan según sea necesario, lo que hace que la presión arterial alta sea menos probable. Ésta es una buena noticia porque la Sociedad de Alzheimer indica que la probabilidad de desarrollar demencia es hasta un 600 por ciento mayor en las personas con presión arterial alta.

**Defiende contra los accidentes cerebrovasculares.** Las personas que han sufrido un accidente cerebrovascular tienen 60 por ciento más probabilidades de desarrollar alzhéimer. Pero las mujeres que caminan a paso ligero con regularidad o que caminan dos o más horas a la semana tienen, como mínimo, un riesgo 30 por ciento menor de sufrir un accidente cerebrovascular que las que no caminan.

**Acaba con el colesterol malo.** Puede que piense que para bajar el colesterol "malo" LDL es necesario sudar la gota gorda y hacer ejercicio vigoroso. Pero un pequeño estudio con hombres sexagenarios reveló que caminar a paso ligero baja el colesterol y la presión arterial y mejora el estado físico, incluso si ya lleva una vida activa.

Hay estudios que sugieren que un nivel alto de colesterol LDL puede elevar el riesgo de desarrollar demencia vascular. Es más, otros estudios sugieren que un LDL alto puede contribuir a un aumento en los niveles de beta-amiloide, una proteína asociada con las placas del alzhéimer. Para determinar si un descenso del LDL ayuda a prevenir estas demencias es preciso seguir investigando. Entre tanto, sabemos que bajar el LDL ayuda a prevenir ataques cerebrales y, evitarlos, puede ayudar a prevenir la demencia.

Añada pasos a su día. Salga a caminar 10 minutos durante el almuerzo, use las escaleras en lugar del ascensor, estaciónese más lejos de las tiendas y, por último, camine de un lado a otro durante los comerciales de televisión y mientras habla por teléfono o espera a alguien.

**Calma el estrés.** Muchas personas tratan el estrés como una simple consecuencia natural del ajetreado estilo de vida de hoy en día. Pero el estrés es una amenaza más seria de lo que muchos creen. Un estudio de 20 años de duración encontró que el estrés crónico conduce a una disminución del volumen del hipocampo, una región del cerebro esencial para el aprendizaje y la memoria. Frente a esto, los expertos dicen que el ejercicio puede ayudar a despejar las tensiones del día y mitigar los síntomas de la ansiedad.

**Previene las caídas.** Las caídas son la causa más común de lesión cerebral. Esto es preocupante porque los estudios revelan que las lesiones en la cabeza aumentan el riesgo de sufrir declive mental y desarrollar demencia. Y aún peor, uno de cada tres adultos mayores se cae cada año. Como el ejercicio regular aumenta la fuerza física y mejora el equilibrio, los expertos lo recomiendan para ayudar a prevenir las caídas. Para optimizar resultados, empiece caminando y pregunte a su médico qué otros ejercicios pueden ayudar.

**Evita la obesidad.** Un estudio sugiere que las caminatas largas a paso lento pueden ser mejores para bajar de peso que las caminatas más cortas a paso ligero. Además, perder peso le puede ayudar a mejorar la memoria rápidamente. Las personas con sobrepeso tienden a tener niveles más altos de proteína C reactiva (PCR) que están asociados con un cerebro menos ágil.

**Lucha contra la diabetes.** Según los Centros para el Control y Prevención de Enfermedades, las personas que caminan pueden reducir su riesgo de desarrollar diabetes hasta un 40 por ciento. Aquéllas que ya padecen diabetes

Usted quiere comprometerse a una rutina de caminatas, pero más son las veces que se queda en casa de las que sale a caminar. He aquí una manera divertida de cumplir con su objetivo. Ofrézcase para sacar a pasear un perro de un refugio para animales, al perro de la familia o al perro de un vecino. Los estudios sugieren que los paseadores de perros hacen ejercicio con más regularidad y están en mejor estado físico que las personas que salen a caminar con un amigo.

pueden beneficiarse también. Los estudios revelan que el ejercicio puede bajar el azúcar en la sangre y mejorar la sensibilidad a la insulina en las personas con diabetes. Esto es importante porque los problemas de sensibilidad a la insulina hacen que el cuerpo produzca ya sea demasiada o muy poca insulina.

La escasez de insulina afecta tanto la diabetes como el alzhéimer, concluye una nueva investigación. Los hombres que no producen la cantidad adecuada de insulina a los 50 años de edad, tienen un riesgo significativamente mayor de desarrollar alzhéimer y otras demencias más adelante en la vida. Afortunadamente, caminar tan sólo dos o tres horas a la semana puede reducir el riesgo de desarrollar diabetes y, por lo tanto, también de desarrollar demencia.

**Alivia la artritis.** Tener artritis no significa que tenga que abandonar sus caminatas diarias. Un estudio reciente encontró que las personas menos activas tienen un riesgo 45 por ciento mayor de desarrollar demencia que las que son más activas. Además, los expertos dicen que el ejercicio ligero, como caminar, puede aliviar la rigidez, mejorar la flexibilidad de las caderas y las rodillas, y ampliar su rango de movimiento.

## Súper secretos de los caminantes exitosos

Para mantenerse motivado, evitar incomodidades y obtener la mayor cantidad de beneficios posible, comience con estos consejos:

- Haga estiramientos suaves durante unos minutos antes y después de la caminata.

- Camine despacio durante los primeros cinco minutos. Después acelere el paso y vuelva a caminar despacio durante los últimos cinco minutos.

- Apunte a una "intensidad moderada" durante la parte veloz de su caminata. Si se mueve demasiado rápido para cantar, pero aún puede hablar, usted está caminando a una intensidad moderada.

- A medida que vaya poniéndose en forma, vaya añadiendo minutos y distancia a la parte rápida de su caminata.

- Utilice un calzado ligero y flexible con un buen acolchado y unas suelas gruesas y flexibles.

- Camine con un acompañante o en grupo para garantizar su seguridad.

- Compre un podómetro si necesita motivación adicional para caminar. Estos pequeños aparatos cuentan el número de pasos que se dan y pueden usar la longitud de su paso para medir la distancia que ha caminado. Diez mil pasos, por ejemplo, equivalen a cinco millas aproximadamente. El podómetro no sólo facilita marcarse objetivos y hacer seguimientos, hay investigaciones que sugieren que quienes usan podómetros caminan más cada día. Usted puede encontrar podómetros a precios razonables en las tiendas de artículos deportivos.

## Camine con tranquilidad

Caminar debería ser divertido, no arriesgado. Para caminar sin preocupaciones, tome precauciones como las que indicamos a continuación:

- Hable con su médico antes de empezar un programa de caminatas y asegúrese de que su estado de salud le permitirá caminar de forma segura.

- Camine a la luz del día o en áreas bien iluminadas con un acompañante y siempre lleve un teléfono celular consigo.

- Reemplace el calzado que utiliza para caminar una vez al año. El uso frecuente hace que el soporte y la amortiguación del calzado se desgasten lo suficiente como para incrementar el riesgo de lesiones.

# Agua

fruta • jugo • sopa • café • té • verduras
• bebidas carbonatadas • leche

El agua es sin lugar a dudas una de las maravillas naturales del cuerpo. El agua es fundamental para decenas de procesos diferentes y nos mantiene saludables en cientos de maneras. Esta sustancia esencial:

- Transporta los nutrientes que mantienen vivas las células.

- Elimina los desechos de los tejidos y de la sangre.

- Lubrica y amortigua las articulaciones.

- Mantiene el buen funcionamiento del aparato digestivo.

- Mantiene la temperatura corporal.

No sorprende, entonces, que casi todos los alimentos contengan agua. Si bien es posible beber demasiada agua, éste es un problema poco frecuente. En todo caso, después de cierta edad, es mucho más probable lo contrario: beber muy poca agua y sufrir de deshidratación. Esto se debe a que muchas personas mayores no sienten tanta sed como antes y olvidan beber suficientes líquidos.

Además, el organismo de un adulto mayor ya no retiene líquidos como solía hacerlo. Cuando se toman ciertos medicamentos o se sufren ciertas

| Usted obtendrá aproximadamente una taza de agua de: |
|---|
| 1 toronja |
| 1 1/2 tazas de melón |
| 1 taza de puré de manzana |
| 2 tazas de piña |
| 1 pepino |
| 2 tazas de lechuga, más una taza de zanahorias ralladas |
| 1 taza de jugo V8, de jugo de naranja o de jugo de manzana |

enfermedades, como la diabetes, la enfermedad renal o los trastornos de las glándulas suprarrenales, el cuerpo puede "secarse" con mayor rapidez.

Se pueden experimentar síntomas de deshidratación leve después de perder menos del 5 por ciento del agua de nuestro organismo. Dado que el agua constituye alrededor del 60 por ciento del peso total, una persona de 150 libras lleva cerca de 90 libras de agua. Perder el 5 por ciento equivale a perder 4 1/2 libras de agua. Si esto llegara a ocurrir, usted podría tener los siguientes síntomas:

- Pulso rápido

- Disminución de la presión arterial

- Falta de energía

- Disminución de la función cognitiva

- Desvanecimiento

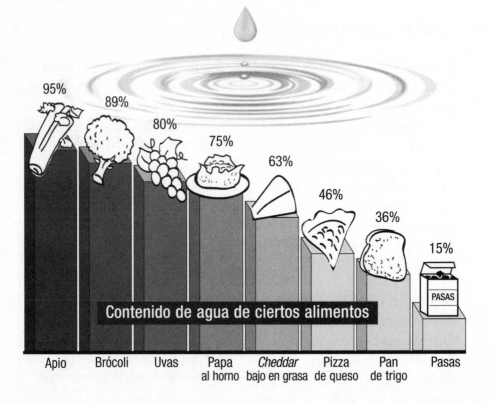

Contenido de agua de ciertos alimentos

| Apio | Brócoli | Uvas | Papa al horno | *Cheddar* bajo en grasa | Pizza de queso | Pan de trigo | Pasas |
|------|---------|------|---------------|------------------------|----------------|--------------|-------|
| 95% | 89% | 80% | 75% | 63% | 46% | 36% | 15% |

# Cinco beneficios del agua para la mente

**Detiene las fugas del cerebro.** No es necesario beber litros de agua para favorecer la concentración y la actividad mental. Basta con asegurarse de que el nivel de agua en el cuerpo no baje demasiado. En otras palabras, la deshidratación afecta la salud del cerebro.

Aunque nadie se deshidrata deliberadamente, es alarmante lo fácil que es perder mucha agua. Si bien perder el cinco por ciento del agua del cuerpo es el referente estándar para la deshidratación, perder tan sólo el dos por ciento del agua del cuerpo puede afectar la manera como se siente, se piensa y se actúa. Una persona que pesa 200 libras notaría la diferencia si pierde tan sólo 2 1/2 libras de agua. En un estudio se vio que las personas que sufrían este grado de deshidratación obtenían puntajes más bajos en las pruebas de destrezas matemáticas, tenían problemas con la memoria a corto plazo, eran más lentas para tomar decisiones y, por lo general, sentían más cansancio que las personas que bebían abundante agua.

En una persona deshidratada, el agua pasa de las células al torrente sanguíneo en un intento por mantener el volumen de sangre y la presión arterial en niveles seguros. Si la deshidratación continúa, las células se "encogen" y dejan de funcionar adecuadamente. Las células cerebrales están particularmente en riesgo dado que alrededor del 70 por ciento del cerebro es agua.

Además, la falta de suficiente agua afecta la barrera hematoencefálica (BHE). Esta capa de células y tejido separa el cerebro del resto del cuerpo y lo protege de las sustancias extrañas o peligrosas en la sangre. Cuando una persona se acalora sin disponer de suficiente líquido para enfriarse, se producen fugas en la BHE, que son perjudiciales para el funcionamiento del cerebro.

**Ofrece protección a raudales para el corazón.** Una circulación fuerte y constante es clave para el buen funcionamiento del cerebro. Las células cerebrales necesitan el oxígeno y los nutrientes que les suministra la sangre para hacer su trabajo. Por lo tanto es necesario impedir todo aquello que interrumpa o dificulte el flujo de sangre.

Se dice que la sangre es más espesa que el agua, pero lo cierto es que sin suficiente agua sería mucho más espesa. Alrededor del 78 por ciento de la sangre es agua, de modo que cuando uno se deshidrata la sangre pierde volumen. Esto puede provocar una caída en la presión arterial. Además, es más probable que se coagule debido a que está más concentrada. La sangre bien hidratada es a la sangre deshidratada como la sopa de papa es al puré de papas: una fluye, la otra no.

> Un estudio realizado con enfermos de gota mostró que cuanto mayor era su consumo de agua, menor riesgo tenían de sufrir un ataque de gota.

Los estudios muestran que mantener el cuerpo bien hidratado es bueno para la presión arterial y para limitar el riesgo de sufrir accidentes cerebrovasculares. También ayuda a prevenir la formación de coágulos peligrosos en las venas de las piernas, o trombosis venosa profunda, que es un problema frecuente durante los vuelos de larga duración. Es por esa razón que quienes viajan en avión deben beber mucha agua y levantarse de sus asientos y moverse.

**Pone freno a la enfermedad de las encías.** Tener una bella sonrisa es una manera de cuidar el cerebro. Al proteger la salud de los dientes y encías se elimina un factor de riesgo de cuatro afecciones que pueden afectar gravemente la salud del cerebro: la diabetes, las enfermedades cardíacas, los accidentes cerebrovasculares y el alzhéimer. Los expertos creen que las bacterias de la boca ingresan en el torrente sanguíneo y viajan por todo el cuerpo causando infecciones y la inflamación asociada a estas afecciones. Al eliminar las bacterias se elimina una chispa que puede desencadenar una serie de problemas.

Cepillarse los dientes, hacer uso del hilo dental y las visitas regulares al dentista son esenciales para una buena higiene bucal. Pero si no puede cepillarse los dientes después de cada comida, enjuáguese la boca con agua. Esto puede reducir las bacterias en un 30 por ciento. Asimismo, beber agua durante el día hace que la boca produzca más saliva, lo que a su vez previene las bacterias y reduce la inflamación. Esto es especialmente importante para los adultos mayores, ya que a medida que se envejece la boca produce menos saliva.

**Aleja las complicaciones de la diabetes.** Unos vasos más de agua al día deberían ser parte de la rutina habitual de las personas con diabetes:

- Sustituir los refrescos azucarados y otras bebidas poco saludables con agua es dar un gran paso hacia el control de sus niveles de azúcar en la sangre.

- El agua llena y ayuda a comer menos, lo que hace que sea más fácil perder el peso que le sobra.

- Mantener el cuerpo hidratado es importante para tener energía y mantenerse activo.

**Ayuda a evitar las caídas.** Los principales síntomas de deshidratación incluyen mareo, confusión y presión arterial baja. Cualquiera de estos síntomas puede hacer que se tropiece, se caiga o se desmaye. Una lesión en la cabeza por una caída aumenta el riesgo de desarrollar alzhéimer y otras formas de demencia.

## Una mirada clara a los filtros de agua

Considere la posibilidad de adquirir un sistema de filtración de agua si le interesa tener agua limpia y de buen sabor en casa, sin depender del agua embotellada. El primer paso es determinar qué tipo de contaminantes desea eliminar del agua del grifo. Haga que analicen el agua de su casa y luego tome en cuenta lo siguiente:

- El costo del sistema inicial y de los filtros de repuesto

- El esfuerzo que requiere cada tipo de sistema

- La cantidad de agua que utiliza y la velocidad de la filtración

Elija uno o dos sistemas de purificación de agua que mejor se ajusten a sus necesidades: la jarra filtrante, el filtro instalado en el mismo grifo, el filtro que va encima de la barra de la cocina, el filtro instalado debajo del fregadero, los filtros de ósmosis inversa o los sistemas para toda la casa. Todos tienen ventajas y desventajas, así que lo mejor es ir a una tienda, informarse sobre cada modelo y consultar los reportes para el consumidor de *Consumer Reports*.

# El cobre y los problemas con el agua potable

Mire a su alrededor y lo más probable es que descubra algo que contiene cobre. Una casa típica contiene alrededor de 400 libras de este metal versátil, ya sea en el cableado, los productos electrónicos, los aparatos electrodomésticos o las tuberías de agua. La exposición a largo plazo al cobre presente en el agua potable ha sido asociada a un deterioro de la memoria y al alzhéimer. Esto es lo que ocurre.

El agua que está en contacto con las tuberías absorbe gradualmente algo del metal. Al beber el agua, el cobre ingresa al torrente sanguíneo y así llega al cerebro. Ahí se une a ciertas proteínas que forman las grandes placas y ovillos que acaban matando las células cerebrales. Múltiples estudios han establecido un vínculo claro entre niveles más elevados de cobre en la sangre y puntajes más bajos en las pruebas de comprensión, problemas de memoria, así como el riesgo de sufrir demencia y la probabilidad de desarrollar alzhéimer.

En aproximadamente el 90 por ciento de las viviendas de Estados Unidos se utilizan tuberías de cobre. Un estudio de seis años constató que más de 4 millones de personas están expuestas a niveles de cobre superiores al límite establecido por la Agencia de Protección Ambiental de 1.3 miligramos por litro. Solicite un análisis del agua potable de su casa a un laboratorio con certificación estatal si sus tuberías son de cobre y nota que el agua tiene un sabor amargo y metálico o que los grifos y el fregadero tienen manchas verde azuladas. Si los niveles de cobre son demasiado altos puede hacer lo siguiente:

- Cambie las tuberías y accesorios de cobre por unos de PVC.

> Llame a la línea gratuita de Agua Potable Segura de la EPA al 800-426-4791 (en español e inglés) y pregunte acerca de las pruebas de monitoreo realizadas por laboratorios certificados por su Estado o pida información sobre las autoridades sanitarias locales. Puede que ellas ofrezcan pruebas gratuitas o a bajo costo. Para obtener más información en español vaya a *espanol.epa.gov/espanol/agua*.

- Deje correr el agua entre 15 y 30 segundos en cada grifo antes de utilizarla para eliminar el cobre.

- Instale un sistema de tratamiento de agua en su casa.

- Utilice una fuente alternativa de agua.

# Yoga

previene las caídas • conserva la memoria
• combate la depresión • reduce el estrés
• protege el corazón • ayuda a conciliar el sueño

Imagine una actividad que ayuda a mantener la juventud y la vitalidad del cuerpo y de la mente. Una actividad que usted puede hacer dentro o fuera de la casa, solo o en grupo. Esa actividad es el yoga, una disciplina que se originó en la India hace más de cinco mil años. Una de las escuelas más difundidas en occidente es el *hatha yoga*, una particular combinación de ejercicios físicos, técnicas de respiración y concentración.

Una buena manera de empezar es tomar una clase de yoga con un profesor calificado, que pueda explicarle los movimientos, corregir su postura o ayudarle a modificar una postura para evitar agravar una lesión. Las clases duran entre 30 y 90 minutos, y usted puede practicar en casa lo que aprendió en clase. También se puede hacer yoga siguiendo las instrucciones de un DVD, un programa de televisión o una aplicación para iPhone.

Los programas de capacitación y certificación docente varían, pero muchos profesores de yoga están inscritos en la Yoga Alliance, una organización que establece ciertos requisitos mínimos para enseñar. Vaya a *www.yogaalliance.org* (en inglés) para obtener información acerca de cómo elegir a un profesor de yoga.

Aunque parezca lento y fácil, el yoga hace trabajar los músculos a través de una serie de movimientos que mejoran el equilibrio y la postura. Es una actividad bastante segura, sobre todo porque usted puede modificar las posturas y esforzarse sólo hasta donde se siente bien.

El yoga no es un deporte competitivo. Usted puede querer mejorar, pero no hay presión para "ganar" en una sesión de yoga. Además, el yoga es una actividad para toda la vida. Es, por ejemplo, parte importante de la vida de Faith, una mujer de 55 años que ha estado practicando yoga por más de 25 años. Ella y sus médicos dicen que sus excelentes lecturas de presión arterial y de colesterol, y sus huesos sanos como los de una mujer décadas más joven, se deben al yoga.

> Es posible que usted ya cuente con un estudio de yoga en casa. Sólo necesita un sistema de juego Wii, la tabla de equilibrio para la Wii y un videojuego, como el *Wii Yoga*, que hace uso de la tabla de equilibrio para hacer yoga, o el *Wii Fit*, que incluye el yoga como parte de los ejercicios.
>
> La tabla de equilibro evalúa al instante su equilibrio y su postura, como lo haría un profesor de yoga.

El yoga es un remedio conocido para la artritis y los dolores de espalda, pero también ayuda a mantener un cerebro joven y ágil.

## Seis beneficios del yoga para la mente

**Mejora el equilibrio para prevenir las caídas.** Una caída puede significar fracturas de hueso y tiempo en cama, pero si se golpea la cabeza también puede significar deterioro de las facultades mentales y demencia, incluso alzhéimer. Aprenda los movimientos sencillos del yoga para poder caminar más rápido, ser más flexible, recuperar el control del equilibrio y evitar estas peligrosas caídas.

Investigadores de la Universidad de Temple decidieron poner a prueba esta idea y solicitaron a un grupo de mujeres mayores que practicaran yoga 90 minutos, dos veces a la semana, durante nueve semanas. Las mujeres no sólo empezaron a caminar con mayor rapidez y longitud de paso, sino que también tenían mejor postura y equilibrio, y mayor flexibilidad en las piernas. Tanto los investigadores como las mujeres quedaron impresionados de la forma como el yoga mejoró su equilibrio y su manera de caminar.

**Mantiene el cerebro joven.** La actividad física es buena tanto para el cuerpo como para el cerebro, porque mejora el flujo de sangre al cerebro. Este flujo de sangre suministra el oxígeno y la glucosa que las células cerebrales necesitan para vivir y funcionar. El ejercicio también estimula la producción de un compuesto natural llamado factor neurotrófico derivado del cerebro, que promueve las conexiones entre las células del cerebro y ayuda a formar nuevas células.

Los estudios muestran que las personas que se mantienen activas físicamente mantienen la agudeza mental a medida que envejecen. El yoga es un poderoso estimulante cerebral porque combina el esfuerzo físico con la concentración mental.

**Alivia el estrés.** El ejercicio físico hace que el cuerpo produzca endorfinas, unas sustancias químicas cerebrales que le ayudan a relajarse y sentirse bien. El yoga es especialmente poderoso, en parte, porque además se concentra en la respiración, lo cual libera tensiones.

Investigadores de Suecia pidieron a un grupo de personas que practicaran yoga y sus métodos de respiración controlada varias veces a la semana durante seis semanas. Al final del estudio, los que hicieron yoga mostraban menos ansiedad y estrés, y más optimismo que los del grupo de control, que debían permanecer cómodamente sentados y relajarse. Debido a que el estrés conduce a la inflamación que puede afectar la materia gris del cerebro, reducir el estrés es importante para conservar la salud del cerebro.

**Combate la depresión.** Los estudios también muestran que el yoga puede ayudar a las personas de todas las edades que sufren depresión. Practicar yoga aumenta los niveles de ácido gamma-aminobutírico (GABA, en inglés), una sustancia química cerebral que hace que las personas se sientan bien. De hecho, el yoga es aún más efectivo que un programa de caminatas.

Un estudio realizado entre mujeres con artritis reumatoide encontró que hacer yoga tres veces a la semana reduce la depresión y el dolor. Por último, asistir a una clase de yoga implica socializar con otras personas, lo que también puede ayudar a vencer la depresión.

**Protege el corazón.** El patrón de respiración lenta y profunda del yoga ayuda a hacer más lento el ritmo cardíaco y a bajar la presión arterial. La práctica del yoga también aminora la inflamación peligrosa en el cuerpo, a la vez que disminuye los niveles de interleucina-6, un marcador de la enfermedad cardíaca, los accidentes cerebrovasculares, la diabetes y el estrés. Esto convierte al yoga en una actividad ideal para reducir el riesgo cardíaco.

Un estudio reveló que la práctica del yoga puede conducir a un ritmo cardíaco más saludable. El yoga puede ser especialmente aconsejable para las personas que han sufrido un accidente cerebrovascular. Las investigaciones muestran que el yoga ha ayudado a pacientes a recuperar sus destrezas manuales y de comunicación, así como el control del equilibrio, después de un accidente cerebrovascular.

**Ayuda a dormir mejor.** Se recomienda hacer yoga y utilizar otras estrategias de relajación a la hora de acostarse. La mente y el cuerpo se preparan de este modo para el descanso, lo que favorece una buena noche de sueño. Y todo lo que ayuda a conciliar el sueño ayuda a la función cerebral.

## El yoga es para todos

Encuentre una clase de yoga que se adecue a sus necesidades, sin importar su edad o sus problemas de salud. No se deje engañar por el estereotipo de que todos los

El yoga puede ser un mejor estímulo para el cerebro que simplemente acostarse con los ojos cerrados. Un estudio encontró que los hombres que siguieron un programa de relajación muscular y posturas de yoga estaban más relajados y podían concentrarse mejor después de 25 minutos de práctica que después de permanecer acostados sobre la espalda. La práctica de yoga les ayudó a sentir menos ansiedad y a mejorar su memoria.

practicantes de yoga son jóvenes flexibles y en forma. Hay clases diseñadas para personas de todas las edades, tamaños y capacidades. Los centros y las residencias para el adulto mayor ofrecen ahora una serie de clases de yoga suave para personas mayores o con problemas de salud o de movilidad. Usted puede incluso encontrar clases de yoga en silla (*chair yoga*, en inglés), en las que los movimientos de yoga se hacen sentados en una silla.

Hacer yoga puede ayudar a revertir la postura encorvada. Los investigadores han comprobado que los adultos mayores que tienen una curvatura en la parte superior de la columna vertebral, lo que técnicamente se conoce como cifosis dorsal, experimentaron una pequeña mejora después de asistir a clases de yoga una hora, tres veces a la semana, durante 24 semanas.

En una clase de este tipo se hacen ejercicios de respiración profunda y se aprenden posturas con los brazos y las piernas. Estas clases están pensadas para las personas con problemas de equilibrio o debilidad en las piernas. Los ejercicios les permitirán adquirir suficiente flexibilidad para tocarse los dedos del pie y suficiente fuerza para elevar las piernas por encima de la cintura mientras permanecen sentadas.

Busque una clase que se anuncie como "*Gentle Yoga*" (yoga suave) o "*Granny Yoga*" (yoga para abuelitas). Si es afortunado, encontrará un profesor que tenga una acreditación especial del programa "Yoga terapéutico para el adulto mayor", de la Universidad de Duke.

## Proteja los ojos frágiles

El yoga puede no ser adecuado para usted si tiene la presión ocular elevada. Los expertos dicen que las personas que tienen glaucoma, que toman medicamentos para tratar el glaucoma o que sufren de obstrucción de la vena central de la retina, es decir, que tienen la retina dañada por una interrupción del flujo sanguíneo, deben evitar hacer posturas invertidas. Las posturas invertidas son aquéllas en las que se tiene la cabeza hacia abajo, como pararse de cabeza.

También corren riesgo las personas que tienen la retina desprendida. Estas posturas boca abajo pueden incrementar la presión en el interior del globo ocular y dañar la visión.

Pregunte a su médico si hacer yoga es seguro para sus ojos. Además, asegúrese de que su profesor sea un profesional capacitado y con experiencia, que pueda aconsejarle cuándo no hacer ciertas posturas.

# Zinc

ostras • cereales para desayuno • crema de cacahuate • germen de trigo • carne de ternera • semillas • frijoles • cangrejos • carne de res

El zinc es tal vez uno de los nutrientes más subestimados. Nadie va de compras al supermercado pensando *"a mi cuerpo le falta zinc"*. Aunque después de conocer los beneficios de este mineral vital es posible que usted sí lo haga. El zinc es un oligoelemento presente en casi todas las partes del cuerpo: en la piel, en los músculos, en los huesos y en el cerebro. No sólo forma parte de la estructura del organismo, sino que también ayuda en funciones importantes.

El zinc es como la chispa del fósforo que inicia un incendio. Se le considera un catalizador porque acelera reacciones químicas, principalmente a través de más de cien enzimas diferentes. Por ejemplo, el zinc ayuda a las enzimas que convierten los carbohidratos, las proteínas y las grasas en energía.

| | |
|---|---|
| 6 ostras medianas cocidas | 76.3 mg* |
| 1 taza de *Total Raisin Bran* | 15 mg |
| 1 taza frijoles con carne de cerdo (en lata) | 13.86 mg |
| 3 onzas (85 g) de cangrejo real de Alaska | 6.48 mg |
| 1 medallón de hamburguesa de 3 onzas | 5.36 mg |

* miligramos

La carencia de zinc es bastante común entre las personas mayores. De hecho, puede convertirse en un ciclo vicioso. La deficiencia de zinc altera el sentido del gusto y hace perder el apetito, y no comer empeora la deficiencia. Además, muchos medicamentos interfieren con la capacidad del cuerpo para absorber el zinc. De modo que aun si usted obtiene suficiente zinc de la dieta, algunos fármacos con receta médica no le permiten al cuerpo aprovechar ese zinc.

El exceso de zinc es tan malo como la falta de zinc. Demasiado zinc puede ser tóxico, o venenoso, para los nervios, los tejidos nerviosos y las células. Éste es un suplemento que no se debe tomar a la ligera. Pero no se preocupe, a menos que usted coma muchas ostras, es difícil que supere el límite máximo a través de una dieta saludable. El Consejo de Alimentación y Nutrición de Estados Unidos dice que es seguro consumir hasta 40 miligramos (mg) de zinc al día, aun cuando la cantidad recomendada es tan sólo de entre 8 y 11 mg.

| Deficiencia de zinc | Exceso de zinc |
|---|---|
| Riesgo de enfermedad de Alzheimer | Riesgo de enfermedad de Alzheimer |
| Desequilibrio hormonal | Inmunodeficiencia |
| Inmunodeficiencia | Muerte celular |
| Alteración de la función tiroidea | Daño causado por los radicales libres |
| Problemas de aprendizaje | |
| Problemas de memoria | |
| Daño de la función neuronal | |
| Metabolismo más lento | |
| Dolor | |
| Problemas de visión | |
| Muerte celular | |

## Tres beneficios del zinc para la mente

**Ayuda a pensar.** Cuando los expertos hablan de la cognición y del desarrollo cognitivo, en realidad de lo que están hablando es de capacidades mentales fundamentales, como la memoria, el lenguaje, el pensamiento, la atención y la comprensión. Incluso a los científicos les es difícil descifrar y explicar la función del zinc en todos estos procesos, pero coinciden en que es clave. Saben, por ejemplo, que las neuronas en el cerebro están repletas de zinc y que se necesita zinc para transmitir información entre ellas.

Las células necesitan comunicarse entre sí a través de lo que se conoce como la señalización celular. El zinc desempeña un papel importante en este mecanismo, así como en el de transmisión de los impulsos nerviosos. Estos dos mecanismos intervienen en todo, desde el aprendizaje hasta la formación de los recuerdos.

Los expertos también han establecido que si una mujer no obtiene suficiente zinc durante su embarazo, su bebé no tendrá la misma capacidad de concentración y el mismo desarrollo que otros bebés. Si un niño no obtiene suficiente zinc durante sus años de crecimiento, será menos capaz de concentrarse y de recordar. Los adultos también necesitan zinc para formar nuevas células nerviosas y proteger la llamada barrera hematoencefálica.

La barrera hematoencefálica (BHE) es una capa densa de células y tejidos que separa el cerebro del resto del cuerpo. Su función es impedir que sustancias potencialmente nocivas en la sangre, como los virus, ingresen al sistema nervioso central y, lo que es más importante, al cerebro. La BHE es especialmente vulnerable a los radicales libres, que son las moléculas inestables que atacan las células normales.

El daño de los radicales libres se llama oxidación. Cuando la BHE se oxida, permite el paso de sustancias peligrosas. Por supuesto, los antioxidantes son la primera línea de defensa del cuerpo contra la oxidación y es ahí donde el zinc resulta útil. Sus poderes antioxidantes mantienen la barrera hematoencefálica fuerte y a prueba de fugas.

**Protege de la diabetes.** El Estudio de Salud de Enfermeras, una investigación de larga duración financiada por los Institutos Nacionales de Salud, encontró que las mujeres que recibieron más zinc tenían un riesgo 20 por ciento menor de desarrollar diabetes tipo 2.

Hay unas cuantas maneras en las que el zinc puede ofrecer protección contra la diabetes. Recuerde, el zinc es un catalizador de cientos de procesos relacionados con las enzimas, incluido el de la creación de insulina. El zinc también interviene en el almacenamiento de la insulina y ayuda a que ésta cumpla su función. Además, debido a que es un antioxidante, el zinc podría proteger la insulina y las células del ataque de los radicales libres.

Este estudio también reveló que para las personas que ya obtienen suficiente zinc a través de la dieta, tomar zinc extra en la forma de suplementos no brinda protección adicional contra la diabetes. Los suplementos sólo ayudaron a aquellas personas que no estaban obteniendo una buena cantidad de zinc de las fuentes alimentarias.

**Combate los peligros ocultos de la inflamación.** Cuando los senos paranasales se inflaman, uno siente dolor y presión en la cabeza. Lo mismo ocurre con las articulaciones inflamadas. Uno las siente adoloridas e incluso pueden enrojecer. Pero cuando las paredes de las arterias se inflaman, lo más probable es que no sienta nada.

Los médicos sí se darán cuenta, sin embargo, porque las células producen sustancias que hacen saber a otras células lo que está sucediendo en el cuerpo. Un grupo de sustancias, las citoquinas inflamatorias, son una señal de alerta de que algo no marcha bien.

Un estudio reciente que se llevó a cabo en Michigan reveló que las personas que recibieron un poco más de zinc no produjeron tantas citoquinas inflamatorias como las demás. Los investigadores creen que esto se debe a que el zinc actúa como un antiinflamatorio. El

Los fitatos son compuestos específicos presentes en muchos alimentos con alto contenido de fibra, en especial los granos y las legumbres. En el cuerpo se unen a ciertos nutrientes, entre ellos el zinc, para impedir su absorción. A pesar de que algunos alimentos de origen vegetal son buenas fuentes de zinc, no son tan útiles como las fuentes de origen animal. Los vegetarianos deben esforzarse en obtener suficiente zinc de los cereales enriquecidos y de los lácteos.

zinc es un poderoso medicamento natural para tratar todo tipo de afecciones, entre ellas las enfermedades del corazón y el alzhéimer.

## Evite los peligros de los aerosoles nasales

Durante varios años, el zinc ha sido un remedio natural popular para tratar los resfriados debido a sus poderes antioxidantes y su capacidad para ayudar a reforzar el sistema inmunitario. Es posible que usted haya comprado pastillas, aerosoles nasales y gel nasal para aliviar un resfriado rápidamente. Si bien las pastillas aún se consideran seguras, la Administración de Alimentos y Fármacos (FDA, en inglés) advirtió a los consumidores en el 2009 que dejen de usar los productos nasales que contengan zinc, debido a que algunos usuarios reportaron haber perdido el olfato de manera permanente.

La mayoría de las personas no se dan cuenta de lo potencialmente peligroso que puede ser este efecto secundario. Sin el sentido del olfato, usted no podría detectar un incendio o una fuga de gas. Tampoco sabría si los alimentos están frescos o se echaron a perder. Si bien los fabricantes han retirado voluntariamente estos productos de las tiendas, es posible que usted aún tenga un frasco en su botiquín. Lea atentamente las etiquetas de los aerosoles nasales y tire cualquiera que contenga zinc.

Existe un vínculo entre el zinc y el alzhéimer, pero no hay acuerdo sobre si dicho vínculo es positivo o negativo. Algunos estudios indican haber encontrado niveles elevados de zinc en el cerebro de las personas con alzhéimer, lo que explicaría en parte las placas amiloide que se forman en el cerebro de estos pacientes. Para otros, la forma como el zinc protege la barrera hematoencefálica del daño de los radicales libres, también protege el cerebro del alzhéimer.

# Glosario

**Aceite de canola.** Aceite de colza. En inglés: *canola oil*

**Aceite de cártamo.** Aceite de alazor. En inglés: *safflower oil*

**Aceite de linaza.** Aceite de semilla de lino. En inglés: *flaxseed oil*

**Acidez.** Acedía, acidez estomacal, agruras. En inglés: *heartburn*

**Aguacate.** Palta. En inglés: *avocado*

**AINE.** Medicamentos antiinflamatorios no esteroideos (AINE), como la aspirina y el ibuprofeno. En inglés: *non-steroidal anti-inflammatory drugs (NSAIDs)*

**Albaricoque.** Chabacano, damasco. En inglés: *apricot*

**Anticoagulantes.** Diluyentes de la sangre, como la warfarina. En inglés: *blood thinners*

**Arándano azul.** Mora azul. En inglés: *blueberry*

**Arándano rojo.** Arándano agrio. En inglés: *cranberry*

**Banana.** Banano, cambur, guineo, plátano. En inglés: *banana*

**Bayas.** *Ver* Frutos del bosque

**Berza.** En inglés: *collard greens*

**Beterraga.** Betabel, betarraga, remolacha. En inglés: *beet*

**Blanquillo.** En inglés: *tilefish*

**Bulgur.** Un tipo de trigo que ha sido precocido, secado y triturado, y que se utiliza en la cocina de Medio Oriente.

**Caballa.** Macarela, sarda, verdel. En inglés: *mackerel*

**Cacahuate.** Maní. En inglés: *peanut*

**Calabaza.** Calabaza común, zapallo. En inglés: *pumpkin*

**Calabaza de invierno.** Calabaza de corteza dura, como la calabaza común (*pumpkin*), la calabaza bellota (*acorn squash*) o la calabaza de cidra (*butternut squash*). En inglés: *winter squash*

**Calabaza de verano.** Calabaza de cáscara fina, como el calabacín. En inglés: *summer squash*

**Camote.** Batata dulce, boniato. En inglés: *sweet potato*

**Carne molida.** Carne picada. En inglés: *ground meat*

**Castaña de cajú.** Anacardo, marañón, nuez de la India. En inglés: *cashew*

**Cebolleta.** Cebolla china, cebolla de verdeo, cebolla larga, cebollín. En inglés: *scallions*

**Cereza agria.** Cereza ácida. En inglés: *tart cherry*

**Chícharos.** Alverjas, arvejas, guisantes verdes. En inglés: *green peas*

**Chile.** Ají, guindilla, pimiento picante. En inglés: *hot pepper*

**Chili.** Guiso típico del suroeste de Estados Unidos con carne (de res o de cerdo), chiles y frijoles.

**Ciruela pasa.** Ciruela deshidratada, guindón. En inglés: *dried plum, prune*

**Col morada.** Col lombarda, col roja, repollo colorado, repollo morado. En inglés: *red cabbage*

**Col rizada.** En inglés: *kale*

**Corazoncillo.** Hierba de San Juan, hipérico, hipericón. En inglés: *St. John's wort*

**Crema de cacahuate.** Crema de maní, mantequilla de cacahuate. En inglés: *peanut butter*

**Cúrcuma.** Azafrán de las Indias, palillo. En inglés: *turmeric*

**Dieta DASH.** Dieta que propone una serie de medidas dietéticas para detener la hipertensión arterial. En inglés: *Dietary Approaches to Stop Hypertension (DASH)*

**DMAE.** Degeneración macular asociada a la edad. En inglés: *age-related macular degeneration (AMD)*

**Durazno.** Melocotón. En inglés: *peach*

**Enebro.** Junípero, nebrina.
En inglés: *juniper*

**Entrenamiento de fuerza.** Ejercicios de fortalecimiento muscular, entrenamiento de resistencia. En inglés: *strength training*

**Frijoles.** Alubias, caraotas, habichuelas, judías, porotos. En inglés: *beans*

**Frijoles carita.** Caupí, frijoles castilla, frijoles de carete, frijoles ojo negro.
En inglés: *black-eyed peas*

**Frutas del bosque.** Bayas, frutos del bosque. En inglés: *berries*

**Frutas secas o deshidratadas.** Las pasas de uva (*raisins*, en inglés), las ciruelas pasas (*prunes*), los higos secos (*dried figs*), son frutas secas. En inglés: *dried fruits*

**Frutos secos.** La nuez (*walnut*, en inglés) es un tipo de fruto seco, como lo es la almendra (*almond*) y la avellana (*hazelnut*). En inglés: *nuts*

**HDL.** Colesterol de lipoproteínas de alta densidad (LAD) o colesterol "bueno".
Del inglés *high-density lipoprotein*

**Hipogloso.** Fletán. En inglés: *halibut*

**HMO.** Organización para el mantenimiento de la salud. En inglés: *Health Maintenance Organization*

**Hojas de nabo.** Grelos.
En inglés: *turnip greens*

**Hongos.** Champiñones, setas. Hay muchas variedades de hongos comestibles.
En inglés: *mushrooms*

**Hummus.** Puré de garbanzos que se prepara con aceite de oliva, limón, ajo y una pasta de semillas de sésamo.

**IMC.** Índice de masa corporal.
En inglés: *Body Mass Index (BMI)*

**Lavanda.** Alhucema, espliego.
En inglés: *lavender*

**LDL.** Colesterol de lipoproteínas de baja densidad (LBD) o colesterol "malo".
Del inglés *low-density lipoprotein*

**Limón.** Limón amarillo. En inglés: *lemon*

**Limón verde.** Lima, limón criollo.
En inglés: *lime*

**Manzanilla.** Camomila.
En inglés: *chamomile*

**Mejorana.** Amáraco, mayorana.
En inglés: *peppermint*

**Melocotón.** Durazno. En inglés: *peach*

**Menta.** En inglés: *chamomil*

**Mijo.** En inglés: *millet*

**MUFA.** Ácidos grasos monoinsaturados.
Del inglés *monounsaturated fatty acids*

**Ocra.** Gombo, molondrón, quimbombó.
En inglés: *okra*

**Olíbano.** Franquincienso.
En inglés: *frankincense*

**Paracetamol.** Acetaminofeno.
En inglés: *acetaminophen*

**Pargo.** Chillo, huachinango.
En inglés: *red snapper*

**Pimiento.** Pimentón, pimiento dulce, pimiento morrón. En inglés: *bell pepper*

**PUFA.** Ácidos grasos poliinsaturados.
Del inglés *polyunsaturated fatty acids*

**Repollitos de Bruselas.** Coles de Bruselas.
En inglés: *Brussels sprouts*

**Repollo.** Col. En inglés: *cabbage*

**Romero.** En inglés: *rosemary*

**Salvia.** En inglés: *sage*

**Salvia romana.** *Salvia sclarea.*
En inglés: *clary sage*

**Saúco, baya de.** En inglés: *elderberry*

**Semilla de linaza.** Semilla de lino.
En inglés: *flaxseed*

**Sésamo.** Ajonjolí. En inglés: *sesame*

**Tofu.** Se prepara de la leche de soya cuajada. Con una consistencia parecida a la del queso, puede ser firme o cremoso.

**Toronja.** Pamplemusa, pomelo.
En inglés: *grapefruit*

**Trigo sarraceno.** Alforfón, alforjón, trigo negro. En inglés: *buckwheat*

**Zarzamora.** Mora negra.
En inglés: *blackberry*

# Índice de términos

# D

Defectos del tubo neural, ácido fólico y 101

Degeneración macular asociada a la edad
ácidos grasos trans y 4
azúcar en la sangre y 4
correr y 6
demencia y 2
dieta mediterránea y 3
factores de riesgo 2
folato y 104
resveratrol y 247
síntomas 1
tipos de 2
vitamina B6 y 317
vitamina E y 337

Demencia. *Vea también* Enfermedad de Alzheimer
ácidos grasos omega-3 y 224
anemia por deficiencia de hierro y 169
autoexámenes 20
cafeína y 40
caminar y 342
colesterol y 144
con cuerpos de Lewy 19
deficiencia de folato y 102
ejercicio y 242, 342
ejercicios mentales y 33-37
estatinas y 147
frontotemporal 19
grasas monoinsaturadas y 199
lesión en la cabeza y 73
musicoterapia para 205
niacina para 211
obesidad y 215
presión arterial alta y 139, 322
resveratrol y 245
tipos de 12, 19
tuberías de cobre y 352
vitamina D y 328

Demencia vascular 19
cafeína y 39
caminar y 341
colesterol y 144
inflamación y 156

Depresión
ácidos grasos omega-3 y 226
aislamiento social y 264
aromaterapia para 24
autoayuda 64-66
betacaroteno para 29
carbohidratos y 52, 64
corazoncillo, alerta sobre 66
diabetes y 70
enfermedad de las encías y 125
estreñimiento y 161
fatiga y 82
magnesio y 179
musicoterapia para 206
religión y 265
síntomas 62
trastorno afectivo estacional 194
vitamina B12 y 313
vitamina B6 y 317
vitamina D y 330
yoga y 355

Derrame cerebral
ácido fólico y 103
ácidos grasos omega-3 y 225
ajo y 109
cacao y 95
calcio y 47, 49
caminar y 343
colesterol y 144
combinación vitamínica y 313
deshidratación y 350
entrenamiento de resistencia y 242
escitalopram (*Lexapro*) para 187
fibra insoluble y 161
*ginkgo biloba* y 20
inflamación y 155
musicoterapia y 206
niacina y 213
pérdida repentina de la audición y 129
presión arterial y 138
prevención 289-291
signos de 288
*tai chi* y 295
tipos de 287
uso fuera de lo indicado de medicamentos para 186
vitamina B6 y 318
vitamina C y 322

Desfase horario, melatonina para 193

Deshidratación
caídas y 76
fatiga y 81
problemas de salud 349

Diabetes
ácido alfa-lipoico para 9
advertencia sobre el ejercicio 338

presión arterial alta y 141
respuesta de "lucha o huida" 282
sueño y 258
*tai chi* para 293
yoga y 355
Estrógeno. *Vea* Terapia de reemplazo
hormonal
Extracto de ajo envejecido, enfermedad
de Alzheimer y 109
Extracto de semilla de uva
advertencia 119
beneficios para la salud 116-118

**F**

Factor neurotrófico derivado
del cerebro 341, 355
Fatiga
aromaterapia para 25
autoayuda 81
carbohidratos y 53
causas de 79
deficiencia de hierro y 168
depresión y 82
ejercicio y 205
*ginseng* para 113
problemas de razonamiento y 80
Fibra
advertencia sobre los suplementos 275
aumentar el consumo 164
cómo funciona 159, 269
enfermedad de las encías 125
inflamación y 153
insoluble 160-164
receta 276
soluble 145, 270-275
Filtros de agua, comprar 351
Fitatos, zinc y 361
Fitoesteroles, colesterol y 146
Fitonutrientes. *Vea* Fitoquímicos
Fitoquímicos, definición 83
Flavonoides. *Vea* Antocianinas;
Catequinas; Quercetina
Folato
advertencia 105
beneficios para la salud 102-105
depresión y 64
fuentes 101
pérdida de audición y 134
vitamina B12 y 314
Fotorreceptores 2, 5

Fructosa, presión arterial alta y 142
Frutos secos
ácidos grasos omega-3 3
pérdida de peso y 220
Fumar
enfermedad de las encías y 120
presión arterial alta y 142

**G**

Gingivitis. *Vea* Enfermedad de las encías
*Ginkgo biloba*
alerta 20
*ginseng* y 113
*Ginseng*
beneficios para la salud 113
consejos para comprar 114
potencia 112
tipos de 115
Ginsenósidos. *Vea* Ginseng
Glaucoma
ácido alfa-lipoico y 10
yoga, advertencia sobre 357
caídas y 75
Glucosa. *Vea* Azúcar en la sangre
Granos integrales
enfermedad de las encías y 125
fibra y 164
inflamación y 153
pérdida de peso y 272
Grasa abdominal 221, 241, 258, 272
Grasas insaturadas. *Vea* Grasas monoinsaturadas; Grasas poliinsaturadas
Grasas monoinsaturadas
beneficios para la salud 197-200
fuentes 145, 196, 198
Grasas poliinsaturadas
equilibrio de ácidos grasos 222
fuentes 145, 196
Grasas saturadas
inflamación y 153
fuentes 145, 196

**H**

Hemocromatosis 167
Herpes zóster, derrame cerebral y 292
Hidrocefalia normotensiva 19
Hierro
beneficios para la salud 168-170
deficiencia 168
enfermedad de Parkinson y 232
síndrome de las piernas inquietas 170